LE TEMPS DES SILENCES

DU MÊME AUTEUR

Sud tragique, Guilde du Livre, 1969

Mourir pour Dacca (préface de Bernard Clavel), R. Laffont, 1972

Ma forêt au bord du grand fleuve, R. Laffont, 1976

Le Nouveau Tour du monde en 80 jours, R. Laffont, 1977

Médecin de l'aventure, R. Laffont, 1979

Ouvrez donc les yeux (avec Haroun Tazieff), R. Laffont, 1980

Guide du Mexique, Jeune Afrique, 1980

Les Histoires de l'Histoire I, Acropole, 1981

Les Histoires de l'Histoire II, Acropole, 1982

Mécano de Saint-Ex, Ramsay, 1984

Jacques Cartier, Acropole, 1984

La Carrière, M. Slatkine (Suisse), 1989

Le monde est sur l'antenne, La Thièle (Suisse), 1993

Dominici innocent !, Le Rocher, 1993

La Juive du pape (préface de Max Gallo), Le Rocher, 1995

Carpentras, la profanation, Le Rocher, 1996

L'Aventure du théâtre populaire, Le Rocher, 1996

Lettre d'un Juif à un Israélien, Bartillat, 1997

Ces messieurs de Berne, Stock, 1997

Clément V, Stock, 1998

Lorenzo, Plon, 1999

Le Château des papes I, *Les Intrigants*, Plon, 2000

Le Château des papes II, *Les Bâtisseurs*, Plon, 2000

Le Château des papes III, *Les Impétueux*, Plon, 2001

Le Transsibérien, Plon, 2001

Dominici innocent ! (réédition), Le Rocher, 2003

La Suisse, c'est foutu ?, Le Rocher, 2003

Les Impostures de l'Histoire, Le Rocher, 2004

Pétrarque, vagabond amoureux, Le Rocher, 2004

Les Nouvelles Impostures de l'Histoire, Le Rocher, 2005

Ces belles en leur demeure, Le Rocher, 2005

Le Complot Pazzi, Le Rocher, 2006

Le Fléau de Dieu, Le Rocher, 2006

Les Bûchers de la foi, Le Rocher, 2007

Aux larmes, citoyens !, Le Rocher, 2007

Trains de rêve, Seven Sept, 2007

La Pelisse de zibeline, P. Galodé éditeurs, 2008

L'Emeraude du pape, Editions Alphée Jean-Paul Bertrand, 2009

Le Secret de Mozart, Editions Alphée Jean-Paul Bertrand, 2010

Cortés, conquérant du soleil aztèque, P. Galodé éditeurs, 2010

Catherine, Nostradamus et le Triangle noir, Editions Alphée, 2010

Crimes d'Etat, Editions Alphée, 2011

Les Borgia I, *Les Fauves*, HC Editions, 2011

Les Borgia II, *Chair et Sang*, HC Editions, 2011

Marie l'insoumise, HC Editions, 2012

Les Parfaits, HC Editions, 2013

Les Brûlés du Luberon, Presses de la Cité, 2013

Claude Mossé

LE TEMPS DES SILENCES

Roman

PRESSES
DE LA CITÉ

© Presses de la Cité, 2014
ISBN 978-2-258-11016-8

Presses
de   un département **place des éditeurs**
la Cité

place
des
éditeurs

En hommage posthume à l'inconnu(e) qui,
en ordonnant à ma famille
de quitter Paris dans l'heure, le 15 juillet 1942,
m'a permis de vivre pour écrire ce livre.

Travail, famille, patrie, toute la Suisse
applaudit à cette admirable formule, avec
d'autant plus d'enthousiasme qu'elle a eu
pour auteur Philippe Pétain.

W. RAPPARD,
professeur à l'université de Genève

Ignorer le passé, c'est aussi raccourcir
l'avenir.

Julien GREEN

Conscience et révolte sont le contraire
du renoncement.

Albert CAMUS, *L'Homme révolté*

Avant-propos

Derrière la vitrine du chocolat, de l'horlogerie de précision, de l'industrie chimique, de la beauté des paysages et de la qualité des stations de sports d'hiver, derrière les avantages d'un « paradis fiscal » apprécié par celui-ci ou celle-là, derrière les coffres des banquiers, ceux que le général de Gaulle désignait sous l'appellation de « gnomes », derrière la Suisse du bien-être et du quasi-plein emploi, il y a une autre Suisse. Celle des inégalités sociales, du culte de l'argent. Une Suisse imprégnée du mythe médiéval de Guillaume Tell, une Suisse « officiellement » neutre, protégée par une armée puissante et salvatrice, où l'opulence peut avoir pour source la vente d'armes aux pires despotes de la planète.

Au prétexte de se tenir en dehors d'une Europe balbutiante mais existante, par-delà une vision idyllique de sa neutralité historique, la Suisse s'isole, ses citoyens ont adopté une loi commune, celle du silence.

Cette Suisse du silence et du repli sur soi, cette Suisse aveugle à l'évolution du monde, où une majorité de Confédérés sont convaincus depuis des siècles que « des comme nous y en a pas », n'a jamais cessé de se méfier de l'étranger, fût-il richissime client de ses cinq cents établissements financiers. Enfermés dans leur silence, les Suisses n'ont pas perçu, lors de leur votation du 10 février 2014, qu'aux clarines de l'alpage pourrait succéder le glas d'une société en perdition, se condamnant d'avance au déclin, pour s'être écartée de la maison commune Europe.

C'est ainsi qu'il m'a fallu longtemps pour découvrir la réalité de « l'affaire Grüninger », comparable à ce que fut en France « l'affaire Dreyfus ».

Si aujourd'hui l'erreur judiciaire condamnant le capitaine français appartient à notre devoir de mémoire, ce devoir l'histoire suisse a pris le parti de l'oublier.

Adoptant pour la ressusciter la forme romanesque, respectant scrupuleusement la vérité sur le destin du capitaine Grüninger, cela m'a permis, avec des personnages de fiction mais qui auraient pu exister, de donner un visage à une nation ne voulant offrir au monde que l'image du bonheur.

Sans l'excuser, on peut s'efforcer de comprendre la loi de ce silence historique. Tout commence en 1938 quand, dans sa folie, Hitler incorpore l'Autriche au Reich, en même temps qu'il déchaîne sa fureur contre les Juifs, les Tsiganes, les homosexuels et ceux qui, réalistes, ont fait le choix de s'opposer à la haine.

C. M.

1

Le journal glissa sur la jupe noire plissée de Martha jusqu'aux lattes sombres et claires alternées du parquet. Luisa, la fille du bouvier saint-gallois, veillait trois fois par semaine à ce qu'aucun grain de poussière ne se posât sur le sol et les meubles hérités des parents de son mari, Eugen. Une fois encore, hélas, cela devenait presque quotidien, le *St. Galler Nachrichten*, dans un éditorial virulent mais anonyme, accusait les Juifs suisses de ne trouver de volupté que dans des opérations bancaires assez douteuses pour nuire à l'économie du pays. L'antisémitisme était bien le sentiment le plus pervers, le plus insidieux de quelques extrémistes suisses, admirateurs inconditionnels du fasciste genevois Georges Oltramare[1]. Martha n'y pouvait rien changer. Les événements d'Allemagne et d'Italie avaient libéré la parole de ceux qui, sans retenue, reprochaient aux Juifs de nuire aux intérêts de la Confédération. Rien ne pourrait les arrêter depuis qu'en Allemagne Hitler, après avoir éliminé ses opposants politiques, avait retiré aux Juifs tous leurs droits civiques et leur avait

---

1. Il sévira pendant l'Occupation à Radio Paris sous le pseudonyme de « Dieudonné ».

interdit l'exercice de nombreuses professions. Il fallait du courage, quand la santé le permettait, pour ne pas chercher à fuir l'Allemagne.

En page intérieure du quotidien, un encadré faisait état d'une rumeur : le chef de la police cantonale saint-galloise, Paul Grüninger, réputé rigoureux, soucieux d'appliquer les règlements, serait mêlé à un trafic d'entrées illégales de Juifs sur le territoire suisse. Agissait-il seul ou pour le compte d'un réseau du Parti socialiste, dont il était un membre actif ? Des vérifications s'imposaient. N'ayant jamais rencontré Grüninger, Martha ne prêta pas attention à ce qui ne la concernait pas directement.

Dans le fauteuil à bascule, par la fenêtre à petits carreaux, Martha avait vue sur l'abbatiale et la bibliothèque de Saint-Gall où on avait su protéger de l'usure du temps des milliers de manuscrits. Elle s'y rendait régulièrement autant par goût de la lecture que pour tromper son ennui. Elle pouvait y demeurer de longs moments sans tourner une page, les yeux fixés sur les deux tours dominant la ville. Depuis les premières persécutions elle ne doutait plus du drame qui tôt ou tard bouleverserait l'Europe. Quel serait alors son destin ? Juive, épouse d'un Suisse, elle n'échappait pas à l'angoisse d'un sort contraire.

Comme chaque mercredi, le banquier Eugen Stahler avait pris le premier train pour Zurich. Il ne reviendrait que le lendemain soir. A Zurich, il logeait dans un hôtel modeste du quartier de la gare, l'Appenzell, sans confort particulier, assurait-il. Personne ne l'y dérangerait, il n'y avait pas de téléphone dans les chambres. Martha, épousée cinq ans plus tôt, quelques semaines avant l'incendie du Reichstag à Berlin, devait aussi s'abstenir, ce dont elle ne se plaignait pas. Tout à son ambition de jeune homme d'affaires, il ne prêtait guère d'attention aux besoins de sa femme.

Eugen le répétait à chaque déplacement, la tranquillité de l'établissement zurichois était nécessaire à son équilibre nerveux ; il se devait de convaincre ses clients de ses qualités de financier, jeune mais compétent. Il y réfléchissait dans le calme aux affaires qu'il aurait à traiter. Quelles affaires ? Martha se gardait d'interroger son mari. En Suisse, quand on partage la vie d'un banquier, on doit se résoudre à ne jamais poser de question. Eugen lui avait dit qu'il se devait de garder le secret de son activité, la moindre maladresse pouvant entraîner la perte d'un client fortuné. Il ne plaisantait pas avec le secret bancaire imposé depuis 1934. L'essentiel était que chaque dimanche, ponctuellement, il remît à Martha les cent cinquante francs nécessaires à l'entretien de la maison. Pour ses besoins personnels, elle n'avait qu'à réclamer. Eugen sortait les billets d'un portefeuille en cuir. Juste ce qu'elle lui demandait. Eugen n'était pas spécialement mesquin, comme la plupart de ses compatriotes il considérait qu'une dépense ne devait jamais être inutile, chaque sou méritait qu'on réfléchisse à son utilisation. Avant Noël, il réservait une somme toujours identique aux œuvres caritatives du canton, non parce qu'il était sensible à la misère humaine, mais parce que cela confortait sa nécessaire réputation de citoyen généreux et aisé. Un budget qu'il ne dépassait jamais d'un centime.

Sans se restreindre, répétait-il, il faut savoir se satisfaire du nécessaire. Une règle devenue une habitude, Eugen l'avait apprise à l'école protestante de Saint-Gall. Il n'y voyait pas une question de religion, les catholiques de Saint-Gall, en effet, ne se montraient pas plus dépensiers. Pendant des siècles ils avaient orné leurs vêtements, taillés pour les plus pauvres dans du drap de médiocre qualité, de broderies réalisées dans les alpages par les gardiennes des troupeaux. La crise avait mis un terme à ce négoce de luxe. Même les couturiers parisiens n'utilisaient plus les broderies de Saint-Gall, trop onéreuses. Le commerce se faisait désormais avec les touristes ou villageois des bourgs allemands et autrichiens de l'autre côté des frontières. En toute illégalité, afin d'économiser les frais de douane. Les policiers fermaient les yeux, ce trafic évitait l'augmentation du nombre de chômeurs et la pauvreté.

Martha s'interrogeait : pourquoi tant de haine déversée chaque jour sur les Juifs par le quotidien saint-gallois lu dans presque toutes les familles du canton ? Ceux-ci n'écoutaient guère la radio, malgré le progrès technique qu'elle représentait. La TSF ne permettait-elle pas aux maisons isolées dans les montagnes alentour de ne pas rester à l'écart de la vie du monde ? La presse imprimée affirmait que les journalistes de la radio obéissaient aux ordres de Moscou et que ceux qui n'étaient pas communistes étaient juifs. A l'entendre répéter avec insistance, les Saint-Gallois en avaient acquis la certitude. Ils s'intéressaient à la guerre civile espagnole, souhaitant, sans l'avouer à leur voisinage, la victoire de Franco. Elle mettrait un terme à l'afflux de réfugiés, interdits de parole politique sous peine d'être expulsés du territoire suisse. Les Saint-Gallois, qui avaient la réputation d'être gens aimants et bons, croyaient ce qu'ils lisaient avec la même foi qu'ils accordaient aux harangues des curés et pasteurs prêchant régulièrement afin qu'on priât pour le succès d'Adolf Hitler et de ses fidèles. Leurs discours ne variaient jamais : après avoir épargné à l'Allemagne une terrible crise économique, Hitler ne manquerait pas de participer à la prospérité de la Suisse, et plus spécialement à celle du canton frontalier de Saint-Gall où les entreprises exportatrices souffraient encore des effets néfastes de la crise de 1929. Si les nantis avaient maintenu leur niveau de vie, il y avait eu pour la première fois de nombreux chômeurs, surtout dans les industries horlogères et les petites fabriques de broderies. Pour le *St. Galler Nachrichten*, les Juifs, nombreux dans la ville où il y avait deux synagogues, étaient responsables de la progression du chômage. Ne plus commercer avec eux, c'était servir la patrie. Pareils propos ne semblaient pas déranger qui que ce soit. Les persécutions contre les Juifs étaient, pour la plupart d'entre eux, une invention de journalistes hostiles à la renaissance allemande. Ceux qui craignaient les dangers du régime nazi s'enfermaient par prudence dans le silence. Une sage nécessité, si pénible soit-elle, tant la police cantonale encourageait la délation. Martha s'interrogeait, ne fallait-il pas rompre le silence sur les atrocités nazies pendant qu'il était encore temps ?

Ce qu'elle venait de lire, Martha se refusait à y croire. Depuis que les troupes allemandes avaient envahi et annexé l'Autriche, sans tirer un coup de feu, l'éditorialiste du *St. Galler Nachrichten* recommandait aux lecteurs de se méfier : à la frontière les Juifs se presseraient nombreux, les autorités devaient prendre les dispositions nécessaires afin que la ville ne devienne pas un ghetto où on verrait dans les rues plus de kippas que de croix. L'article se terminait par cette phrase : « Ceux qui voudraient s'installer en Suisse au prétexte de leur situation dans leur pays d'origine, les Juifs par exemple, ne doivent pas être considérés comme des réfugiés politiques. Il convient de les refouler. »

Martha, plongée dans le désarroi, avait l'impression de ne plus exister. Eugen ne serait pas là ce soir pour lui tenir compagnie et peut-être la prendre entre ses bras, mais elle ne s'en souciait

17

guère. L'aimait-elle encore ? Qu'était devenue la complicité née un soir de bal d'étudiants, à Heidelberg, en Allemagne, quand le peuple voulait encore croire, malgré la défaite, à la démocratie ? Eugen avait mêlé ses mains aux siennes après l'avoir invitée à danser, elle n'avait pas refusé. L'un et l'autre avaient vingt ans. Nés en 1913, ils avaient vécu après l'attentat contre l'archiduc Ferdinand leur première enfance dans le vacarme d'une guerre que le Kaiser Guillaume avait la certitude de gagner et qu'il perdit. Grand, mince, séduisant, Eugen, Suisse alémanique, avait choisi d'étudier l'économie à Heidelberg parce que l'enseignement, affirmait-il, y était plus complet qu'à Zurich où la majorité des professeurs se satisfaisaient d'apprendre à leurs élèves comment devenir de bons banquiers. Quand, avec chaleur, il avait tenté de lui faire partager les projets ambitieux du Parti national-socialiste qui venait de gagner les élections, elle n'avait pas voulu commenter ce qui déjà l'inquiétait, simplement parce qu'elle ne voulait pas perdre un garçon qui lui plaisait. Elle aurait dû s'éloigner dès la danse achevée, mais elle avait accepté la suivante, et s'était réjouie qu'il la raccompagne à la Maison des étudiantes. Elle se savait belle et admirait l'intelligence d'Eugen. Ils s'aimèrent.

La nuit n'était pas encore tombée. Martha entendit le bruit d'une clé dans la serrure. Eugen rentrait plus tôt qu'à l'accoutumée. Il se débarrassa de son manteau, l'accrocha méticuleusement à une patère et s'approcha de son épouse. Il l'embrassa sur les joues. Par habitude. Dans le couple, la passion n'avait plus sa place. Sans lui donner la raison de son retour prématuré. Sur le visage d'Eugen, Martha remarqua un sourire auquel elle n'était pas habituée. Pas plus qu'elle ne l'interrogea sur son travail elle ne lui fit part de ses inquiétudes et de l'angoisse qui l'étreignait. Elle détenait un passeport suisse mais ne pouvait oublier qu'elle était juive, et allemande ! Elle s'était longtemps efforcée d'effacer les souvenirs de son enfance : la mort de son père à Verdun dans une tranchée – elle n'avait que quatre ans –, les difficultés pour vivre dans une Allemagne vaincue, sa mère, veuve, se satisfaisait de petits travaux de couture mal payés, les incohérences du vieux maréchal Hindenburg... Il suffit que ce nom surgisse à son esprit pour qu'elle songe à Frederika, sa compagne d'université, qui, après avoir milité dans les rangs des communistes, avait, dès sa création, adhéré au Parti national-socialiste. Dans leur correspondance, qui n'avait jamais cessé mais devenait de plus en plus irrégulière, l'une et l'autre se retenaient d'évoquer l'actualité ; leurs commentaires auraient pu ternir leur amitié.

Eugen sortit une bière de l'armoire frigorifique, une nouveauté ménagère d'un coût élevé qu'il était fier de posséder, puis il s'effondra plutôt qu'il ne s'assit dans le canapé, face à Martha toujours muette, ce qui d'évidence le laissait indifférent.

Après de longues minutes, elle s'enhardit à s'adresser à un mari qui l'ignorait :

— Je me suis occupée de la peinture des murs de la cuisine ternis par la fumée du four à bois. Tu étais d'accord, non ?

Eugen ne la laissa pas poursuivre. Il avala une gorgée, insensible aux soucis domestiques, et s'écria, joyeux :

— Enfin, ça y est ! Hitler a pris la bonne décision !

Malgré son irritation, Martha, dans un murmure, lâcha :

— Quelle décision ?

D'une voix où perçait la colère, il répliqua d'un ton sec :

— Comment peux-tu ignorer qu'après avoir redouté d'être contraints à une bataille pour annexer l'Autriche, Hitler et son armée ont été accueillis à Vienne en triomphateurs. Schuschnigg lui-même se réjouit de l'Anschluss. La Suisse est un pays neutre, j'en suis heureux et fier, ce qui ne m'empêche pas de me réjouir de voir l'Allemagne retrouver sa puissance perdue. Ce n'est pas cette vieille canaille d'Hindenburg qui aurait obtenu un tel résultat... Tu comprends cela ? Les succès du national-socialisme ne peuvent être que bénéfiques pour nos affaires.

Martha, dans un soupir résigné, murmura :

— Oui, oui... Ce que je ne comprends pas, c'est qu'un pays dont la frontière n'est qu'à quelques kilomètres accepte de perdre son indépendance. L'Allemagne est devenue raciste. Je ne m'y résoudrai jamais... Tu n'en as peut-être pas conscience mais un Reich trop puissant présente un risque pour les pays voisins, la Suisse comme les autres.

Eugen se leva d'un bond et, accompagnant son propos d'un regard furieux, lança :

— Il n'y a rien à craindre. De quoi as-tu peur ? Oui, la population autrichienne est enthousiaste parce que, comme en Allemagne, la situation économique va s'améliorer. Je fais des affaires avec l'Allemagne, je suis certain qu'à Vienne on manque de banquiers compétents. Il y a une place à prendre... L'annexion de l'Autriche par l'Allemagne est un grand événement dont nous devrions profiter... Toi... moi... tous les Suisses qui ont l'esprit d'entreprise. Plus rapidement que tu ne le crois !

Martha, livide, était incapable de prononcer un mot. Eugen, lui, avait besoin de parler, sans réellement prendre conscience de ce qu'il disait. Avait-il oublié que son épouse était juive ? Il ne comprenait pas, ou ne voulait pas comprendre, qu'elle avait peur pour ses coreligionnaires. La presse avait à plusieurs reprises relaté l'exil au Brésil de l'écrivain Stefan Zweig. On évoquait aussi des passeurs qui, connaissant la région, avaient introduit des Juifs allemands en Suisse. Quelques dizaines qui, heureusement, n'avaient pas été refoulés.

Eugen voulut se montrer aimable :

— Et si nous allions souper au restaurant ? Tu ne penseras plus aux Juifs autrichiens... Ils sont moins désespérés que tu ne l'imagines.

Pour éviter tout conflit avec son mari, Martha accepta.

Dehors, il faisait frais, quelques flocons de neige s'écrasaient sur les pavés glissants des vieilles ruelles de Saint-Gall. A l'Edelweiss, la grande salle au plafond voûté et aux murs couverts de trophées de chasse était presque vide. A Saint-Gall, comme dans la plupart des cantons, on soupait tôt. A 7 heures, c'était la fin du service et après 8 heures on ne servait plus de plats chauds. Edmond, le propriétaire, avait la taille et la robustesse d'un lutteur de foire ; originaire de Steinach, sur le lac de Constance, il avait quitté, afin d'assurer son avenir, l'usine familiale de broderie où les anciens se flattaient d'avoir ouvragé pour l'impératrice Eugénie. Les commandes se raréfiaient. Avant une faillite annoncée, Edmond avait eu le courage de changer de vie. Il aimait cuisiner, il était devenu restaurateur. Ayant une excellente réputation, il avait pu très vite se mettre à son compte. L'Edelweiss était devenu l'incontournable table des notables saint-gallois.

En marchant d'un pas vif dans la St. Gallenstrasse, Martha et Eugen n'avaient pas prononcé un mot. De rares façades éclairées, quelques affiches de théâtre et de cinéma ne dépassant pas l'emplacement imposé par l'Autorité, un kiosque à journaux aux volets clos devant lequel une machine automatique délivrait des cigarettes. Amateur de cigares cubains, Eugen n'avait jamais acheté un paquet de cigarettes. Ils avaient croisé un couple pressé, un fiacre à touristes qui rentrait à l'écurie mais pas une seule voiture automobile. Bruyante et animée dans la journée tant les commerces étaient nombreux, dès 5 heures la St. Gallenstrasse devenait le royaume du silence. La majorité des soixante-quinze mille habitants de la ville, leur journée de travail achevée, s'empressaient de rentrer chez eux. Les Saint-Gallois´ auraient pu prendre pour devise « Labeur et famille » ! En dehors de la période de carnaval, trop d'euphorie aurait été considérée comme une faute de goût, le signe d'une mauvaise éducation. Les petites gens se réunissaient souvent dans les cafés, dans l'espoir de gagner quelques sous en jouant au yass, que les francophones appelaient belote.

Sur la dizaine de tables, toutes dressées malgré l'heure tardive, mais vides de clientèle, une seule était encore occupée par deux militaires en uniforme gris-vert, engagés dans une vive discussion.

Après qu'Edmond les eut conduits, en abusant des formules de politesse, à une table près de la cheminée, un des deux militaires se leva pour venir saluer le couple.

— Capitaine Paul Grüninger, notre valeureux chef de la police cantonale, dit en riant Eugen qui semblait bien connaître le fonctionnaire.

Martha, elle, ne l'avait jamais rencontré.

Après que les deux hommes eurent échangé une solide poignée de main, Eugen fit un signe à Edmond qui s'était écarté. La commande fut aisée à passer. Il n'y avait ce soir-là qu'un potage au fromage de Gruyère, des côtelettes d'agneau garnies de pommes de terre et une tarte au citron.

— Et pour boire ? s'enquit l'aubergiste.

— Comme d'habitude, trois décis de dôle du Valais.

Martha, Eugen ne s'en aperçut pas, sursauta. « Comme d'habitude », avait dit Eugen alors qu'il y avait plus de deux ans qu'elle n'avait pas mis les pieds à l'Edelweiss. Eugen, lui, fréquentait certainement plus souvent l'établissement... Le capitaine Grüninger s'était montré très courtois avec son époux ; le financier et le fonctionnaire cantonal devaient entretenir des relations suivies et courtoises. Jamais Eugen ne lui en avait parlé, ce qui lui parut bizarre. Afin de ne pas gâcher la soirée, elle s'abstint d'interroger son mari et soupa, en silence, dans une ambiance maussade.

Le potage au fromage était lourd, Martha en laissa plus de la moitié au fond du caquelon.

— Ces côtelettes sont trop grillées, lâcha Eugen, mécontent.

Martha acquiesça. Le seul échange du couple durant le repas.

Quand la tarte au citron fut servie – « la spécialité du chef », précisa Martin, le maître d'hôtel originaire du village de Zoug –, les deux militaires quittèrent la salle sans les saluer.

Eugen avait assez attendu, le moment était propice à la question qui tout le jour avait occupé son esprit. Fixant Martha du regard, il lui demanda d'une voix qu'il voulut indifférente :

— As-tu des nouvelles de Frederika ?

Depuis des mois, il ne lui avait pas parlé de Frederika et, soudainement, ce soir, il l'interrogeait sur son amie d'université. L'air étonné, après avoir fait non de la tête, elle répondit d'une voix triste :

— Je l'aimais bien, elle ne m'intéresse plus. Depuis qu'elle a été embauchée à la succursale de

23

la Reichsbank de Munich, nous n'échangeons plus que de rares courriers.

Puis, dans un soupir, elle ajouta :

— Dans la situation actuelle, tout est possible, y compris la censure des correspondances. Sois convaincu, Eugen, que si les discours d'Hitler ont soulevé l'enthousiasme des Autrichiens, ils pourraient mettre le feu à toute l'Europe. Viendra un temps où les Allemands eux-mêmes auront la nostalgie des libertés perdues... On comprendra le danger quand il sera trop tard.

Eugen se leva, décrocha un journal autrichien mis, comme dans tous les cafés et restaurants de Suisse, à la disposition des consommateurs. Il s'agissait du *Kurier*, le plus lu des quotidiens viennois, qui avait participé à l'hystérie joyeuse de l'Anschluss.

A la première page, une large photo du Führer en capote brune de SA, debout à l'arrière d'une voiture découverte, la main droite levée pour saluer, et la gauche cramponnée à une barre métallique. Le conducteur, vêtu d'un uniforme de la Wehrmacht, la nouvelle armée allemande, montrait, lui, un visage plutôt renfrogné.

Eugen mit le *Kurier* sous le nez de Martha.

— Tiens, regarde ! Je n'invente rien : Vienne a acclamé Hitler.

Martha, dans un geste de réprobation, dissimula ses yeux derrière un foulard de soie légère. Fort heureusement la salle était vide car c'est presque en hurlant qu'Eugen clama la légende de la photo : « Sur la Heldenplatz et dans les rues voisines, plus de deux cent mille personnes ont salué Adolf Hitler venu chercher à Vienne sa couronne autrichienne.»

Aussi calme que son mari se montrait excité, elle lui souffla d'une voix douce où perçait néanmoins une pointe d'amertume :

— Bientôt, c'est la couronne des Habsbourg avec ses pierres précieuses qu'Hitler ramènera à Berlin.

Les mots de Martha, Eugen ne pouvait pas, ne voulait pas les entendre. D'un bond, il se précipita vers la porte qu'il referma brutalement derrière lui, sans un regard pour son épouse. Martha, seule à la table, ne bougea pas.

Lorsque Edmond, l'aubergiste, inquiet d'avoir entendu des cris, pénétra dans la salle, Martha avait les larmes aux yeux, son beau et doux visage était rouge de honte. Au fond d'elle-même une petite voix lui soufflait que cette insolite journée ne faisait que marquer le début des ennuis. Croyant bien faire, Edmond s'approcha et avec tendresse lui murmura :

— Monsieur Eugen se conduit mal avec vous. Quand un homme a tort, il n'est pas rare qu'il cherche à se justifier par une sotte colère. Quoique cela ne me concerne pas, j'imagine qu'il vous a enfin avoué sa liaison avec une certaine Frederika. Il ne comprend pas que cela vous peine et se disculpe en haussant le ton... J'ai eu tort, je n'aurais jamais dû accepter de leur louer une de mes chambres. Que voulez-vous, on dit oui une première fois, ensuite on n'ose plus refuser. Mon établissement n'est pas une maison de rendez-vous. Je n'ai pas été à la hauteur de ma réputation. Je le regrette. Cela est terminé, croyez-moi, je n'ai qu'une parole... Désormais pour eux il n'y aura plus de chambre disponible.

Pensif, il ajouta encore :

— Quelle déception pour le capitaine Grüninger s'il apprenait que je reçois ici des gens ne dissimulant pas leur admiration pour les nazis ! Les Suisses n'ont rien à gagner à s'attirer les grâces d'un dictateur. Même sous couvert de patriotisme. Nos troupes sont aujourd'hui fières de porter un uniforme et un casque identiques à ceux des Allemands ; demain, ils deviendront peut-être les laquais de l'armée nazie, les tanks allemands défileront dans les rues de Saint-Gall. Qui pourra les en empêcher ? La Suisse pourrait même cesser d'exister. Des hommes aussi érudits que votre mari devraient le comprendre... La liberté est si importante, je n'ai pas envie d'en perdre le goût.

Martha ne pleurait plus. La bouche pâteuse, la chevelure noire en désordre, elle régla l'addition, se leva, prit les mains d'Edmond entre les siennes et sortit.

Jusqu'au plus profond de la nuit, elle déambula dans les rues de Saint-Gall, incapable de surmonter sa douleur. Ses rêves de jeunesse s'envolaient. La jolie Juive aux yeux bruns, à laquelle les étudiants d'Heidelberg faisaient une cour assidue, n'avait plus aucune certitude quant à son avenir. Sa vie de couple lui paraissait désormais menacée.

Minuit avait sonné depuis longtemps quand Martha se dirigea vers la gare, avec l'impression de sortir d'un cauchemar. La salle d'attente était ouverte et chauffée. Un couple d'une quarantaine d'années dormait recroquevillé sur un banc, sans bagage. Probablement des clandestins, désireux de fuir l'Autriche.

Le premier train, une desserte régionale qui s'arrêtait dans chaque station pour ramasser les travailleurs de la banlieue zurichoise, partait de Saint-Gall à 5 h 10. Le guichet, pour servir les rares voyageurs non abonnés, ouvrait à 4 h 30.

Martha, après avoir vérifié qu'elle avait dans son sac de quoi payer le ticket aller-retour, et si nécessaire les tramways de Zurich, s'allongea elle aussi sur un banc et s'efforça de dormir, sans y parvenir. La journée avait été dure, rien ni personne ne pourrait l'effacer. Elle n'éprouverait jamais plus de sentiments amoureux pour Eugen, leur couple s'était brisé définitivement. Pour ne pas déplaire à Eugen, parce qu'on raille aisément les épouses de banquier acceptant un travail rémunéré, Martha, confortablement installée dans le bel appartement hérité de ses beaux-parents, passait l'essentiel de son temps à jouer sur le grand piano du salon des fantaisies de Chopin, son compositeur préféré, ou à lire des ouvrages de la bibliothèque. Elle aimait l'odeur du papier et s'intéressait plus particulièrement aux traductions en allemand des écrivains des Lumières, surtout de Jean-Jacques Rousseau dont elle admirait l'audace d'écriture. Effacée et douce, elle avait eu depuis son mariage le discret comportement d'une épouse de banquier. C'était fini. Une époque s'achevait. D'épais nuages noirs la menaçaient. Il suffit parfois d'une maladresse pour passer du bonheur au malheur.

Sans jamais s'en entretenir avec Eugen, elle avait suivi l'actualité du monde : elle n'en doutait pas, les nazis constituaient une menace pour la paix. Hitler, l'Autrichien, ce qu'on oubliait parfois, ne pouvait que souhaiter l'annexion de son pays natal. Cela paraissait inévitable. L'enfant souffreteux était devenu un dieu dans l'Olympe des dictateurs.

Lorsque le chancelier autrichien Dollfuss avait été assassiné, Eugen, en l'apprenant, lui avait dit :
« C'est un second Sarajevo. Nos autorités devront chercher un compromis, nous avons besoin de l'Allemagne... ne serait-ce que pour son charbon. Ceux qui ne le comprennent pas s'en souviendront quand ils ne pourront plus se chauffer. »

L'avenir du monde intéressait moins le jeune banquier que le sort de son pays. Il n'avait à la bouche qu'un seul mot d'ordre : le respect de la neutralité. Mois après mois, malgré l'odeur de poudre flottant sur l'Europe, Eugen, négligeant le fait que son épouse était juive allemande, avait confiance dans le gouvernement de son pays. La Confédération devait prendre des mesures afin que les Juifs chassés d'Allemagne, haïs par les chrétiens, qui s'exileraient en Suisse ne posent pas de problèmes aux autorités helvétiques. Qu'on interne et refoule les non-aryens ! La police fédérale, commandée par Heinrich Rothmund, devait agir en ce sens. La Croix-Rouge internationale, dont le siège était à Genève, l'avait déjà annoncé, elle n'interviendrait pas dans les camps de concentration. Par ses statuts historiques, elle devait ignorer les prisonniers civils ; ses délégués n'avaient qu'une mission, venir en aide aux militaires.

Martha trouva sans difficulté l'hôtel Appenzell, modeste en effet, dans une ruelle perpendiculaire à la Bahnhofstrasse, large avenue commerçante reliant le lac à la gare de Zurich.

Après qu'elle eut appuyé trois fois sur la sonnette au comptoir de la réception, un homme de petite taille, chauve, les yeux lourds de sommeil, légèrement penché en avant, sortit, l'habit fripé, d'une sorte de cagibi, visiblement fâché d'être réveillé au petit matin. Avant même que Martha ait ouvert la bouche pour prononcer une parole, il lui lança d'une voix rauque, avec un fort accent italien :

— L'hôtel est complet... Pas de chambre disponible avant midi. Pourquoi m'avoir dérangé à l'aube ? Il n'est que 7 heures et je n'ai pas l'intention d'assister à la première messe ! Avant son premier cappuccino, un Italien est toujours de méchante humeur... On ne vous l'a jamais appris ?

Malgré sa gêne, Martha répondit :

— Il ne s'agit pas de vous importuner, monsieur, je ne souhaite pas louer une chambre, j'aimerais seulement savoir quand M. Eugen Stahler est venu pour la dernière fois dans votre établissement.

Sans hésiter, accompagnant sa réponse d'un rire difficile à maîtriser, le gardien de nuit répliqua :

— Nous n'avons pas vu M. Stahler depuis longtemps. Au moins trois mois, si ce n'est plus... Il parlait peu mais je me souviens l'avoir entendu dire à un visiteur qu'il souhaitait que mon pays, l'Italie, s'allie avec l'Allemagne du Führer. Je serais satisfait que Mussolini s'y emploie. Ce serait plus utile que l'invasion de l'Ethiopie. Il y a des alliances qu'on ne doit pas gaspiller. Vous comprenez cela ?

Martha salua le gardien renfrogné et sortit. Bravant le froid, plus mordant qu'à Saint-Gall, elle remonta la Bahnhofstrasse. Dans les boutiques on s'affairait afin d'ouvrir les portes à 8 heures. Une tristesse pesante occupait son corps et son esprit. Elle s'arrêta dans un bar ; debout, elle avala un café. Ainsi donc Eugen ne cessait pas de lui mentir. Quand il lui affirmait aller à Zurich, il rejoignait Frederika à l'Edelweiss. Un instant, elle songea à une séparation immédiate. Mauvaise décision, trop hâtive. Si Frederika venait à Saint-Gall, ce n'était pas seulement, elle en avait la conviction, pour coucher avec Eugen, il devait y avoir une autre raison que l'assouvissement d'un désir amoureux, si honteux soit-il. Elle avait besoin de comprendre ce qui lui semblait incompréhensible. Une question la taraudait : depuis combien de temps Eugen était-il l'amant de Frederika ?

Quel intérêt avait Eugen à entretenir une liaison régulière avec cette blonde au visage anguleux, sèche et sans grâce ? Ne lui avait-il pas déclaré avant de l'épouser qu'elle l'impressionnait, elle, la

Juive, par sa beauté et sa distinction naturelle ? Il ne manquait pas à Saint-Gall de Suissesses séduisantes, pourquoi avoir pris pour maîtresse cette Allemande admirative d'Hitler ? Elle n'en doutait pas, il y avait un autre motif à ces discrets rendez-vous. Eugen, Suisse soucieux de préserver ses intérêts, n'était pas homme à se lancer sans réfléchir dans une aventure risquée. Prise dans une tempête, Martha n'avait qu'un souhait : éviter le naufrage.

Dans le wagon presque vide qui la ramenait à Saint-Gall, Martha prit une décision sur laquelle elle ne reviendrait pas. Plus par curiosité que par jalousie. Si Eugen était chasseur, elle n'avait pas l'intention de lui servir de gibier.

Une idée lui vint à l'esprit : au restaurant, le capitaine de police Paul Grüninger et Eugen n'avaient-ils pas montré une évidente sympathie l'un pour l'autre ? Il lui parut utile de rencontrer le fonctionnaire de police, il pourrait sans doute la renseigner sur les activités réelles d'Eugen. Elle ferait preuve de diplomatie féminine, il ne se déroberait pas. De Frederika, elle s'occuperait plus tard.

2

Le voyage de Zurich à Saint-Gall, dans un train plus rapide que celui de la nuit précédente, lui parut pourtant interminable. Martha essayait de mettre de l'ordre dans ses pensées, de comprendre sinon d'expliquer pourquoi les Juifs étaient devenus les ennemis d'Hitler. Leur prolifération était un cancer pour l'Allemagne, avait-il proféré lors d'un discours devant des politiciens bavarois. Pour la grandeur de l'Allemagne nouvelle, il fallait tout refuser aux Juifs. Ils se plieraient à la volonté patriotique des aryens. Ce ne serait que justice ! Frederika et Eugen participaient-ils à ces honteuses humiliations ? Mystère. Eugen avait-il connaissance que des familles, avec des enfants, des vieillards, étaient appréhendées à la frontière suisse puis refoulées ? Prisonnières de la Gestapo, elles étaient dirigées vers les camps de Dachau, mis en place en 1933, ou Ravensbrück, plus récent, destinés aux opposants au régime nazi. Martha éprouvait le pénible sentiment que, même avant l'annexion de l'Autriche, les rédacteurs du *St. Galler Nachrichten* se félicitaient que des entreprises allemandes aient pu, après l'expulsion des Juifs, être exploitées à bon compte par des hommes d'affaires peu soucieux des conditions d'acquisition. Eugen, banquier, acceptait-il pour clients les complices d'un assassinat collectif ? Partageait-il le rêve de puissance des nazis ? Cela augmentait son trouble. Dans une autre édition du quotidien local, on mentionnait sans les condamner des vagues d'arrestations avec bastonnades jusqu'à ce que mort s'ensuive. La traque des Juifs se poursuivait sans interruption, la plupart d'entre eux n'avaient pas les moyens de fuir à l'étranger.

A son passage, Martha eut envie d'interroger le contrôleur du train. Prétextant reprendre son service après plusieurs semaines d'absence pour cause de maladie, il hésita à répondre, se contentant d'affirmer que, quoique son logis fût bien chauffé, avec l'hiver glacial de Saint-Gall à près de huit cents mètres au-dessus de la vallée du Rhin, il n'avait pu éviter une pénible et longue bronchite. Ajoutant à mi-voix :

— Nos vaches donnent du lait mais pas de charbon pour alimenter nos chaudières ; les Allemands, eux, ont du charbon mais manquent de lait. Alors ?

Martha insista : depuis l'annexion de l'Autriche, y avait-il plus d'étrangers dans les trains ?

Le contrôleur avait le visage d'un brave homme. Pensant que cela ne lui attirerait pas d'ennui avec sa hiérarchie, sensible à la tristesse de Martha, qui semblait porter tous les malheurs du monde, il s'assit sur la banquette en bois de ce wagon de troisième classe, après avoir vérifié d'un coup d'œil que le couloir était vide. Il raconta :

— Avant-hier, alors que je devais contrôler les voyageurs sur la ligne Saint-Gall/Feldkirch, un fonctionnaire de la police fédérale des étrangers – Plinio Magiotti, j'ai pu lire son nom sur sa carte de transport gratuit – est monté dans le train au départ de Saint-Gall et, au retour, m'a accompagné, m'intimant l'ordre de demeurer près de lui. Je ne pouvais pas refuser. Moi, je vérifiais la validité des billets ; lui demandait les documents d'identité et, s'étonnant de la sonorité des noms, comptait les Juifs. A haute voix, il s'amusait de leur grand nombre en provenance d'Autriche. Moi, dans cette zone frontalière, j'éprouvais la pénible sensation d'être surveillé.

— Et alors ? renchérit Martha. Il y a eu des interpellations ?

— Non, répondit l'aimable contrôleur, les cheveux gris, les yeux rieurs malgré ce qu'il rapportait. Le lendemain de l'entrée d'Hitler dans Vienne une circulaire de la direction nous imposait de vérifier non seulement la régularité des titres de transport des voyageurs, mais aussi, ce qui n'est pas notre travail, de signaler à la police de Saint-Gall ceux qui circulaient sans visa valable. On devait s'assurer qu'il n'y avait personne dans les toilettes. J'ai obéi aux ordres, c'était très désagréable... Si le cas s'était présenté, je n'aurais pas dénoncé ces voyageurs... Peut-être me serais-je contenté de détourner le regard afin de ne pas les voir. Tout cela devient inquiétant. La Suisse doit aider les réfugiés, mais la Confédération peut-elle les accueillir tous ? A la modeste place qui est la mienne, je ne sais que répondre. Le pays ne peut pas devenir un camp de réfugiés géant. Etre patriote ne signifie pas nécessairement être antisémite.

Il n'ajouta rien. Martha tenta de profiter de cet instant de sincérité : il n'était pas de ces Suisses qui, confrontés aux malheurs humains, gardent bouche cousue.

— Y avait-il des voyageurs qui n'étaient pas en règle pendant l'inspection de ce Magiotti ?

— Aucun, heureusement, répliqua-t-il, mais je peux vous l'avouer, Magiotti ne m'a pas semblé très ému par l'expression tragique que je lisais sur leurs visages. Cela m'a paru bizarre... et peu charitable. Ces pauvres gens n'avaient pas l'air de conspirateurs.

— Magiotti ne vous a donné aucune explication ? Vous n'avez rien soupçonné ?

L'employé des chemins de fer hésita avant de répondre. Parce qu'il avait instinctivement confiance dans cette voyageuse désespérée, il poursuivit :

— Jusqu'à l'Anschluss, on pouvait sans document d'identité passer d'une rive à l'autre du fleuve. Personne, ni du côté autrichien ni du côté suisse, ne demandait rien. Maintenant on nous dit qu'une surveillance sévère des frontières doit se faire, dans l'intérêt du pays tout entier... Je n'y crois pas trop, cela me préoccupe. L'avenir me paraît sombre.

Il n'ajouta rien, se leva et disparut dans un autre wagon.

Au kiosque de la gare de Saint-Gall, il n'y avait que des journaux suisses en langue allemande, tous annonçaient qu'Otto de Habsbourg avait fui en France après qu'un mandat d'arrêt avait été lancé contre lui par le tribunal de Vienne. Dès l'annexion de l'Autriche et le remplacement à la chancellerie de Schuschnigg par Seyss-Inquart, installé par Hitler, le descendant des Habsbourg avait demandé, dans un appel rédigé en français pour le quotidien *Paris-Soir*, que les puissances occidentales réagissent contre l'agression allemande. Le *St. Galler Nachrichten* s'était félicité de l'échec de cet appel et, dans un éditorial violemment antisémite, s'était réjoui de ce qu'un aryen, Edouard Daladier, succède en France au Juif Léon Blum dont le gouvernement dit de Front populaire avait condamné la politique du Reich. Le peuple français, selon la presse alémanique, demeurait très attaché à la non-ingérence dans les affaires

34

des pays voisins. Les Français comme les Suisses n'avaient qu'un devoir : fermer les yeux sur ce que certains journalistes dénonçaient comme le « péril brun ». Ils ne s'intéressaient qu'aux conséquences politiques de l'abdication d'Edouard VIII et de son mariage avec l'Américaine déjà deux fois divorcée Wallis Simpson.

Indifférente aux quelques passants qui, par courtoisie, saluaient la femme de leur banquier, elle gagna d'un pas vif le très confortable appartement acquis par le père d'Eugen, riche négociant en soieries. La neige avait cessé, la température restait glaciale. Avant au moins trois semaines dans tout le Haut-Rhin, autour de Saint-Gall, on n'attendait aucun signe annonciateur du printemps. Martha ne pouvait éviter de trembler. De froid, d'angoisse, d'inquiétude, de colère, elle n'aurait su le dire. La vie la décevait de plus en plus. Comment résister à ce tourbillon dans lequel une existence humaine ne pèse pas plus lourd qu'une bulle de savon ?

L'appartement était vide, ce qui surprit Martha. Dans le vaste salon où, avec Eugen, elle avait échangé au début de leur mariage tant de baisers et caresses, il y avait une petite feuille sur une table basse. Son époux y avait écrit en gros caractères : « Je dois m'absenter quelques jours. Protège-toi du froid. Je rentrerai dès que possible. » Sous un vase de cristal, quatre billets de cent francs. Un geste humiliant pour Martha. Elle prit l'argent, haussa les épaules. L'homme qu'elle avait aimé lui parut soudain méprisable.

Aucune précision sur les raisons de son absence, pas la moindre marque d'affection. Pour Martha, le moment était venu de prouver qu'elle ne s'était pas mariée avec un Suisse pour « se

35

caser » afin d'échapper aux persécutions. Si Eugen voulait la sacrifier à son ambition, il était dans l'erreur. Après trop de sacrifices, une séparation devenait inévitable. Si Eugen voyait en elle une femme soumise qui lui pardonnerait tous ses caprices, il se trompait. Le nazisme qu'il admirait représentait pour elle le Mal absolu, pour inégal que s'annonce le combat avec un homme qui tenait son autorité de son titre de banquier, elle s'y engagerait. Sans retenue.

Malgré le manque de sommeil et ses pieds douloureux, Martha prit une douche, but un bol de lait, se vêtit chaudement et sortit.

Avant de demander audience à Paul Grüninger, le chef de la police, il lui parut nécessaire d'en apprendre davantage sur les liens qu'il entretenait avec Eugen. S'il acceptait de la recevoir, un homme pouvait l'éclairer, l'aubergiste de l'Edelweiss.

Edmond, quand il la vit, posa le couteau avec lequel d'un geste précis il découpait des tranches de fromage pour une raclette dont il avait reçu commande pour le déjeuner. Il ne comprenait pas cette visite imprévue, il l'accueillit toutefois avec le sourire d'un homme que plus rien n'étonnait.

Deux heures plus tard, midi approchait. Edmond, s'excusant, dut se préoccuper de son service. Martha, terrifiée, sortit de l'Edelweiss. Si ce qu'Edmond lui avait rapporté était vrai, elle avait épousé un homme sans cœur qui voulait passer pour un agneau.

Edmond lui avait raconté – il n'avait aucune raison d'inventer une fable – qu'à la suite de certaines déclarations, Grüninger avait, sans en aviser ses supérieurs, ordonné à Ludwig Obliger, un Zurichois, et François Jeanguenat, un Jurassien francophone aussi aimable avec ses collègues que strict dans l'application des règlements, deux douaniers en qui il avait grande confiance, de lui signaler tous les franchissements de frontière. Non seulement d'Eugen mais aussi d'une certaine Frederika Wittenberg, laquelle, selon l'aubergiste, rejoignait régulièrement le banquier dans son établissement. Sans chercher à se cacher, avait précisé Edmond. Contrairement à nombre de ses compatriotes, il n'était pas un passionné de la délation mais, intrigué par une mallette que Frederika amenait régulièrement, qu'Eugen emportait quand ils se séparaient, il s'en était ouvert à Paul Grüninger. Par curiosité autant que par devoir. Selon les souvenirs d'Edmond, cela remontait déjà au début de l'année 1937. Grüninger l'avait écouté sans montrer d'intérêt apparent pour sa déclaration. Militaire consciencieux, courtois mais peu bavard.

Martha, sans hésiter, se présenta devant le porche ouvert de la Maison communale, un ancien couvent transformé en locaux administratifs, avec une façade grise sur laquelle flottaient le drapeau orné de la croix confédérale et celui, vert et blanc, aux armes du canton de Saint-Gall. Un jeune blondinet, le sergent de garde, lui indiqua que le bureau du capitaine Paul Grüninger se trouvait à l'extrémité d'un couloir au quatrième étage et qu'il lui suffirait de frapper à la porte pour être reçue.

En montant le large escalier en bois, Martha ressentit une sorte de vertige. Dans cette bâtisse abritant à la fois la police et les autorités cantonales, peu de bruit, les fonctionnaires restaient invisibles derrière des portes hermétiquement closes. Au troisième niveau, deux jeunes aspirants douaniers discutaient à voix basse du dernier match opposant le F.C. Saint-Gall et le F.C. Brühl. L'équipe saint-galloise avait perdu en raison d'un penalty qui n'aurait jamais dû être sifflé.

37

— L'arbitre était un Romand francophone, un Lausannois, commenta l'un des deux jeunes hommes. On ne peut pas compter sur les Lémaniques pour arbitrer convenablement un match où il n'y a que des joueurs suisses allemands ! Martha s'était souvent interrogée sur la complexité des rapports entre Confédérés des différentes régions linguistiques. Ils se supportaient mal et, pourtant, depuis le pacte fondateur de 1291 entre ce qu'on appelait encore les « cantons primitifs – Uri, Schwytz et Nidwald –, la Suisse avait su préserver son unité. Unité de façade, mais qu'au-delà de divergences historiques souvent profondes et irréparables personne ne contestait. Les Alémaniques accusaient les Romands de manquer de sérieux et ceux-ci reprochaient à ceux-là d'ignorer les plaisirs de la vie. A Zurich, on buvait de la bière, à Lausanne et à Sion, on appréciait le vin. Ce n'était pas une nuance banale, les consommateurs de bière regardaient vers l'Allemagne, les amateurs de vin, du côté de la France.

Comme lui avait indiqué l'homme de garde, Martha frappa à la porte du bureau ; sur une petite plaque de cuivre, elle lut « Capitaine Paul Grüninger ».

— Entrez !

Martha pénétra, le cœur battant, dans un vaste bureau éclairé par deux fenêtres. Au mur, comme dans tous les locaux officiels, le texte des accords de 1291 dans les quatre langues officielles du pays et quelques cartes des villes du canton. Aucun objet personnel. Le capitaine se leva, contourna une table jonchée de classeurs aux couleurs différentes d'où émergeait une petite horloge. Pour la quasi-totalité des Suisses, le respect des horaires était une loi à laquelle il eût été inconvenant de déroger.

Grüninger, grand, uniforme strict, visage expressif malgré un lorgnon totalement démodé, qui faillit faire rire Martha, l'accueillit avec un large sourire.

— Quand je vous ai aperçue à l'Edelweiss en compagnie de votre mari, j'ai eu une sorte d'intuition, la conviction que nous ne tarderions pas à nous revoir. J'avais raison. En quoi puis-je vous être utile ?

Assise dans un des deux fauteuils de cuir sombre, face à la table de travail où Grüninger avait repris sa place, elle exposa d'une voix claire, sans tarder, les raisons de sa visite :

— J'ai cru comprendre, l'autre soir à l'Edelweiss, que vous connaissiez bien mon mari, plus que je ne l'imaginais. Croyez-vous que, dans son activité de banquier, il respecte toujours loyalement les obligations qu'ont les Suisses d'observer en toutes circonstances une stricte neutralité ? Je m'interroge.

— Je vous l'avoue, répliqua-t-il, votre question ne me surprend pas. Depuis que je l'ai appris, je m'étonne qu'une Juive, Juive allemande, c'est bien cela ?

Surprise, elle acquiesça d'un mouvement de tête.

— Je m'étonne, reprit-il d'un ton monocorde, qu'une Juive allemande ait épousé un Suisse aussi admiratif du national-socialisme qu'Eugen Stahler. Il n'y a que l'attrait physique pour s'unir à un tel homme. Un banquier de surcroît, dont on peut penser que tout dans la vie professionnelle ou privée n'est que secrets difficiles à débusquer. On dit que la passion est aveugle, je me rends compte qu'il ne s'agit pas d'une simple formule. J'aimerais vous aider. Si je peux...

— C'est vrai, répondit calmement Martha. Eugen ne me parle jamais de ses affaires. Discrétion suisse oblige, ajouta-t-elle ironiquement.

Grüninger ne dissimula pas sa satisfaction d'être écouté, il poursuivit :

— Lorsque vous étiez étudiants à Heidelberg, Eugen n'a jamais évoqué devant vous les conditions dans lesquelles il a fait la connaissance d'Adolf Hitler ? Par peur de vous perdre, sans doute... Il me l'a raconté. Avec un enthousiasme que j'avoue avoir mal compris.

Martha, en proie à un vertige qu'elle ne parvenait pas à contrôler, balbutia :

— Je l'ignorais... Par naïveté, je suppose, mais vous, quand et comment l'avez-vous appris ?

De sa main droite, le capitaine tapota sur la table avec une règle identique à celle qu'on impose aux enfants des écoles.

— Chère madame, si la Suisse affiche sa neutralité, cela ne lui interdit pas de disposer d'excellents services de renseignements et d'une armée plus puissante que les touristes et les diplomates ne le croient. Ainsi, le propriétaire de l'Edelweiss est un de nos meilleurs informateurs. Apprenez aussi qu'après qu'il nous eut fait part de ses observations concernant – pardonnez-moi l'allusion ! – la succession de rencontres entre cette Allemande, liée aux nazis, et votre mari, un banquier qui, par ses propos élogieux à l'égard du national-socialisme, avait déjà éveillé nos soupçons, une enquête sérieuse devenait indispensable. Je crains que M. Stahler ne nuise régulièrement aux intérêts du pays. Où, malheureusement, la plupart des financiers ont l'art de contourner les lois. Quand ils vous offrent une tasse de café, il faut toujours prendre garde qu'ils n'y aient pas mêlé du poison.

— Plus rien ne m'effraie, monsieur, répliqua Martha chez qui l'effroi avait cédé la place à la curiosité. Parlez, je vous en prie.

Il poursuivit :

— Pendant ses études à Heidelberg, Eugen Stahler s'est rendu quelques jours chez des amis de ses parents, très proches du Parti nazi. A Bonn, où ils résidaient, le chancelier du Reich fut l'invité d'un soir. Hitler, en se retirant, a serré la main d'Eugen et lui aurait dit, le sachant Suisse : « C'est votre génération qui fera l'Europe, et la Suisse y contribuera. » J'ai interrogé votre mari sur cet épisode, il ne m'a pas caché que cette rencontre avait été un véritable émerveillement. Hitler aurait un charisme extraordinaire. C'était, toujours selon M. Stahler, un homme d'une étonnante éducation. Voilà, madame, ce que votre époux vous a dissimulé. Je ne peux aujourd'hui rien ajouter. A vous de prendre conscience de qui est vraiment l'homme dont vous partagez la vie. Il est du devoir de la police de le considérer comme un sérieux problème. Trop de zèle avec ses homologues du Reich peut semer la confusion chez d'autres financiers suisses et leur donner le goût de secrètes malversations. Depuis un certain temps déjà, Stahler nous intéresse.

— Je comprends, soupira Martha.

Elle hésita quelques secondes avant d'ajouter :

— Si je peux vous être utile... Naguère, j'avais un peu d'influence sur Frederika. Je pense, ou plutôt j'espère, que si je feins d'ignorer qu'elle est la maîtresse de mon mari elle se confiera à moi. Ce qu'elle me dira, vous le saurez immédiatement. Croyez en ma loyauté.

Grüninger demeurait silencieux. La proposition de Martha l'intéressait mais en l'acceptant ne mettait-il pas en danger la vie de cette jeune et jolie femme ? Elle n'avait aucune expérience en matière d'espionnage. Il n'y avait pas que cela, devait-il lui faire part de la dernière directive de Berne concernant les refoulements aux frontières des Juifs considérés comme indésirables ? Des dispositions qu'il était décidé à ne pas appliquer. Tout ce qui lui paraissait contraire à la solidarité, il n'en tiendrait jamais compte.

Grüninger jeta un regard sur un dossier de couleur jaune. A l'intérieur, un rapport du douanier Jeanguenat. Celui-ci interrogeait le capitaine sur le sort qu'il convenait de réserver à un jeune Juif nommé Karl Haber, employé de commerce viennois qui s'était présenté sans visa au poste frontière. Retenu dans les locaux de la douane, il avait raconté avoir fui Vienne après avoir dû effacer sur les façades d'une rue des slogans antinazis au moyen de brosses à dents, sous les huées des passants. A la vitrine de l'épicerie familiale, son père avait été contraint d'apposer une pancarte mentionnant en gros caractères : « Aryens, n'achetez pas chez les Juifs. » Selon Karl Haber, les pires délateurs se recrutaient dans l'entourage des victimes. Le Jurassien rendit compte à son supérieur : Karl Haber n'avait que dix-huit ans, il était arrivé à pied au poste de douane. Grüninger avait voulu savoir si le cas du jeune Viennois était exceptionnel ou s'il y en avait d'autres. Jeanguenat avait répondu par une brève note : « Ce grand événement qu'est l'annexion à l'Allemagne n'a pas eu de répercussions sur l'activité de notre service. »

Le capitaine s'était déplacé jusqu'au poste frontière, il avait apposé lui-même un tampon sur le visa d'entrée en Suisse du jeune Haber, auquel il avait immédiatement trouvé un emploi de nettoyeur dans un hôtel de Saint-Gall, le Krone.

L'humanité envers des victimes de violences inutiles n'était pas pour lui un délit mais un devoir. Le capitaine ne regrettait pas son geste mais il ne pourrait pas le renouveler souvent, ses subordonnés avaient prouvé leur vigilance, il devait la respecter.

Grüninger ne quittait pas le dossier Haber des yeux. Il aurait volontiers accédé aux souhaits de Martha mais, sans visa officiel, il n'était pas évident qu'à son retour la police des frontières ne l'appréhende pas : elle était juive et allemande. Certes, il interviendrait pour que soit autorisée à passer une habitante du canton, mariée à un Suisse, mais son identité deviendrait un handicap pour les investigations qu'il entendait poursuivre contre Stahler. Que tout cela était compliqué ! La sagesse lui imposait d'attendre. Il ne voulait pas l'exprimer mais depuis l'Anschluss il regrettait que six conseillers d'Etat saint-gallois, tous membres du parti bourgeois, lui aient confié, à lui, âgé de seulement quarante-sept ans, père de trois enfants, socialiste de la première heure dès la fin de la Grande Guerre, la responsabilité de la police cantonale. Agir en chef respectueux de toutes les instructions n'excluait pas qu'en homme de cœur il prenne parfois des décisions contraires aux recommandations de ses supérieurs ? Fort heureusement, la presse locale n'avait pas soufflé un mot de l'affaire Karl Haber, mais si de sérieuses charges étaient retenues contre Stahler et que la justice s'en mêle, pas de doute : c'est le banquier qu'on défendrait et le capitaine qu'on attaquerait. Il avait au gymnase étudié les fables de La Fontaine, il n'avait jamais oublié que « selon que vous serez puissant ou misérable, les jugements de cour vous rendront blanc ou noir ».

Grüninger avait réfléchi : en s'efforçant de la protéger, il confierait à Martha le soin de rechercher des asiles discrets pour les réfugiés illégaux. Il ne voulait pas qu'inconsciemment elle agisse maladroitement, ou soit victime de ses bons sentiments.

Il sortit de la poche droite de son uniforme un paquet de ce tabac léger qu'il achetait toujours dans la même échoppe, de l'autre poche une pipe à tuyau courbe, prit le temps de la bourrer convenablement. Avec un briquet, tiré de sous une pile de documents, il alluma le fourneau sans se presser.

Fumer durant les heures de service, qui plus est devant une visiteuse, pour qui connaissait bien ce fonctionnaire particulièrement consciencieux, c'était la marque d'une profonde réflexion, d'une réelle hésitation face à une situation inhabituelle.

Malgré les fenêtres closes, on entendait dans la rue le bruit des roues d'une charrette et le crémier-fromager ambulant qui criait : « Le lait ! Le lait ! » Dans le centre-ville, il passait toujours à la même heure. Les femmes de toutes conditions l'attendaient pot à la main. Rituel immuable qu'il pleuve, qu'il vente ou qu'il neige.

Ce fut Martha qui parla, pour tirer l'un et l'autre de cette interminable réflexion muette.

— Qu'attendez-vous de moi, capitaine ? Mon mari est parti, je ne le regrette pas, je vais me séparer de lui. Soyez sans inquiétude, je trouverai vite un logement, car je veux rester à Saint-Gall et, comme ce sera nécessaire, je suis certaine d'obtenir du travail. L'avenir ne m'effraie pas.

Grüninger laissa échapper une bouffée de fumée, il posa calmement la pipe dans un gros cendrier de porcelaine, prenant garde de ne pas souiller sa table.

Le sort en était jeté. *Alea jacta est*, comme lui avait enseigné son professeur de latin au collège catholique Saint-Ludwig, de Saint-Gall ; ce devait être en 1903 ou 1904, il avait douze ou treize ans.

D'une voix, où perçait un léger tremblement, fixant Martha du regard, il détacha ses mots :

— Disposez-vous dans votre appartement d'un appareil téléphonique ?

44

Pour insolite que lui parût la question, Martha répondit par l'affirmative. Il était vrai qu'en 1938, seuls les plus aisés s'étaient offert un combiné, les tarifs pratiqués par les services postaux, détenant le monopole des communications, étant exorbitants. Eugen avait assez de fortune pour disposer d'une ligne privée. Martha s'empressa d'ajouter :

— Oui, mais je ne souhaite vraiment pas rester dans cet appartement, si spacieux et agréable soit-il. Un studio avec un loyer modeste me suffira, je l'aménagerai... Comment vivre aux côtés d'un homme que j'ai cessé d'aimer, qu'aujourd'hui je méprise ? Mon désir : divorcer aussi rapidement que possible. Il y a d'excellents avocats à Saint-Gall, et nous ne manquons pas de relations.

Le visage de Grüninger se figea. D'une voix sèche, il lança :

— Si vous souhaitez m'aider, c'est précisément de vos relations dont j'ai un urgent besoin.

Martha, comme tirée d'un songe, semblait ne pas comprendre.

Grüninger poursuivit :

— Oubliez Frederika, votre rivale... au moins pour quelque temps. Si vous le pouvez, demeurez au domicile conjugal. Quitte à faire chambres séparées. Sinon, trouvez un logement avec un téléphone... indispensable pour ce que j'attends de vous !

D'évidence Martha ne saisissait pas le rôle que le capitaine Grüninger envisageait de lui faire jouer.

Il tira sur sa pipe et lâcha d'un trait, comme s'il voulait se débarrasser d'un pesant fardeau :

— Les Juifs seront de plus en plus nombreux à franchir la frontière autrichienne pour trouver asile en Suisse, avec l'espoir d'une vraie vie. Ils l'ignorent encore, les autorités fédérales refusent de les considérer comme des réfugiés politiques.

Ils seront au mieux internés, au pire refoulés. Dans ce cas, je doute qu'on les accueille dans leur pays d'origine avec des brassées de fleurs. Alors voilà ce que je vous propose : rentrez chez vous, prenez autant de contacts que nécessaire, trouvez des cachettes sûres pour ceux qui, seuls ou en famille, n'auraient pas encore d'existence légale en Suisse. Je vous donnerai quelques adresses... La mission vous convient-elle ? Elle comporte évidemment des risques. Pour vous... mais aussi pour moi, comprenez-le. L'important est d'obtenir des résultats. Je vous confie la vie d'innocents de tous âges. Leur salut dépend de vous... De nous, ajouta-t-il à mi-voix.

Martha accepta avec enthousiasme. Grüninger se leva, lui serra la main avec plus d'énergie, lui sembla-t-il, qu'à son arrivée.

Quand elle fut sortie, la sueur au front, Grüninger s'écrasa dans son fauteuil. Le chef de la police cantonale saint-galloise venait de comprendre qu'ayant fait le choix d'aider les fuyards à pénétrer sur le territoire suisse, c'est lui qui avait franchi une frontière, celle qui sépare l'honneur de la honte. Contre la haine, il entrait en résistance. Né d'une mère protestante, d'un père catholique, il s'en remettait désormais à la justice divine. Dans certaines circonstances, l'entraide doit prendre le pas sur la loi. Grüninger ne comprenait pas l'attitude incohérente du gouvernement suisse, il n'y adhérait pas... Il avait confusément attendu pour franchir le pas. La visite de Martha l'avait conforté dans son choix, il en acceptait les conséquences.

Habituellement, du lundi au vendredi, Paul Grüninger partageait son repas de la mi-journée avec son adjoint Wolfgang Amstein. Les enfants déjeunaient à la cantine de leur collège, son épouse

Doria, originaire du Tessin italophone, restait à l'hôtel du Cerf ; elle y assurait depuis trois ans la comptabilité. Aujourd'hui, Wolfgang l'attendrait vainement ; il n'avait pas faim, il avait peur et besoin de réfléchir seul. Il s'engagea dans Kugelgasse où Stean Obern, ancien cuisinier militaire, s'était installé après avoir vendu une ferme en Engadine, avec les deux cents têtes de vaches et bœufs qui avaient toujours pâturé en moyenne montagne. Ses parents, durs à la tâche, l'avaient exploitée jusqu'à leur mort, sans un jour de repos d'un bout de l'an à l'autre. Stean Obern proposait dans sa petite auberge, la Limmat, les meilleurs filets de perche de tout le canton. Outre ces petits poissons moelleux, fraîchement pêchés dans le lac de Constance, Grüninger se régala de röstis, délicieuses galettes de pommes de terre râpées, croustillantes à souhait.

La visite de Martha n'avait fait qu'accentuer sa volonté de s'engager. Pour qu'elle comprenne l'horreur inhumaine qui se préparait à secouer le monde, peut-être aurait-il dû mentionner la dernière directive de Berne. Elle était précise : avant fin juin, des baraquements de bois, trois pour commencer, seraient construits sur un terrain de la commune de Diepoldsau, dans une courbe du Rhin, à trente kilomètres de Saint-Gall ; le minimum de dépenses seraient engagées pour y maintenir une hygiène convenable. Le document stipulait que l'ensemble serait entouré de barbelés afin d'interdire toute évasion ; la surveillance relèverait de l'autorité de Paul Grüninger, chef de la police cantonale. Ultime et hypocrite précision : appeler l'endroit « camp de réfugiés » avec interdiction d'utiliser l'expression « camp d'internement ».

Avant la visite inopinée de Martha, Grüninger avait reçu le responsable de la menuiserie saint-

47

galloise auquel il avait demandé un devis pour la construction, en insistant afin que les travaux soient effectués dans les meilleurs délais, les premiers arrivants devant être accueillis en juin. N'ayant posé aucune question, l'artisan n'ignorait pas qui occuperait les lieux. La directive demandait que les mères et leurs enfants ne soient pas séparés, les hommes rassemblés dans un bâtiment unique. On installerait des lits superposés, en planches, les couvertures pour se protéger du froid proviendraient des stocks de l'armée. Une escouade de cuisiniers militaires serait affectée aux cantines, dans les limites de dépenses les plus réduites possibles. Grüninger avait ressenti cette décision comme un affront, mais s'y opposer lui aurait coûté son poste.

Il n'en doutait pas, seuls les Juifs ayant franchi illégalement les frontières, ayant été interpellés avant de se disperser sur le territoire suisse seraient concernés. Il était clair que le « camp de réfugiés » deviendrait un « camp d'internement » dans l'attente d'un refoulement. Comment Heinrich Rothmund, le chef du département de Police à Berne, pouvait-il agir ainsi ? Malgré sa loyauté de haut gradé, le capitaine refuserait que des hommes, parce que de confession juive, soient livrés à la Gestapo.

Dans la tête de Grüninger, deux questions se précisaient : comment le gouvernement, informé par son ambassade à Berlin des persécutions contre les Juifs, auxquels Hitler avait retiré la nationalité allemande, avait-il pu prendre la décision d'interner ces malheureux obligés – les journaux l'avaient écrit – de tout abandonner chez eux, y compris le contenu de leur porte-monnaie ? Comment une nation épargnée par la crise et les catastrophes naturelles pouvait-elle, sans s'émouvoir, rejeter des pauvres hères vers un destin tragique ? Devait-il procéder à des arrestations et obéir aux ordres supérieurs, complice malgré lui de politiciens insensibles ? Contre cette situation épouvantable, il réagirait. Avec tous les moyens de sa fonction. Qu'on le poursuive pour sa témérité, il aurait, il en avait la conviction, l'opinion publique suisse de son côté. Sur la notion d'honneur et de respect d'autrui, jamais il ne transigerait.

De retour dans son bureau, Grüninger avait fait son choix. Hitler et ses affidés barbares, il ne les craignait plus. Le sort réservé aux Juifs meurtrissait son âme. Ce n'était pas parce qu'il était suisse qu'il devait sur l'ignominie demeurer silencieux.

3

A Zurich, entre le train régional et l'express de jour pour Munich, Eugen n'avait attendu que trente minutes. Le temps d'avaler un café au lait au buffet et d'acheter au kiosque le *Neue Zürcher Zeitung*. On y annonçait en première page que sur proposition des autorités du Reich le conseiller fédéral Giuseppe Motta avait ordonné, avec l'accord de ses six collègues du gouvernement, qu'un « J » – pour *Jude* – soit apposé sur tous les documents officiels des Juifs munis d'un visa, en provenance d'Autriche et d'Allemagne, admis à séjourner en Suisse à titre provisoire. Eugen s'en réjouit. Cela faciliterait les affaires entre « bons » Allemands et banquiers suisses. Cela lui éviterait aussi de surveiller ses propos avec ceux, encore nombreux, qui n'avaient pas compris la nécessité des mesures antijuives prises par Hitler dans l'intérêt du peuple.

Un long article relatait aussi les fastes des fêtes données par Hermann Goering et sa seconde épouse, l'actrice Emmy Sonnemann. Goering, nommé feld-maréchal par Hitler, avait obtenu que le comité olympique la désigne pour lire, en 1936, la charte de Pierre de Coubertin lors de la cérémonie d'ouverture des Jeux de Berlin. Goering, il est vrai, jouissait d'une popularité égale à celle du Führer. A chacun de ses nombreux passages à la radio il répétait : « Je peux dire aux Juifs que j'ai les nerfs solides et que je me sens assez fort pour les éliminer en toute légalité.» Des propos qui suscitaient l'enthousiasme des auditeurs, conquis par l'autorité naturelle d'Adolf Hitler et de son entourage.

Indifférent aux plaques de neige sur les pentes des collines des Alpes bavaroises, Eugen, seul dans un compartiment de première classe, ne voyait dans chaque ville, dans chaque village, à chaque arrêt du train, que la croix gammée rouge et noir, à côté parfois de drapeaux noir-blanc-rouge de l'ancien Reich. Lors de son passage, avant de vérifier son billet, le contrôleur, un homme blond d'une trentaine d'années, engoncé dans son uniforme de la Deutsche Reichsbahn, avait levé le bras droit et laissé échapper un « Heil Hitler ». Sans grande conviction, avait constaté Eugen.

A la gare centrale de Munich, comme ils en étaient convenus par téléphone, Frederika, maigre plus que mince, tailleur strict, chevelure blonde dissimulée sous un chapeau de feutre d'où s'échappait une longue mèche, l'attendait au buffet dans le vacarme tonitruant des buveurs de bière. Les annonces des trains à l'arrivée et au départ se mêlaient aux conversations de la foule. La plupart des tables étaient occupées par des « chemises brunes » du Parti nazi. Frederika achevait une saucisse blanche sur une tranche de pain gris, accompagnées d'une chope de bière à moitié vide.

Eugen ne comprenait pas pourquoi en se baissant pour l'embrasser sur la bouche, son cœur battait si fort. Pourquoi cette passion à laquelle il ne pouvait résister ? Il en oubliait que Frederika était aussi sèche que Martha attirante quand il avait été à Heidelberg fasciné par la séduction émanant de toute sa personne. Frederika parlait peu, n'était pas très communicative. Cela présentait un avantage : garder le secret sur leurs échanges financiers. Il s'assit en face d'elle, commanda une chope d'un litre dans un pot de grès teinté de bleu. Il ne parvenait pas à dire un mot tant il était heureux de retrouver cette jeune femme de trente-cinq ans, avec laquelle, à chacune de leurs rencontres, en Suisse ou en Allemagne, il partageait des plaisirs amoureux toujours plus ardents. Il les aurait souhaités plus fréquents, c'était impossible. Il avait fait sa connaissance à l'université, c'était pourtant Martha qu'il avait épousée. Après cinq années, cette union lui paraissait toujours aussi étrange. Comment avait-il pu s'unir à une Juive alors que, sous la pression d'Heinrich Himmler, le Führer venait de leur retirer la nationalité allemande ? Martha était belle, douce, intelligente, il l'avait aimée. Conquis, il lui avait offert son cœur et un passeport suisse. Aujourd'hui, dans sa situation, il serait plus sage de divorcer. Pour la poursuite de ses trafics avec le Reich, la présence d'une Juive à ses côtés deviendrait de plus en plus handicapante.

Frederika travaillait à la Reichsbank sous les ordres de Walter Funk. Celui-ci avait gravi un à un les échelons de la hiérarchie jusqu'à la direction mais faisait entièrement confiance à son employée la plus attachée aux valeurs du national-socialisme pour organiser en toute discrétion vers la Suisse le transfert de l'or ayant appartenu aux Juifs allemands et, depuis l'Anschluss, autrichiens. Elle avait déclaré connaître un jeune banquier à Saint-Gall, Funk lui avait lancé :

— Utilisez-le !

Certes, grâce à Frederika, le compte personnel d'Eugen avait déjà enflé, mais il n'y avait pas que cela. Il appréciait chez sa maîtresse une puissante détermination quand elle louait avec ardeur la politique du Führer. Elle répétait avec une déférence respectueuse qu'Hitler et ses proches avaient rendu à l'Allemagne une grandeur identique à celle du temps de Bismarck. Il éprouvait avec elle des sensations jamais connues auparavant. Martha avait su le séduire mais elle était devenue la vie quotidienne, Frederika, la vie, simplement. Avec son épouse, les conventions de la bonne société saintgalloise, avec Frederika, le délire des sens.

Ils quittèrent la gare et montèrent dans un tramway. La pluie tombait, les passants ne semblaient pas s'en préoccuper. Quatre sièges étaient occupés par des officiers de la Wehrmacht. Aucun des autres passagers, debout, certains très âgés, secoués par le roulement saccadé et grinçant du tram, n'aurait osé réclamer une place assise ; un mystérieux respect, peut-être mêlé de crainte, entourait quiconque portait un uniforme. Les sympathisants nazis avaient à Munich tous les droits. Quand l'envie leur prenait, ils en usaient, sans discernement, souvent avec brutalité. Ils avaient l'art de remplacer les poignées de main par des coups de matraque.

Eugen ne disait rien, Frederika observait l'extérieur à travers les vitres embuées, le regard apparemment perdu. Il n'en était rien. Peu après la Pinacothèque, un homme retint son attention. Feutre noir, visage inquiet, dos courbé, tournant la tête à droite, à gauche, pour s'assurer qu'il n'était pas suivi, il franchit le porche d'entrée à l'hôtel Dreesen. Ce ne pouvait être qu'un Juif. Frederika ne le connaissait pas, mais cet homme venait, sans en avoir conscience, de signer son arrêt de mort. Hôtel Dreesen... Frederika s'en souviendrait, elle appellerait le responsable SA de la cabine téléphonique proche de son domicile. Elle n'en souffla pas un mot à Eugen. Elle avait accepté de travailler avec lui, de partager des plaisirs plus intimes mais, comme tous les agents au service des nazis, elle devait se méfier, d'autant que Funk avait sans doute appris que leur correspondant suisse était marié à une Juive. Elle était exaspérée qu'il couche encore avec elle. Quel manque de lucidité ! Si on avait déclaré à Frederika qu'il y avait là une part de jalousie féminine, sans doute aurait-elle souri. Et pourtant...

Ils descendirent à quelques dizaines de mètres du numéro 18 de la Thierschstrasse. Frederika y occupait un appartement de trois pièces. Cela lui plaisait et flattait son orgueil de fidèle militante du Parti d'habiter dans la rue où, à la fin de son emprisonnement, en 1924, Hitler avait vécu, où Eva Braun le rejoignait régulièrement, à en croire une photo publiée dans le *Bild*, à Zurich. Dans ce quartier bourgeois et paisible, elle avait obtenu sans difficulté que de grands portraits du Führer recouvrent de nombreux murs. Les habitants avaient pour paysage le visage d'Hitler.

Frederika habitait au troisième étage d'un immeuble à la façade grise, sans attrait particulier. Les locataires entretenaient peu de liens. Personne ne cherchait vraiment à connaître son voisin. Un bref salut rapidement échangé, rien de plus, chacun tenait à sa tranquillité. Lorsque, à la fin de 1937, le couple de quinquagénaires du second, un ancien joaillier à la retraite et son épouse, une femme très effacée, avait été arrêté et le contenu de leur logement emporté dans un camion de la SA, personne n'avait osé commenter l'incident ; ils en avaient l'habitude. Seul un vieux monsieur barbu, un solitaire qui ne sortait que pour faire quelques courses et se dégourdir les jambes, avait osé dire à M. Bruckmann, l'agent immobilier du second :

— Ce sont des Juifs, de braves gens. On ne les reverra jamais... C'est atroce.

M. Bruckmann avait répondu d'un léger et rapide haussement d'épaules sans qu'on puisse savoir ce que cela exprimait.

A Munich, peut-être plus qu'ailleurs en Allemagne, depuis qu'Hitler avait accédé à la Chancellerie, tout le monde se méfiait de tout le monde. Ce que chacun ressentait, crainte ou admiration pour les nazis, on n'en parlait jamais. On ne s'adressait la parole que s'il y avait urgente nécessité. On savait que le camp de Dachau n'était qu'à quelques kilomètres de la ville et que les adversaires d'Hitler en sortaient rarement vivants. Il se murmurait, sans preuve formelle, que les internés y mouraient de faim, de maladie ou des mauvais traitements que la SA leur infligeait.

Dans l'immeuble, on s'intéressait peu à Frederika Wittenberg, la locataire du troisième, une célibataire employée à la Reichsbank. M. Bruckmann affirmait à qui voulait l'entendre l'avoir vue sortir d'une limousine noire immatriculée avec un numéro et une croix gammée. On en avait conclu que l'agent immobilier, sympathique, était imprudent ; on feignait donc de ne pas l'avoir entendu.

Frederika avait tout raconté à Eugen, lui laissant supposer qu'à Munich, comme probablement ailleurs en Allemagne, on vivait sous l'emprise d'une peur quotidienne, sans qu'elle en comprenne la raison. Ceux qui appréciaient le choix bénéfique de la politique d'Hitler et pouvaient prouver leur aryanité ne couraient évidemment aucun risque. Comment ne pas admirer celui qui avait rendu à l'Allemagne une place privilégiée dans le monde moderne ?

Malgré son allégeance au Reich, prudente comme il se devait pour un Suisse, Eugen veillait à ce que sa collaboration avec la Reichsbank, par l'intermédiaire de Frederika, demeure secrète. Convaincu d'œuvrer pour le développement de l'économie suisse, il savait aussi qu'il servait d'abord ses intérêts de banquier. Il ne pouvait néanmoins le nier : chaque fois qu'il rejoignait Frederika à l'Edelweiss, à Saint-Gall, un petit miracle se produisait. Pendant qu'ils échangeaient de longues caresses, il songeait plus aux délices de l'amour qu'aux joies de la fortune.

Il l'avait connue, à Heidelberg, sous une charmille des rives du Neckar, à quelques centaines de mètres du Pont Vieux, en contrebas du château, rendez-vous habituel des nombreux étudiants ayant fait le choix d'acquérir leurs diplômes dans cette université, renommée depuis la fin du XIVe siècle. Quotidiennement, Frederika trouvait un prétexte pour vanter les mérites d'Hitler, convaincu qu'il construisait une nation appelée à régner pendant mille ans sur la planète.

Au printemps 1937, ayant obtenu un poste de responsabilité au siège de la Reichsbank, elle avait pris la décision d'écrire à Eugen. En caractères très serrés, comme si elle avait peur, elle avait prétendu ne pas l'avoir oublié, et lui avait proposé, s'il le souhaitait, de travailler ensemble. Elle n'avait qu'un but : qu'il se mette au service de Funk, donc des nazis. Funk ne lui avait-il pas dit que le Reich avait besoin des banquiers suisses ? Quelques jours plus tard, la réponse d'Eugen avait été pour elle une heureuse surprise : il l'invitait à Saint-Gall. A l'Edelweiss, avec la complicité de l'aubergiste, ils avaient cédé à une attirance réciproque.

Avec lui elle découvrit le plaisir charnel. A Munich, son physique ingrat n'attirait guère les regards des hommes. Peut-être était-ce par déception qu'elle s'était engagée dans les rangs du national-socialisme avec la volonté de s'y faire remarquer.

Quel sentiment de réussite pour elle quand Eugen lui avait suggéré d'intervenir en sa faveur auprès de Walter Funk pour organiser discrètement des échanges aussi fructueux pour l'Allemagne que pour la Suisse! Le trafic d'or entre les deux pays devint pour elle une habitude. Sans chercher à comprendre si elle agissait pour le Bien ou pour le Mal. Elle arrivait avec une mallette emplie d'or, y compris des alliances et des dents arrachées à ceux qu'elle appelait les «vampires juifs», et rentrait à Munich avec des liasses de billets : les usines d'armement avaient besoin de liquidités. Servir la patrie était son seul but, elle ne se posait pas de question.

Frederika et Eugen s'étaient fixé une règle : d'abord l'amour, ensuite les affaires.

Pour la première fois ce jour-là, à son domicile, avant de se dévêtir, elle ne put se retenir d'interpeller assez sèchement Eugen. Il avait déjà retiré sa chemise.

— Tu connais Paul Grüninger? Nous l'avons souvent aperçu à l'Edelweiss...

Eugen sursauta.

— Oui... et alors?

Frederika, parlant à l'allure d'une mitraillette, lui lança :

— Fais un effort! T'a-t-il révélé qu'il facilitait l'entrée illégale des Juifs en Suisse? Souviens-toi! Tu as toujours eu une excellente mémoire. Par les temps qui courent, c'est précieux. Ne me dissimule rien, tu mettrais un terme au rêve qu'ensemble nous entretenons pour la grandeur du Reich.

Eugen, agressé, se sentit soudain pris de panique. En l'appelant à Munich, Frederika lui avait-elle tendu un piège? Avait-il manqué de perspicacité? L'angoisse l'envahit.

En voyant le visage blême de son amant, elle tenta de le rassurer :

— Tu ne risques rien, je ferai en sorte qu'on ne t'accuse pas de complicité mais sois prudent ! Ne l'invite pas chez toi et, même à l'Edelweiss, ne te montre pas trop aimable avec lui ; cela pourrait te nuire... Méfiance, méfiance...

Eugen ne comprenait absolument pas. Jamais il n'avait parlé de ses « arrangements » avec la Reichsbank au chef de la police cantonale. Il lui sembla qu'une sorte de cataclysme venait de se produire avec Frederika. Que savait-elle de Grüninger ? Si elle avait des doutes sur la loyauté du capitaine, d'où les tenait-elle ? Par quelle filière ? Eugen, s'il trafiquait avec le Reich, entendait qu'on respecte la Suisse. Il admirait l'action rénovatrice du gouvernement nazi mais, citoyen helvétique, il se voulait patriote. Il avait accepté de militer dans les mouvements antisémites de Georges Oltramare parce que, selon lui, les Juifs suisses avaient trop d'influence sur l'activité financière mais de là à s'attaquer à un militaire de haut rang dont personne ne contestait l'honnêteté, le civisme et l'autorité, il y avait un pas qu'il ne franchirait pas. Les Suisses protégeaient leurs banques, elles se devaient de contribuer au développement de tous les cantons et au respect des Confédérés en charge du maintien de l'ordre public.

Des images tournaient dans sa tête. Depuis qu'il transformait en devises suisses l'or allemand, sa fortune avait triplé. Sans aimer vraiment Frederika, il appréciait son intelligence, sa sensibilité, son dévouement à la cause du Reich, mais pourquoi cet intérêt subit pour Paul Grüninger au point qu'avant même de faire l'amour, comme ils en avaient l'habitude, elle l'avait si sévèrement mis en garde contre le chef de la police cantonale ?

Debout près du lit qui n'avait pas été découvert, Eugen, torse nu, demeurait muet. Frederika, assise sur un tabouret de bois, d'où elle avait retiré une pile d'ouvrages sur l'histoire du fascisme, tint à s'expliquer :

— Ne te brise pas le cerveau, tu vas comprendre. Contrairement à cet insolite chef de police, je n'ai rien à cacher.

Alors que, telle une marionnette désarticulée, Eugen se laissait tomber sur le lit, Frederika mit une pelletée de charbon dans le calorifère et retourna s'asseoir sur le tabouret, jambes croisées haut, afin d'exciter le désir chez son amant. Elle raconta, avec la même monotonie, la même précision qu'un professeur récitant son cours.

— Julius Langle, un nom qui ne te dit sans doute rien, est conseiller auprès de la direction de la police du district de Bregenz, dans le Vorarlberg. Partisan depuis longtemps du rattachement de l'Autriche au Reich, il a toujours entretenu d'excellents rapports avec Joseph Schreider, le chef de la Gestapo à Lindau... Lindau en Bavière... Bavière, capitale Munich... Tu commences à comprendre ?

— Un peu... mais continue, murmura Eugen dans un souffle.

— Langle et Schreider disposent de comptes personnels à la Reichsbank de Munich. Ils ont demandé à rencontrer Funk, qui les a évidemment reçus.

— Que voulaient-ils ? s'inquiéta Eugen.

— Ils lui ont proposé leurs services pour la mise en vente des biens juifs. Funk, une fois encore, a accepté, leur offrant aussi la possibilité de déposer dans ses coffres l'or et les bijoux récupérés dans les logements vidés, ceux que je t'apporte en Suisse et que tu échanges à la Banque centrale de Berne, avec la couverture du secret bancaire. Ensuite, ils ont déclaré spontanément, parce qu'ils l'avaient rencontré à plusieurs reprises, que le chef de la police cantonale saint-galloise, le nommé Grüninger, faisait passer illégalement en Suisse des Juifs autrichiens et allemands. Il y a là, selon eux, une inconscience condamnable. Il va devoir en payer le prix. Dans nos villes frontières avec la Suisse, la surveillance a été renforcée. Si tu veux que nous continuions à travailler ensemble, ne fréquente pas trop Grüninger ! Non seulement pas trop, mais pas du tout. Oublie-le !

Face à Frederika, Eugen, le banquier qui pouvait se montrer arrogant avec ses clients les plus modestes, n'était qu'un animal blessé. Tassé sur le bord du lit, il vivait une brutale descente aux enfers. Pourquoi Frederika l'accusait-elle de complicité avec un homme dont la loyauté servait de modèle à bon nombre d'officiers et douaniers de son entourage ? Lui qui condamnait les Juifs plus par crainte de leur concurrence que parce qu'ils pratiquaient une religion différente de la sienne, s'efforçait de comprendre sans y parvenir comment la puissance de l'Allemagne devait nécessairement s'accompagner d'un déferlement de violences et de persécutions. Afin de soulager sa conscience, il se persuadait que la Suisse, pour ne pas être envahie par d'incontrôlables étrangers, était dans l'obligation de refouler les Juifs, comme les victimes de la terrible guerre d'Espagne à l'issue encore incertaine, mais cela devait passer par la loi. Il serait souhaitable qu'à Berne le Conseil des Etats élabore un texte précisant qu'il serait préférable de mettre au monde des enfants suisses plutôt que d'accueillir de jeunes étrangers, fût-ce pour les sauver de la faim ou de la mort ! Qu'on verrouille hermétiquement les frontières, Eugen y était favorable. Qu'on impose le « J » aux Juifs pénétrant en Suisse, cela allait dans le bon sens, mais qu'un haut gradé suisse facilite leur passage dans l'illégalité, il ne voulait pas y croire. Tout se mêlait dans son esprit. Raciste, lui ? Il s'en défendait. Ce n'était pas du racisme pour un banquier suisse que de commercer avec le Reich d'Hitler. Devait-il refuser de fréquenter Grüninger ? Les accusations contre lui étaient-elles fondées ? Peut-être s'agissait-il d'une rumeur pour déstabiliser un officier de police suisse... Egaré dans ses pensées contradictoires, il ne trouvait pas de justes réponses.

Immobile sur son tabouret, les yeux fixés sur Eugen, Frederika venait de franchir une nouvelle étape de sa vie : elle avait triomphé d'un banquier suisse. Plus vite et plus aisément qu'elle ne le redoutait. La prostration dans laquelle il se trouvait lui apportait la preuve que le nazisme dominerait longtemps le monde. Elle tenait un citoyen d'une nation clamant haut et fort sa neutralité, elle ne lâcherait pas prise. La situation lui était favorable, elle entendait en profiter.

Elle se leva, se glissa contre Eugen, lui passa un bras autour du cou, de l'autre lui caressa la poitrine et, le plus tendrement possible, d'une voix qu'elle voulut câline, murmura :

— Je t'aimais, tu m'aimais... Oh, je sais, la vie n'est pas drôle tous les jours, mais pourquoi avoir trahi la grandeur de la race aryenne en épousant Martha ? Je ne te demande pas de te justifier, simplement de m'expliquer. Je cherche à comprendre. Je suis une femme libre, et toi, tu t'es lié à une Juive... Je voyais en toi mon héros, ne serais-tu qu'un faible aux allures autoritaires ?

Eugen, au prix d'un difficile effort sur lui-même, s'était ressaisi. Il desserra l'étreinte, remit sa chemise soigneusement placée au dos d'une chaise. Même si cela lui parut une épreuve insurmontable, il s'assit à côté de Frederika et, tel un pécheur au confessionnal, balbutia :

— Martha n'est pas une Juive comme les autres. Souviens-toi, à Heidelberg, vous étiez amies. Toi, une étudiante, avide de connaissances, admirative de tous les régimes autoritaires, tu en voulais à Beethoven d'avoir déchiré la dédicace à Napoléon de sa troisième symphonie. Napoléon, César, Hitler... Sans même t'en rendre compte tu en as fait tes modèles. Tes idées, tu les assumais, j'appréciais. Craignant une maladresse, il s'empressa d'ajouter :

— J'apprécie toujours... Martha était une étudiante timide, rêveuse, avide de poésie, qui lisait Goethe, Schiller, mais aussi Heine, aujourd'hui rejeté par les nazis. Martha est juive mais ses valeurs m'ont paru très... comment dire... très chrétiennes. Elle n'a reçu aucune éducation religieuse, ne fréquente pas la synagogue ; Kippour et Roch Hachana, elle n'en connaît pas les dates.

— Fille de parents juifs et petite-fille de grands-parents juifs, donc entièrement juive ! répliqua Frederika.

Eugen avait hâte de conclure, il s'empressa d'ajouter pour sa défense :

— Si je t'avais épousée, tu m'aurais dominé. Martha, c'est moi qui la domine. Ne t'alarme pas, je prends l'engagement de ne pas oublier tes recommandations concernant Grüninger... Cela ne me pose aucun problème.

Frederika, encore méfiante, consentit :

— Je veux bien te croire... Fais en sorte que, si vous vous croisez dans une rue, dans un restaurant, Martha ne soit pas trop aimable avec ce traître... Je ne t'oblige pas à être prohitlérien mais respecte les directives de ton gouvernement ! La neutralité s'arrête à la porte de notre Reich. *Heil Hitler !*

Ils firent l'amour. Avec exaltation. Et si c'était la dernière fois ? L'avenir de Stahler n'appartenait qu'à lui.

4

Dès son arrivée à Munich, Eugen avait informé
Frederika qu'avant son retour à Saint-Gall, il s'arrêterait quelques heures à Bâle afin de s'entretenir
avec un ami de jeunesse, le conseiller socialiste
Valentin Keel, responsable des problèmes d'immigration dans le canton de Saint-Gall mais résidant à
Bâle où il avait des intérêts dans l'industrie
chimique. Il en profiterait pour rencontrer, si cela
était possible et s'il en avait le temps, Wilhelm Gut-
man, le consul du Reich, beaucoup plus favorable
aux nazis que l'ambassadeur de Berne. Celui-ci,
Max Koning, avait plus la réputation d'un dandy
libertin que d'un défenseur de la politique du
Reich. On ne prenait pas au sérieux ses propos à la
gloire du national-socialisme mais, le gouvernement suisse le soupçonnant d'espionner pour le
compte d'Hitler, ses déplacements étaient suivis
avec attention, ce qui n'était pas le cas pour Gut-
man.

Durant son bref séjour à Munich, il n'avait pas
quitté l'appartement de Frederika, se nourrissant
exclusivement de saucisses et de bière. Seule Frederika s'était absentée un moment pour acheter du
pain dans une boulangerie du quartier. Au matin
du troisième jour, après une longue nuit d'amour
et peu de sommeil, elle lui avait enfin expliqué la

raison pour laquelle elle avait insisté pour qu'il la rejoigne à Munich. Il n'y aurait pas de valise à transporter mais, en revanche, à 9 h 30, Funk le recevrait à la banque. Il ne s'agissait pas d'un rendez-vous de travail mais d'une convocation. Elle avait insisté sur le mot. Impossible pour Eugen d'obtenir davantage d'informations. A toute question, elle opposait une moue ironique. Ne soupçonnant rien des intentions de Walter Funk, il aviserait.

Eugen avait avalé une tasse de chocolat chaud, de très méchante humeur, Frederika ne daignant pas lui adresser un sourire. Ils avaient descendu l'escalier et, sitôt dehors, dans la pâleur d'un matin pluvieux, avaient hélé un taxi. Eugen avait voulu s'asseoir à côté du chauffeur, Frederika l'avait saisi par le bras, l'obligeant à monter près d'elle, à l'arrière. De quoi avait-elle peur ? Sans comprendre, Eugen avait obtempéré, que pouvait-il faire d'autre ?

Moins d'un quart d'heure de tête-à-tête dans un bureau austère, situé au bout d'un dédale de couloirs à l'étage directorial de la banque. Pas une fenêtre mais une imposante porte métallique. Deux lampes au plafond diffusaient une lumière blafarde. Au mur, derrière la table de travail, une grande photo en couleurs de Leni Riefenstahl, amie d'Hitler, réalisatrice du film des jeux Olympiques de Berlin, deux ans plus tôt.

Walter Funk, colosse aux cheveux rares, visage rougeaud d'abonné aux chopes de bière, traits d'une douceur surprenante chez un dignitaire du Parti, était vêtu, tel un boutiquier modeste et besogneux, d'un large costume de serge bleue. Il s'était levé pour serrer avec vigueur la main de son visiteur, l'invitant à prendre place sur l'unique chaise de bois. Eugen l'avait compris, Funk ne souhaitait pas recevoir plusieurs personnes à la fois. Il se protégeait, avait pensé Eugen, d'une agression toujours possible. Tous les Munichois n'étaient pas nazis et beaucoup condamnaient les extorsions de fonds pratiquées sur les Juifs. Fier de participer à cette entreprise bénéfique pour l'économie du Reich, Funk s'en vantait, néanmoins conscient de se montrer parfois inutilement bavard. D'un interlocuteur mécontent il aurait vite raison avec un revolver ostensiblement posé sur sa table, à portée de main.

Eugen avait éprouvé un sentiment de gêne, accentué par les propos de Funk après un échange d'amabilités convenues.

— Je vous remercie de votre collaboration. Des hommes de votre valeur contribuent à l'avenir de la race germanique. Notre Führer sait gré à la Suisse d'avoir plaidé en faveur de l'admission de l'Allemagne à la SDN. Depuis ma jeunesse, je rêve de me rendre à Genève. Une ville qui depuis longtemps honore le travail de ses habitants. Les établissements financiers prospèrent discrètement depuis des siècles. On assure aussi que la cuisine y est plus savoureuse qu'en France et que la majorité des Genevois aiment le bon vin. Georges Oltramare y est un allié providentiel du Reich.

Eugen, fier d'être né en Suisse alémanique, n'était pas venu pour entendre les louanges de la gastronomie romande. Dissimulant mal son agacement, il répliqua :

— D'autres Suisses aiment les plaisirs de la table, ce qui ne les empêche pas d'adhérer aux idées de votre Führer.

Eugen l'avait compris, ce serait une erreur que d'interrompre Funk. Celui-ci, directeur de la Reichsbank, sur la Königsplatz, tapotait nerveusement de ses doigts courts et lourds sur sa table. Sous sa veste il portait la chemise brune du Parti mais, à son allure, il ne devait être qu'un subal-

65

terne, obéissant aux ordres de ses supérieurs. Soucieux d'affirmer sa position face à un étranger, il montrait par son comportement déterminé qu'il n'entendait pas être contredit.

— L'Allemagne, avait-il poursuivi, désire établir avec la Suisse des relations commerciales rentables ; pour y parvenir nous avons besoin de vous... Il serait dommageable que vous limitiez vos exportations ; vous devez, au contraire, dans notre intérêt commun, aider financièrement l'économie du Reich. Le peuple suisse doit se retrouver à nos côtés ; c'est important pour l'avenir de l'Europe.

Rentrer à Saint-Gall par Bâle, ce n'était guère plus long que par Zurich. Le train avait quitté la gare centrale de Munich à 10 h 52. Avant le départ, il avait changé son billet.

Il approchait de Bâle, avec sa Porte d'Or, la célèbre spirale verticale à trois ailerons, indiquant le point exact où les eaux du Rhin sont à la fois suisses, françaises et allemandes. Avant la gare, la rame s'arrêterait une ou deux heures à la frontière afin que les fonctionnaires allemands d'abord, suisses ensuite, effectuent les contrôles de police et de douane, sérieusement renforcés depuis l'Anschluss. Eugen n'avait rien à craindre, tous ses documents étaient en règle et il n'aurait pas, comme il en avait l'habitude, à dissimuler le moindre sac d'or ou de bijoux. Son esprit demeurait occupé par sa rencontre avec Walter Funk, à laquelle, sans doute sur ordre de son supérieur, Frederika n'avait pas participé.

Entre deux secousses d'un aiguillage, après qu'il eut fermé la fenêtre tant le compartiment était envahi par la poussière de charbon de la locomotive, Eugen se répétait, sans en changer un mot, les propos de Walter Funk.

— Il y aura dans votre train un voyageur que vous ne connaissez pas. Son nom : Thomas Meinchacht, citoyen allemand, membre de la section munichoise de la SA. Il franchira en même temps que vous la frontière avec un visa de séjour en Suisse d'une durée de trois mois. Sa mission est précise : retrouver, avec votre aide, dans les banques, la trace des avoirs déposés par des Juifs allemands et autrichiens. Nous le savons, ils ont transféré en toute légalité des millions de marks dans vos établissements financiers. Des sommes très importantes, indispensables au Reich. Cela n'a rien à voir avec votre neutralité. Jamais l'argent enfermé dans les coffres des banques n'a suscité de réprobation populaire. Ce genre d'opérations n'intéresse pas les petites gens. Comme l'affirme un proverbe français, « les affaires sont les affaires ». Meinchacht se présentera comme journaliste auprès de Paul Grüninger. Le chef de la police de votre canton aide les Juifs, nous le savons ; il devrait être facile de le faire parler... il souhaite conserver son poste. Tout Juif allemand détenant des avoirs à l'étranger doit les déclarer. Sanction prévue pour les contrevenants : la peine de mort. Il y a encore trop de Juifs en Allemagne. Nous avons intercepté des lettres à destination de la Suisse. Les plus nombreuses vers le canton de Saint-Gall. Toutes signées de noms juifs. Cela ne prouve-t-il pas qu'ils cherchent à se réfugier dans votre pays ? Comme tout banquier, vous avez la possibilité d'effectuer des mouvements de fonds entre banques par simples jeux d'écritures. Des fonds que vous nous transférerez tout à fait légalement, sur lesquels, afin de contribuer à votre enrichissement, vous pourrez prélever dix pour cent. C'est, je crois, satisfaisant. Ne l'oubliez pas, il s'agit de la mission de la plus haute importance. Ne trompez pas notre confiance !

Walter Funk était cohérent, cela ne se discutait pas. Eugen n'avait rien à objecter, d'autant qu'il avait deviné qu'au prétexte de se rendre à la boulangerie Frederika, d'une cabine publique, avait dû aviser Funk de la modification de son trajet de retour, afin de faciliter le voyage de Meinchacht.

L'entretien achevé, Funk avait ouvert la porte. Eugen était sorti. Frederika l'attendait au rez-de-chaussée, bavardant avec une collègue.

Ils sautèrent dans un taxi. Frederika l'avait entretenu d'une prochaine exposition sur Rubens à la Pinacothèque. Hitler adorait ce peintre, et même Picasso et Matisse, malgré leurs liens avec les « Rouges ». Elle se félicitait qu'on présente à Munich des toiles ayant appartenu à de riches Juifs autrichiens.

— Par goût du lucre plus que de l'art, alors que tant de Viennois vivent dans la misère, ajouta-t-elle, sourire aux lèvres. Ces œuvres ont été acquises avec l'argent du petit peuple.

Pendant le bref trajet jusqu'à la gare, pas un mot sur la mission ni la présence d'un agent secret dans le train. Pas davantage sur les propos échangés avec Funk.

Quand Eugen avait voulu payer la course, Frederika, apparemment ravie d'avoir satisfait Funk, l'avait devancé.

Sur le quai, quelques embrassades, rien de plus. Quand il était monté dans le wagon, Frederika lui avait lancé joyeusement :

— Bon retour !

Comme s'il ne s'agissait que d'une séparation de quelques jours.

Lorsque le train international sortit de la haute verrière, Frederika n'était plus qu'une silhouette sur le quai. Pour la première fois Eugen s'interrogea : sa maîtresse allemande ne le manipulait-elle pas ?

Il médita sur son séjour à Munich jusqu'au dernier arrêt. Avant Bâle-ville, un couple assez âgé s'installa dans le compartiment. Ils n'avaient qu'une valise pour deux, ils la placèrent précautionneusement en hauteur, dans le filet de cordages. Eugen observait les deux voyageurs. Après l'avoir salué, ils s'étaient assis face à face, à l'autre extrémité de la banquette. Eugen le remarqua, si la femme, vêtue d'un tailleur de laine grise, le visage ridé, sans aucun maquillage, demeurait immobile, comme égarée dans un autre monde, celui qui devait être son époux, petit, rondouillard, les yeux cachés derrière de larges et épaisses lunettes de verre sombre, ne quittait pas le couloir du regard. Sans doute pour le surveiller. Précaution inutile ; que des policiers en civil ou en uniforme veuillent les arrêter, toute fuite serait impossible.

La présence de ces deux Juifs, car il ne pouvait s'agir que de Juifs, laissa Eugen dans une profonde perplexité. La frontière se rapprochait. Disposaient-ils de visas de séjour en Suisse ? Si tel n'était pas le cas, les avait-on informés qu'ils seraient refoulés en Allemagne ? Comprenaient-ils qu'ils seraient alors arrêtés par la Gestapo ou l'Abwehr, et automatiquement dirigés vers Oranienburg qui venait d'accueillir ses premiers internés ? Selon ce qu'avait lu Eugen dans un journal allemand qui traînait sur une table dans la cuisine de Frederika, il s'agissait d'un camp installé dans les hangars d'une ancienne mine de charbon désaffectée. Des Juifs miséreux y étaient recueillis, nourris et logés en échange de quelques travaux sur les chantiers alentour. L'auteur de l'article précisait que, contrairement à certaines rumeurs, les familles n'étaient jamais séparées, et que ceux qui évoquaient des conditions de vie pénibles, affirmant même qu'il y avait eu des morts parmi les prisonniers, se comportaient en citoyens indignes de participer à la grandeur du Reich. Heinrich Himmler, responsable de la communauté juive, affirmait se montrer particulièrement bienveillant à son égard, alors que, selon lui, tous les Juifs complotaient contre le gouvernement. Déchus de la nationalité allemande réservée aux aryens de naissance, ils n'en tenaient pas compte. D'où l'absolue nécessité de les tenir à l'écart de la population.

Dans quelques minutes, le train arriverait à la frontière. De chaque côté des voies, des barrières métalliques et une double rangée de barbelés interdisaient toute tentative d'évasion. Toutes les portes des wagons avaient été soigneusement verrouillées. Si des voyageurs étaient montés sans visa, ils se retrouvaient nez à nez avec des policiers en uniforme, peut-être même en civil. Eugen n'en doutait pas, ses voisins seraient arrêtés. Commencerait pour eux un autre voyage, interminable celui-ci, vers un camp allemand dans lequel, à leur âge, ils ne survivraient pas longtemps.

Après Bâle, deux heures de train régional et Eugen retrouverait Martha à Saint-Gall. Qu'avait-elle fait pendant ces trois jours ? Il n'avait rien précisé quant à sa destination sur le billet écrit à la hâte. Prudence, volonté de vivre sa liberté ou simple oubli ? Martha avait l'habitude de ses déplacements discrets. Un banquier, cela sent toujours le soufre. Entretenant le mystère sur sa clientèle, il se donnait l'illusion de protéger Martha. Exercice difficile qu'il avait jusqu'à présent réussi. Il la savait en désaccord avec ses idées politiques, alors, pour ne pas lui déplaire ni la chagriner, il sous-estimait volontairement l'importance de ses rapports avec

70

les banquiers allemands. Cette fois, comment justifier son absence ? Lui expliquer ses connivences avec la Reichsbank, à Munich ? Martha n'était pas sotte, Frederika lui avait écrit qu'elle y travaillait mais son épouse ignorait la liaison qu'il entretenait avec son amie d'université. Qui l'en aurait informée ? Devait-il lui mentir, lui indiquer une destination différente ? Pendant le trajet de retour, il prendrait une décision. Soucieux de sa respectabilité, il ne voulait pas qu'on le prenne pour un criminel traître à sa patrie.

Le train ralentissait. On entendait du bruit dans les compartiments voisins. Un officier de la SA, uniforme noir, brassard à croix gammée, passa dans le couloir. Sans s'arrêter. A sa vue, le couple avait tressailli, sembla-t-il à Eugen. Ce n'était peut-être qu'une illusion. Si cet homme et cette femme étaient juifs et tentaient d'entrer en Suisse illégalement, ils ne manquaient pas de courage. Berne avait ordonné la fermeture de toutes ses frontières avec l'Allemagne et l'Autriche, sauf pour les « bons » citoyens qui dans un sens ou l'autre avaient obtenu un visa dans un consulat suisse. Ses voisins avaient-ils, comme ils en avaient l'obligation, fait apposer un « J » sur leur passeport ?

Dans la masse confuse de sentiments agitant l'esprit d'Eugen, tout se mêlait : Martha qui ne manquerait pas de l'interroger sur les raisons de son silence de trois jours... Frederika dont certaines bizarreries l'inquiétaient... Walter Funk auprès duquel il s'était engagé... Les risques d'un nouveau conflit dans lequel les Français et les Anglais envisageaient de s'engager... La Suisse pourrait-elle préserver une neutralité officielle, assez éloignée de la réalité quotidienne ? Il aurait voulu enfouir tout cela au plus profond de son cerveau, il n'y parvenait pas. La présence dans le compartiment de ces deux Juifs, encore qu'il n'en ait aucune preuve, accroissait son angoisse. Et l'agent secret annoncé par Funk ? Où se cachait-il ? Il avait parcouru tout le train, il n'y avait que des hommes en uniforme et des voyageurs accompagnés d'enfants, apparemment « normaux ». A quoi pouvait ressembler un espion ? Et s'il s'agissait de la part de Funk d'une simple manœuvre d'intimidation ?

En bon patriote, si Eugen avait la volonté de protéger la Suisse d'une invasion de Juifs étrangers, il ne souhaitait pas qu'on les extermine, comme Hitler l'avait affirmé dans *Mein Kampf*. C'était là son unique point de désaccord avec les idées exprimées dans ce livre, passionnant et bien documenté. Eugen l'avait déjà étudié deux fois, en regrettant qu'un texte si important pour l'avenir de la planète ne soit pas traduit en français. A le lire, les Suisses romands francophones perdraient cette inconscience qui poussait une majorité d'entre eux à considérer comme un cauchemar le renouveau de la puissance allemande, et à brocarder Hitler et ses proches, qu'ils estimaient dangereux pour l'avenir des démocraties, alors que le Führer n'avait qu'un but : rendre au peuple allemand sa dignité perdue avec le traité de Versailles de 1919. Certes, la Ligue vaudoise défendait avec ardeur les valeurs du national-socialisme mais, à ce jour, leur président, Maurice Regamey, qu'on prétendait trop arrogant, n'avait réuni que quelques centaines d'adhérents. Quand on défend de bonnes idées, il n'est pas nécessaire de s'agiter. Oltramare, plus discret, défendait avec des arguments plus sérieux la nécessité pour la Suisse de se ranger derrière les forces de l'Axe.

Le train roulait à faible allure entre les cheminées fumantes des usines chimiques et les cités ouvrières aux murs peints de couleurs vives. Les wagons s'entrechoquèrent avant de s'immobiliser.

Pour la première fois, le petit monsieur se tourna vers Eugen avec un tremblement dans la voix.

— Vous êtes suisse, je suppose ?

Eugen répondit par un signe de tête affirmatif, sans prononcer une parole. S'il s'agissait de Juifs, comme il en avait la conviction, qu'ils ne s'avisent pas de solliciter son aide lors des contrôles frontaliers ! Il ne les connaissait pas et n'avait rien à voir dans leurs affaires. Qu'ils soient en danger de mort en Allemagne ne le traumatisait pas. En ces temps difficiles, il n'y avait pas de meilleure loi que celle du silence.

Son esprit n'était occupé que par les entretiens qu'il aurait à Bâle, surtout son rendez-vous avec Arthur Dreyfus. Il ne l'avait rencontré que dans des réunions professionnelles, et pourtant le détestait. Non parce qu'il était juif, mais parce que sa banque, l'une des plus anciennes institutions privées suisses, fondée en 1813, empiétait, selon lui, sur son domaine d'activités. Eugen craignait de devenir sa victime mais il avait besoin de lui, ce qui l'incitait à un minimum de tolérance et à une courtoisie de façade.

Eugen fut tiré de ses pensées par des petits coups secs frappés contre la vitre du compartiment par deux policiers en civil, avec brassard à croix gammée. Aucun trouble ne parut sur le visage des deux autres voyageurs. Ce furent les mains d'Eugen qui tremblèrent en présentant son passeport rouge à croix blanche.

L'homme puis la femme montrèrent sans émotion apparente des passeports allemands accompagnés d'une feuille imprimée. L'un des policiers s'y intéressa particulièrement, examinant minutieusement le visa de séjour en Suisse. Quelques

73

secondes d'entretien à voix basse avec son collègue et, souriant, il restitua les documents.

— Bon voyage, madame et monsieur Nordman... A Venise, avec trente marks, vous mourrez vite de faim ; n'espérez pas trouver de camp pour les Juifs ! Si vous avez des ennuis avec les douaniers suisses, réclamez l'aide de M. Grüninger, de Saint-Gall, le chef de la police cantonale, il ne manquera pas de voler à votre secours !

En riant de leur plaisanterie, les deux policiers se dirigèrent vers le compartiment suivant. A peine s'étaient-ils éclipsés que, dans leur uniforme gris et vert, pli de pantalon impeccable, gendarmes et douaniers suisses se succédèrent. Beaucoup plus soupçonneux que les Allemands, non seulement ils étudièrent avec une loupe les signatures sur les visas mais, renfrognés, ils s'attardèrent afin de vérifier que les photographies à la première page des passeports correspondaient aux visages des voyageurs. Satisfaits, ils s'éloignèrent sans un mot.

Eugen ne put s'empêcher de sourire à Mme et M. Nordman. Que le nom de Grüninger ait été prononcé l'avait surpris. Par nature, il n'avait jamais cru ni au hasard ni aux coïncidences. Dans quelles conditions et à quel prix les deux Juifs avaient-ils obtenu un visa d'entrée en Suisse conforme à ceux exigés par les autorités frontalières ? Des visas qui, s'il avait bien vu, comportaient le « J » obligatoire sur tous les documents des Juifs allemands ou autrichiens pénétrant en Suisse.

Au sourire d'Eugen, M. Nordman, comme libéré d'une pesante angoisse, répondit par un long discours. Cet homme, soudain apaisé, avait d'évidence besoin de parler, parler encore, parce que – mais depuis combien de temps ? – chaque fois qu'il ouvrait la bouche il devait éprouver le pénible sentiment que toute parole pouvait se retourner contre lui.

A faible vitesse, le train se dirigeait vers la gare de Bâle réservée aux convois de voyageurs et de fret en provenance d'Allemagne ; une rame assurait la correspondance avec l'autre gare bâloise, celle où circulaient les trains à destination ou en provenance des villes suisses.

— Monsieur, murmura Nordman, j'ai remarqué que votre passeport rouge était suisse, autorisez-moi une confidence : en pénétrant dans votre pays, le ciel, qui depuis cinq ans demeurait gris au-dessus de nos têtes, s'est en quelques instants éclairé.

La voix de Nordman vibrait d'émotion quand il ajouta :

— Si la Suisse devient notre nouvelle patrie, nous le devons à la générosité d'un certain fonctionnaire dont les policiers allemands ont prononcé le nom. Ce bienfaiteur, que nous ne connaissons pas, a signé notre demande de visa sans réclamer un centime. Il nous a aidés à fuir la vie misérable à laquelle nous étions condamnés. Oh, nous n'avions aucune illusion, en Allemagne depuis qu'Hitler a réduit Juifs et Gitans à l'état de chiens errants, si nous étions sortis de notre cachette, un galetas au-dessus de notre bijouterie, aux volets clos sur ordre de la SA depuis cinq ans, nous aurions entrepris un voyage moins agréable que celui-ci. Cinq... sept jours, peut-être davantage, en wagon de marchandises, jusqu'à un camp où nous aurions été engloutis. Un jour viendra où le sort des Juifs allemands et autrichiens, avant d'autres – qui peut le savoir ? –, marquera d'une tache rouge sang l'histoire de l'humanité.

— Veuillez pardonner mon indiscrétion, pourquoi être sortis d'Allemagne par Bâle ?

Sans la moindre hésitation, M. Nordman répondit :

— Franchir la frontière à Saint-Gall aurait pu mettre notre bienfaiteur en situation délicate. Il nous a suggéré de passer par Bâle, où nous sommes des inconnus, perdus dans la foule... Après ce que nous avons vécu, cela ne nous pèse pas.

Eugen, poussé par la curiosité, posa encore une question :

— Et où comptez-vous séjourner en Suisse ?

La réponse surgit, sans hésitation :

— A Lucerne ! Une ville à vocation musicale... Mon épouse est pianiste, une pianiste de talent. Hélas, ajouta-t-il en soupirant, en Allemagne, les artistes juifs sont interdits, réduits au silence. A Lucerne, Anna pourra, j'espère, trouver quelques élèves. Elle a joué avec le maître Toscanini. Savez-vous que cette année, il a organisé des concerts dans les jardins de la villa de Wagner, qui n'aimait guère les Juifs ? Il a convié les musiciens qui ne veulent plus se produire en Allemagne ni en Autriche, cela mérite respect et admiration.

Anna demeurait silencieuse. Avait-elle encore peur ?

— A Lucerne, on parle l'allemand, notre langue, ajouta encore M. Nordman. Cela pourra nous servir. J'aimerais tant qu'Anna éprouve à nouveau les joies du piano...

Il y avait dans ces paroles presque de l'enthousiasme à l'idée de s'adapter à une nouvelle existence.

Eugen l'avait remarqué, pas une fois M. Nordman – par prudence ? – n'avait cité le nom de Grüninger. Frederika avait raison, le chef de la police de Saint-Gall devait aider des Juifs désireux d'entrer illégalement en Suisse. Cela devenait évident. Une forme de compassion inacceptable pour un officier de son rang. Eugen ne pouvait que condamner Grüninger pour l'assistance illégitime et immorale qu'il apportait aux fuyards juifs, convaincu qu'il agissait par appât du gain, afin d'accroître son modeste salaire de chef de police. A cet instant il ne disposait d'aucune preuve, il ne le dénoncerait pas. Sa condition de financier ne lui permettait pas d'être mêlé à un scandale aux conséquences imprévisibles. Ce qui ne lui interdirait pas de chercher à découvrir la vérité sur le jeu du chef de police.

Le train pénétra sous la verrière de la gare. Après un rapide échange de politesses, Nordman jeta un œil sur le tableau d'affichage. Le prochain train pour Lucerne quittait Bâle dans dix minutes. Le couple se fondit parmi les autres voyageurs.

Eugen, seul dans le hall, à l'écart de la foule, s'interrogeait. Le chemin était tortueux entre sa volonté de faire fortune et le péril que représentait peut-être pour la Suisse la puissance du Reich. Une puissance à laquelle il participait. Il n'avait plus envie d'honorer ses rendez-vous bâlois. Il téléphonerait à ses interlocuteurs pour s'excuser, ils comprendraient qu'il avait eu un empêchement. Il regarda sa montre, le dernier modèle avec cadran en or des horlogers de La Chaux-de-Fonds. Pour rejoindre Saint-Gall, il devait patienter une heure. Le temps d'avaler un gâteau au chocolat et une tasse de thé au buffet de la gare. La salle était bruyante, les tables libres rares. Il s'assit, indifférent à quatre officiers suisses qui discutaient à haute voix autour d'une bouteille de vin pour savoir s'il serait possible de résister à l'armée du Reich au cas où Hitler envahirait la Suisse.

Eugen, en buvant son thé à petites gorgées, réfléchissait. Dès le lendemain, il solliciterait un rendez-vous auprès de Keel afin de l'interroger sur les activités de Grüninger ; il devait certainement les connaître. Le chef de la police cantonale était-il un militaire loyal ? Non qu'il ait quelque ressentiment contre la générosité de Grüninger chef de la police, mais qu'il y ait d'autres fonctionnaires comme lui et ce serait la fin des valeurs spécifiquement suisses. Trop d'étrangers, de républicains espagnols et, surtout, de Juifs ! La Confédération serait colonisée. Très vite, les banquiers perdraient la confiance de leurs clients étrangers fortunés. Qui sait même si certains gouvernements communistes ne finiraient pas par réclamer et obtenir la levée du secret bancaire ?

A cette idée, sa gorge se noua. Il se disposait à rejoindre son wagon quand un homme de petite taille, presque chauve, vêtu d'un costume trois-pièces gris, strict et élégant, lui plaqua la main sur l'épaule.

Eugen se retourna et, spontanément, sans réfléchir, lui sourit. Il crut reconnaître son visage. Incapable toutefois de se souvenir où et dans quelles circonstances il l'avait rencontré. Soudain il se rappela l'avoir aperçu dans le train.

Le petit homme déclara se nommer Meinchacht. Il se rendait à Saint-Gall. Sans hésitation, ils montèrent dans le train et s'assirent côte à côte.

Durant le trajet, les deux hommes n'échangèrent que quelques banalités sur les paysages. Aux arbres, perçaient les premiers bourgeons. Eugen ne parvenait pas à maîtriser l'angoisse qui s'emparait de lui.

Dans la gare de Saint-Gall, ils se séparèrent ; chacun de son côté héla un taxi. Pour Eugen, ce déplacement de trois jours marquait-il la fin d'une époque heureuse ? Devait-il désormais s'enfermer dans les silences ?

5

Ce qu'Eugen avait fait, partir en ne laissant qu'une phrase sibylline sans la moindre information ni marque d'affection, Martha s'en était offensée. Elle s'était toujours exprimée librement avec lui, maintenant il lui faisait peur. Sentiment incontrôlable, inexorable.

D'une écriture tremblante, elle rédigea quelques mots, qu'elle plaça bien en vue sur le poste de TSF : « Je t'ai aimé, j'ai cru en toi. Tu as trompé ma confiance, je ne peux que m'éloigner.» Elle hésita avant d'ajouter : « A bientôt... peut-être.» Son mari, le confort bourgeois, sa condition d'épouse de banquier discrète, ne l'intéressaient plus. Avec quelques effets personnels et trois bagues incrustées de petits diamants qu'il lui avait offertes et auxquelles elle tenait, ainsi que le petit pécule qu'elle avait réussi à accumuler semaine après semaine sur les sommes versées par Eugen, elle s'installa sans le moindre regret à l'hôtel Am Rhein, le meilleur de Saint-Gall, de style tyrolien. Elle n'avait pas oublié les recommandations de Grüninger de choisir un établissement offrant à sa clientèle un combiné téléphonique et une ligne directe avec l'extérieur dans chacune des trente-six chambres, ce qui permettait d'appeler en toute discrétion. Martha occupait le numéro 26, dénommé Innsbruck. Coïncidence ou signe du destin ? La station où elle avait passé les dernières vacances d'hiver avec Eugen.

Le séjour avait été l'occasion pour Eugen de se féliciter : les Autrichiens l'avouaient sans honte, ils souhaitaient presque unanimement que leur pays soit rapidement rattaché à l'Allemagne. Une chance, affirmaient les journaux, pour l'économie mal remise de la crise de 1929. D'ailleurs, répétaient-ils volontiers, Hitler n'était pas né allemand mais autrichien.

Dès leurs retours de promenades en traîneau au travers de chemins forestiers dégagés d'une épaisse couche de neige parce que très touristiques, Eugen écoutait les émissions de la radio allemande. Il n'éprouvait aucune gêne, avant même que d'éteindre la lumière au-dessus du grand lit où ils faisaient l'amour plus par devoir conjugal que par plaisir des sens, à espérer à haute voix que les Autrichiens appelleraient vite à l'aide leurs frères du Grand Reich et qu'on mettrait rapidement un terme aux activités des Juifs, lesquels, par leur nombre et leurs richesses, étaient responsables du chômage dont souffrait le pays. Surtout les Viennois, dont les profits causaient la misère des gens du peuple, qui ne percevaient qu'un petit salaire... quand ils avaient la chance d'avoir un travail. L'Autriche liée à l'Allemagne nationale-socialiste retrouverait rapidement le plein-emploi. Eugen devait être satisfait, l'Anschluss était devenu réalité. Puissent les Autrichiens ne jamais le regretter !

Dans l'attente d'une procédure de divorce qu'elle entamerait dès que possible, soudain heureuse de sa liberté retrouvée, Martha ne comprenait pas comment elle avait pu manquer à ce point d'énergie et supporter aussi longtemps sans réagir des propos scandaleux et mensongers dans la bouche d'un homme qu'elle avait épousé sans passion mais par admiration pour ses facultés intellectuelles et son aisance en toutes circonstances. Pourquoi n'avoir jamais osé lui rappeler que même si elle ne pratiquait pas, elle était de confession israélite ?

A Saint-Gall, elle ne s'était pas reconnue dans les comportements très religieux d'une communauté qui avait connu son dernier pogrom en juin 1883. Selon Eugen, plusieurs milliers de chrétiens, majoritairement des catholiques, s'étaient rassemblés devant la synagogue de la Frongartenstrasse avant de se rendre jusqu'au magasin de broderies du Juif Ludwig Bamberger, qu'ils avaient pillé puis incendié. Ces actes de vandalisme avaient été commis non parce que Bamberger était juif, mais auteur de publications socialistes. Et Eugen détestait autant les socialistes que les Juifs. Il ne manquait jamais de rappeler que Karl Marx était à la fois communiste et juif. Un personnage pervers quoique allemand, son nom devrait horrifier tout honnête citoyen suisse. Marx, le pire ennemi des banquiers ! Le père d'Eugen avait rejoint le Groupe de défense chrétien, qui menait campagne contre les marxistes et les politiciens juifs que le Parti radical, très attaché à la laïcité, avait autorisé à siéger au Conseil de la Ville. Bien que partageant ses idées, Eugen s'était détourné du mouvement, cela pouvait nuire à sa carrière de jeune banquier, se contentant d'adhérer à l'association créée à Genève par Georges Oltramare. Il n'écartait pas une clientèle juive qui parfois sollicitait de modestes prêts pour se nourrir jusqu'à la fin du mois. Eugen, selon son humeur, leur accordait quelques dizaines de francs à un taux usuraire ou trouvait de mauvais prétextes pour leur opposer un refus poli. Comment avait-elle pu vivre cinq ans avec un homme aussi peu généreux ?

Ses souvenirs remontèrent à Heidelberg. Eugen était beau garçon, brillant, parlait avec enthousiasme du bonheur d'être suisse, citoyen d'une nation ayant su se tenir à l'écart de la tuerie de 1914-1918 qui, il le regrettait, avait plongé l'Allemagne dans une grande détresse. Pour lui, la mort tragique de Rosa Luxemburg et la fin du spartakisme avaient, malgré les faiblesses du vieil Hindenburg, ouvert les portes du renouveau. Comme d'autres étudiants, il attendait d'Adolf Hitler et du Parti national-socialiste qu'ils redressent une Allemagne où le chômage ne cessait d'augmenter. D'autres pays européens connaissaient aussi le marasme économique. Leurs gouvernements manquaient d'autorité, les citoyens, de volonté de sortir de la crise.

Elle savait que, suisse, il aspirait comme bon nombre de ses compatriotes, surtout ceux de langue allemande, à s'engager dans la finance. Alors que déjà en Allemagne commençaient les persécutions, ils s'étaient mariés à Saint-Gall en présence de leurs seuls témoins, Ernst Kleinberger, un ami d'enfance d'Eugen, et Frederika, venue spécialement de Munich. Comme tous ces souvenirs lui paraissaient aujourd'hui dérisoires et lointains ! Pourquoi ne pas avoir compris qu'Eugen était peut-être épris mais avait ressenti de la honte en épousant une Juive, fût-elle non pratiquante ? Aurait-elle dû entre deux émois amoureux s'entretenir de religion ? A Saint-Gall, on réprouvait les mariages mixtes ; un catholique n'épousait pas une protestante et, plus condamnable, un chrétien ne se liait pas à une Juive.

En moins de cinq ans, après un bref stage de formation à la puissante Union de banques suisses, au service gestion des patrimoines étrangers, Eugen, par son sens inné des affaires, était devenu un banquier prospère, reconnu. Et quand il maudissait les Juifs, elle se taisait, veillant à ne pas jeter de l'huile sur le feu. Ce temps-là était révolu.

Dès qu'elle avait définitivement recouvré sa liberté, Grüninger l'avait prise sous son aile. Peut-être avec trop d'empressement. On le connaissait pour sa double passion : le club de football qu'il présidait et les jupons des Saint-Galloises plus jeunes que lui.

Quand le capitaine avait sollicité des services comptables de la ville une subvention pour les dépenses de Martha à laquelle il avait enfin confié une mission de soutien aux réfugiés, Fritz Teller, en charge des finances cantonales, avait grogné mais, contre l'avis défavorable de trois conseillers d'Etat, avait signé l'autorisation. On ne pouvait rien refuser au chef de la police cantonale. Comme son collègue du canton de Thurgovie, il souhaitait que Grüninger n'accueille aucun réfugié dans sa juridiction ; n'avait-il pas la responsabilité de protéger Saint-Gall de toute invasion étrangère, afin de protéger l'identité cantonale ? Il gardait le silence. Un comptable n'a pas vocation à devenir justicier.

Interrogé par Teller, le conseiller d'Etat Valentin Keel avait répondu que, s'il y avait dans le canton un homme auquel on pouvait faire confiance, c'était à coup sûr le chef de la police. Pourquoi aurait-on mis en doute la parole d'une personnalité aussi connue que Keel ? Ignorait-il que la vérité sort rarement de la bouche d'un politicien !

En quelques semaines c'était devenu une sorte de routine, Martha se rendait chaque matin, à 10 heures, à l'office de police pour faire avec Grüninger un point sur le résultat de ses investigations.

83

Dès le premier jour, Paul lui avait conseillé, presque ordonné, de ne pas divorcer. Citoyenne suisse par son mariage, elle devrait alors rendre son passeport et, en application d'une loi fédérale, retrouverait sa nationalité d'origine. Il n'était pas impossible que, malgré cinq années passées en Suisse, elle soit comme d'autres renvoyée en Allemagne, ce qui n'avait rien de réjouissant. Une demande de naturalisation alors que les refoulements se multipliaient ne pouvait qu'être rejetée. Une intervention de Grüninger attirerait l'attention des autorités compétentes, un risque à ne surtout pas courir.

Par téléphone, Martha avait obtenu un entretien avec son mari, qu'elle espérait bref mais courtois. Non pas à leur domicile mais à la banque où seule une petite plaque de cuivre à droite de la porte indiquait son existence. Depuis une loi votée en 1934 au Parlement, la pratique des comptes numérotés assurait à la clientèle un anonymat que nul, quel que soit son rang dans la hiérarchie, n'aurait transgressé. La location d'un coffre était très onéreuse, personne ne cherchait à en découvrir le contenu. Cela relevait, selon la loi, du domaine privé. Eugen, actionnaire unique de sa banque, avait la possibilité d'effectuer des transactions internationales sans qu'aucune autorité ne s'intéresse à ses opérations. Exonérées de toute fiscalité et secrètes, ce qu'appréciait Funk. Un privilège dont Eugen entendait profiter aussi longtemps que leurs accords fonctionneraient dans la discrétion. Il comptait sur Frederika pour y veiller.

Eugen, prudent, n'avait pas avoué à Frederika, lors de leurs conversations téléphoniques, après leur rencontre à Munich, que Martha avait déserté le domicile conjugal. Martha suivait les recommandations de Grüninger, ne dirait pas un mot de sa mission, ne citerait aucun nom. La mission

84

humanitaire demeurerait secrète, toute indiscrétion pouvait se retourner contre eux. Quand elle se présenta à la banque, elle était encore en proie à une vive émotion.

A 9 heures du matin, alors qu'elle se préparait à sortir, le téléphone avait sonné. Ce ne pouvait être que le capitaine, lui seul connaissait son numéro. Avant qu'elle n'ait la possibilité de prononcer un mot, celui-ci lui dictait des instructions. Cela avait commencé par une question :

— Les Aeschliman sont toujours d'accord ?

A peine avait-elle répondu qu'elle n'en avait pas la certitude absolue mais qu'ils étaient apparemment sincères, Grüninger avait enchaîné :

— En ce cas, vous sautez immédiatement sur votre bicyclette et vous pédalez en veillant, surtout, à ne pas être suivie, jusqu'à Diepoldsau. A moins d'un kilomètre de l'entrée du camp, sur le côté droit de la route goudronnée, vous verrez un homme. Vous le reconnaîtrez facilement, à l'heure présente ses vêtements doivent encore être trempés. Zürcher, de garde au camp, lui a ordonné de vous attendre... Il n'y a pas une minute à perdre.

Martha écoutait, subjuguée par la détermination calme de Grüninger :

— Le bonhomme se nomme Karl Schiffer, un Juif poursuivi par la SA. Quand il s'est présenté à notre frontière, il aurait été brutalement refoulé parce qu'il n'avait pas de visa ; il aurait un peu bousculé un de nos douaniers et se serait enfui. Selon Zürcher, il s'est caché dans la forêt et a traversé cette nuit le Rhin à la nage. Il errait dans les faubourgs de Diepoldsau quand Zürcher l'a repéré. Conduisez-le hors de la ville, à l'auberge Aeschliman. Qu'il se réchauffe dans la cuisine. Nu... oui, nu. Teresa Aeschliman a dû voir d'autres hommes nus. Qu'elle fasse sécher ses vêtements, qu'elle le nourrisse et qu'elle lui donne un lit. Surtout qu'il ne quitte pas les lieux. Bonne chance !

Le combiné raccroché, Martha avait sauté sur sa bicyclette, achetée quelques jours plus tôt, et pris la route de Diepoldsau, ne croisant que de rares voitures et quelques carrioles chargées de seaux de lait, dont les roues crissaient sur les dernières plaques de neige. Tout s'était passé comme prévu mais Martha s'inquiétait. Avec le nombre croissant de réfugiés illégaux, il devenait de plus en plus difficile de leur trouver des cachettes. Grüninger avait déjà établi des dizaines de faux permis de séjour. Depuis l'Anschluss, les candidats à l'exil augmentaient régulièrement. Avec de plus en plus de « sans le sou ».

Martha ne ménageait pas ses efforts, décidée à visiter toutes les fermes aux alentours de Saint-Gall, Grüninger disposait de la liste, les paysans étaient dans l'obligation d'immatriculer les engins agricoles, y compris ceux tirés par des chevaux ou des bœufs. Les gens compatissaient, ils comprenaient la misère de ces fuyards allemands et autrichiens mais aux motifs les plus divers refusaient presque toujours de leur accorder de l'aide.

Martha, qui avait retrouvé Schiffer sans difficulté, le regard vide, claquant des dents dans ses vêtements mouillés, l'avait accompagné à l'auberge des Aeschliman. Des braves gens qui l'avaient sans hésiter accueilli. Ainsi, elle parvint à l'heure prévue au bureau d'Eugen. Sa bicyclette posée contre le mur, elle grimpa rapidement jusqu'au quatrième étage, celui de la direction. Essoufflée, encore sous le coup de l'émotion, elle sonna.

Luisa, la secrétaire, devait être prévenue de sa visite. Après avoir ouvert, sans un sourire, elle conduisit Martha dans un petit salon. Un canapé, des fauteuils, une table basse sur laquelle traînaient quelques magazines déjà anciens. La fenêtre sans rideau donnait sur la rue, les murs étaient vierges de toute affiche ou tableau. Martha se croyait dans un cabinet médical, rigueur alémanique oblige, plus que dans l'antichambre d'un banquier. C'était la première fois qu'elle y pénétrait.

Par l'entrebâillement de la porte Martha entendait le bruit régulier d'une machine à écrire. Eugen lui avait parlé d'une secrétaire engagée deux ans plus tôt sur l'avis favorable du conseiller Keel dont elle était la nièce. Elle aurait passé son examen de Maturité à Zurich à la fin de ses études secondaires, en qualité de pensionnaire, dans un gymnasium privé de la ville où n'étaient admises que les filles de bourgeois aisés, et de confession catholique. Eugen avait mentionné son prénom, jamais son nom de famille. Volontairement? Parce qu'il ne lui avait pas présenté la jeune femme. Martha en fut tout à coup certaine : Luisa était la maîtresse de son mari. Avec Frederika, cela faisait deux. Etait-il capable d'une telle voracité sexuelle? Martha, qui avait lu Bernard Shaw, dont elle appréciait la causticité, avait comme l'Irlandais la conviction que « la fidélité n'est pas plus naturelle à l'homme que la cage au tigre ».

Si Eugen couchait avec Luisa, il avait fait un bon choix, elle ne manquait pas d'élégance. Svelte dans une robe de coton d'un bon faiseur, une tresse rousse autour d'un visage rose, âgée d'environ trente ans, elle semblait exercer sérieusement son office de secrétaire. A gauche de la Remington, des dossiers de différentes couleurs, méticuleusement empilés ; à droite, un cendrier de cristal. Luisa fumait mais, recevant la clientèle, elle devait se débarrasser des cendres dans une corbeille d'osier curieusement placée entre des jambes au galbe parfait.

Enfin, après un quart d'heure d'attente, comme s'il recevait une cliente habituelle, Eugen s'effaça pour accueillir Martha dans son bureau. Eugen avait un principe auquel il prétendait ne pas déroger : s'abstenir de mêler vie professionnelle et vie privée... à Saint-Gall, car à Munich il en allait différemment. Avec un apport financier de ses parents, il avait pu dès la fin de ses études s'établir dans d'excellentes conditions. Pour l'aider à s'installer, ceux-ci avaient vendu un vaste chalet à Davos, dans les Grisons. Ils n'y séjournaient que pour saluer avec quelques proches l'arrivée d'une nouvelle année. Ils n'y pratiquaient aucun sport de montagne parce qu'à Davos, pendant la période dite « des fêtes », où la boisson compensait l'ennui de celles et ceux n'ayant jamais chaussé une paire de skis, les célébrités suisses et d'autres pays s'y retrouvaient dans des palaces souvent démodés. Les chambres y coûtaient néanmoins le prix de location d'un palais de maharadjah en Inde. Davos, dès les années 1930, était devenu le rendez-vous des hommes d'âge mur les plus fortunés de la planète. Après la prise du pouvoir, les dignitaires nazis s'y rendaient régulièrement. Les habitants le savaient, les nouveaux maîtres de l'Allemagne, sans doute par habitude, cherchaient à séduire les jeunes Grisonnaises. Lorsqu'ils les croisaient sur les trottoirs enneigés, ils feignaient de glisser sur le sol gelé pour leur frôler les seins. A celles qui acceptaient de coucher avec eux ils donnaient sans le moindre savoir-vivre quelques Reichsmarks, comme ils l'auraient fait pour des prostituées. Une majorité de ces villageoises pratiquaient l'art de l'astuce, des esquives ou de la ruse, pour leur échapper.

Les nazis, dans les Grisons, on ne les aimait guère. L'armée suisse y était très présente et ce qui devait être un secret était connu de tous les habitants, non seulement dans le canton mais dans toute la Suisse, et probablement en Allemagne. Sous les glaciers le Conseil fédéral avait fait creuser des galeries équipées d'hôpitaux, et emplies d'armement léger. Si la Wehrmacht avait l'envie, malgré la neutralité du pays, d'envahir la Suisse, plus de cinquante mille militaires et civils pourraient transformer en une forteresse inviolable ce qu'à Berne on appelait le « Réduit ». Dans les Grisons, on y croyait, en Suisse romande, on en souriait.

Les Grisonnais s'en réjouissaient : depuis l'annexion de l'Autriche, les Allemands aisés préféraient les montagnes tyroliennes aux pentes helvétiques. Qu'ils prennent le large, nul ne s'en plaindrait ! Eugen avait accepté l'aide familiale sans état d'âme, il détestait les Suisses de Davos. Entre pâturages et hôtels, non seulement ils s'exprimaient en romanche, un dialecte incompréhensible pour un Saint-Gallois, pourtant reconnu comme langue nationale, mais ils ne songeaient qu'à partager la douceur de vivre avec les touristes. De l'hôtellerie et des pensionnaires des sanatoriums ils tiraient assez de profits pour ne pas se soucier du retour d'une crise qu'ils n'avaient jamais connue. Ils n'avaient pas, selon lui, l'envie de se battre pour la patrie et n'en éprouvaient aucune culpabilité. Eugen ne l'avouait pas, mais si tous ces potentats dépensiers avaient davantage les pieds sur terre, ils festoieraient moins et lui confieraient tout ou partie de leur fortune que lui saurait faire fructifier. Existait-il en Suisse un métier plus sérieux que celui de banquier ? Gardien de troupeaux sur l'Alpe, peut-être... Et encore, pour lui ce n'était pas évident. Comment ces gens ne comprenaient-ils pas que, si un nouveau conflit embrasait l'Europe, ils n'auraient pas de meilleurs refuges pour leurs capitaux que les banques suisses dont c'était la vocation naturelle ? On évoquait à la radio et dans les journaux l'affaire des Sudètes, ces Allemands de Tchécoslovaquie qu'Hitler souhaitait intégrer au Reich. Le Français Daladier, l'Anglais Chamberlain s'y opposaient. Les éditorialistes assuraient qu'ils ne pèseraient pas lourd face à l'armée du Führer. Le gouvernement fédéral ne cessait de le répéter, des troupes bien formées n'avaient qu'un caractère dissuasif, défensif. Qu'une guerre éclate, la Confédération se tiendrait à l'écart. Elle ne reviendrait pas sur sa neutralité. Mais si on l'attaquait elle saurait se défendre. Cela commencerait par la nomination d'un général en chef, ce qui pour l'heure ne paraissait pas urgent.

Avec l'assurance de la protection aussi efficace que secrète de Funk, Eugen s'enrichissait suffisamment pour ne pas craindre la moindre difficulté. Des activités qui n'offensaient en rien son esprit civique. Il n'avait qu'une hantise : Grüninger. Si le chef de la police accueillait des Juifs en situation illégale avec des papiers falsifiés, il n'était pas impossible, quand on connaissait leur appât du gain et leur communautarisme religieux, qu'ils créent rapidement des établissements financiers, qui concurrenceraient dangereusement les banques tenues par les aryens. Toute clémence à l'égard des Juifs, quel que soit leur sort en Allemagne, présentait un grave péril pour l'économie de la Confédération. Quand une de ses connaissances lui faisait part des persécutions, cela le laissait indifférent. L'essentiel demeurait qu'il en profite.

Contrairement au salon d'attente, tout dans le bureau d'Eugen avait été conçu pour séduire le client le plus exigeant. Le confort n'excluant pas la simplicité. Deux profonds fauteuils de cuir sombre face à une large baie avec vue sur l'abbatiale. Bien qu'il n'y ait pas grand risque au quatrième étage, un rideau de mousseline donnait au client l'illusion qu'il était bien protégé. Au sol, une moquette claire, épaisse et moelleuse, identique à la couleur de la tapisserie. Eugen disposait, lui, d'une table de style Directoire, sur laquelle s'étalaient quelques feuilles éparses, et deux combinés téléphoniques blancs. Martha remarqua aussi que sur les rayons s'alignaient des ouvrages d'économie et un exemplaire broché de *Mein Kampf*. Dans un coin, une petite table roulante avec des verres en cristal et une douzaine de bouteilles, sans doute pour sceller une bonne affaire : poire, mirabelle, kirsch, dôle du Valais, œil-de-perdrix de Neuchâtel... Eugen y veillait, on se devait de boire suisse !

Ce qui attira le regard de Martha avant qu'elle ne s'assoie dans un des fauteuils, face à son mari, costume gris strict, chemise en soie de Saint-Gall, cravate sombre sans la moindre fioriture, ce fut, dans un discret encadrement, une magnifique toile de Modigliani. Elle la reconnut immédiatement comme un des nombreux portraits de Jeanne Hébuterne, peints par l'artiste italien émigré à Paris. Un tableau de grande valeur. Eugen ne lui avait jamais dit en être le propriétaire. C'est pourtant le genre d'acquisition dont un mari courtois parle habituellement à son épouse.

Martha, muette, n'avait d'yeux que pour le Modigliani. Eugen tenta de s'expliquer :

— Belle œuvre, n'est-ce pas ? C'est vrai, je ne t'en ai jamais parlé. Elle n'est accrochée ici que depuis quelques mois et il s'agit d'un prêt. Dès qu'il en fera la demande, je devrai la restituer à son propriétaire. Jusque-là, pourquoi ne pas en profiter ?

Martha ne croyait pas un mot de ce discours. Grüninger avait eu l'occasion d'évoquer devant elle le problème des œuvres d'art, quand il falsifiait des permis de séjour pour des demandeurs d'asile ne déclarant que quelques shillings ou marks à leur entrée sur le territoire suisse.

Tous, lui avait expliqué le capitaine, n'étaient pas fortunés mais quelques-uns, surtout les Viennois, ne seraient jamais dans le besoin. Dès qu'ils avaient senti qu'une monstrueuse machine à tuer se mettait en marche contre eux, ils avaient eu assez de flair pour faire passer des tableaux et des sculptures de grande valeur, prétendant qu'il s'agissait de simples reproductions. Les nantis n'auraient pas besoin d'aide matérielle, ils éprouveraient seulement un peu de nostalgie à quitter leur patrie. Malgré l'interdiction de Rothmund, pourquoi ne pas leur accorder des visas de séjour? Fortunés, ils accroîtraient la richesse de notre pays, ne comprenait-on pas cela à Berne? Quel danger représentaient-ils pour la Suisse? Aucun. Le sort qui s'acharnait sur eux était très douloureux, et ce n'était qu'un début. Grüninger ne renoncerait pas à aider ceux qui cherchaient un refuge. D'autant qu'il ne s'agissait pour certains que d'une solution provisoire. Ceux qui en avaient la possibilité émigreraient aux Etats-Unis. Ils y découvriraient une nouvelle vie. Ils ne seraient plus tenaillés par la peur et jouiraient enfin d'une liberté sans contrainte. Roosevelt leur ferait oublier la cruauté des temps. Quant aux autres, avait renchéri l'officier, une cabane dans les montagnes était plus agréable que n'importe quel camp de travail.

— Oui, dit Martha, cette toile est splendide. Je veux que tu comprennes pourquoi, avec toi, Eugen, toute vie commune est devenue impossible... Une séparation s'impose. Cela ne devrait pas te surprendre. Sois convaincu, parce que j'y ai beaucoup réfléchi, qu'il ne s'agit pas d'une rupture passagère. Elle hésita avant d'ajouter :

— Sois rassuré, je n'ai pas plus que toi l'envie d'un scandale dans la ville... surtout dans les circonstances actuelles.

Eugen se voulut conciliant :

— Faute d'amour, j'en conviens, conservons un peu d'amitié.

Il aurait voulu en rester là, il n'y parvint pas.

— Je crois n'avoir rien à me reprocher mais toi, crois-tu qu'il soit raisonnable, pour ton avenir en Suisse, de travailler avec Grüninger ? Sur lui pèsent de lourds soupçons de trahison. Oui, je suis au courant, j'ai des contacts bien informés. Je te mets en garde ; ensuite, agis comme tu l'entends, mais sois prudente... tu es juive.

Il avait prononcé la phrase de trop. Martha se dressa comme une furie. Sa voix, habituellement harmonieuse, devint en un instant hurlement de fauve blessé.

— Tu n'as rien à te reprocher ? Alors, Frederika, c'est une illusion ? Une invention de femme bafouée ? Tu m'as toujours manqué de respect. Jamais je n'aurais dû t'épouser. Je le regrette mais, que cela te convienne ou non, je ne demanderai pas le divorce. Je ne te ferai pas ce plaisir. Séparés dans la vie, nous resterons liés par la loi. Ce sera mon unique exigence.

Elle ne put en dire davantage et s'effondra en pleurs dans le fauteuil. Eugen la regardait, en secouant la tête. Il s'était levé mais n'osait pas la prendre entre ses bras. Il comprenait qu'elle s'éloigne de lui, sans doute avait-il trop souvent évoqué sa méfiance envers les Juifs, mais il venait d'acquérir une certitude : une fois remise d'une émotion légitime, elle s'empresserait de raconter leur entrevue à Grüninger. Peut-être même lui parlerait-elle du Modigliani. Il devait réagir. Avec Martha, le temps des galanteries et des amours était achevé. Quoiqu'elle porte encore son nom et il ne verrait plus en elle qu'une adversaire. Que savait-elle exactement de ses liens avec Frederika, si ce n'est qu'ils s'étaient rencontrés durant leurs années d'études à Heidelberg ? Si elle avait connaissance de ses relations avec Funk par l'intermédiaire de Frederika, cela pouvait porter un grave préjudice à sa banque. Ce serait terrible, il ne le supporterait pas. Une pensée criminelle traversa son esprit. Surtout, ne plus perdre de temps en paroles inutiles. Il éprouvait le sentiment qu'en faisant des affaires avec les banquiers du Reich, il œuvrait pour le bien de sa patrie, il continuerait. C'était beaucoup moins condamnable que les faux permis de séjour rédigés par Grüninger, même s'il n'en avait pas encore la preuve. Dans les prochains jours, il se rendrait à Berne afin d'y rencontrer le conseiller Motta ou le chef du département Justice et Police, Rothmund. Il dénoncerait Grüninger. Et pourquoi ne pas l'accuser de se servir de son épouse pour tenter d'obtenir le nom de clients titulaires de comptes numérotés ? Il irait ensuite à Lucerne afin de s'assurer du silence du galeriste Weilmüller, son intermédiaire dans le trafic d'œuvres d'art.

Eugen ne manquait pas de sujets d'inquiétude ; heureusement, il avait du caractère et de l'énergie.

Tremblante de colère, Martha se leva et, sans un mot, se dirigea vers la porte, qu'il entendit claquer derrière elle.

Eugen reprit sa place et appela Luisa ; elle lui prépara un café.

A ceux qui le gêneraient dans la conduite de ses affaires, il imposerait silence. Personne ne le ferait trébucher. Pas même Martha.

6

Le Schweizerhof, le palace bernois, place de la Gare, facilitait de discrètes rencontres entre politiciens soucieux de palabrer à l'écart des bâtiments publics. Les services financiers fermaient les yeux, payaient les factures directement à l'hôtel sans chercher à connaître l'identité des bénéficiaires. Un salon cossu au mobilier régulièrement renouvelé avait été retenu au nom de Wille. Un patronyme si répandu dans le canton de Berne que la rumeur attribuait le titre de général en chef à Ulrich Wille en cas d'invasion de la Suisse par un pays tiers, la France, l'Italie, voire l'Allemagne qui, pourtant, utilisait la Confédération comme coffrefort et refuge pour ses espions.

Dans l'austère bureau qu'il occupait dans le non moins austère bâtiment gris et massif, surmonté d'une disgracieuse coupole verdâtre, siège du gouvernement, avec vue dominante sur l'Aar, dont les méandres enserrent la capitale fédérale, Heinrich Rothmund, qui avait autorité sur toutes les polices cantonales, y patientait, anxieux, ce qui n'était pas dans son caractère. L'horloge neuchâteloise indiquait 9 heures, sur une cheminée où jamais aucune bûche n'avait brûlé depuis qu'en 1924 le palais, ainsi que le siège du CICR à Genève, bénéficiait du chauffage central urbain.

Avec le conseiller fédéral Motta, ils étaient convenus d'un entretien à 11 heures avec Eugen Stahler, le banquier saint-gallois, dont la renommée avait déjà atteint Berne. En revanche, la rapidité avec laquelle il avait acquis son importante fortune suscitait des questions auxquelles Rothmund aurait aimé trouver des réponses satisfaisantes. La rencontre avait été acceptée parce que dans le canton de Saint-Gall la situation aux frontières demeurait trouble. Et troublante. On ne pouvait plus fermer les yeux sur l'afflux toujours plus important de requérants d'asile. Stahler y était-il mêlé ?

Pour la troisième fois, Rothmund lisait le télégramme codé reçu la veille du conseiller d'Etat saint-gallois Keel. Ni Rothmund ni Motta n'éprouvaient de sympathie pour lui. Un socialiste au service d'une entreprise capitaliste parmi les plus puissantes de la planète, seuls les naïfs s'en étonnaient. Il n'avait jamais tenté d'interdire la contrebande de produits laitiers de la Suisse vers une Allemagne privée d'importantes zones d'élevage. Depuis 1933, lait et fromages étaient prioritairement réservés à l'armée du Reich. Un pactole pour Nestlé.

Le texte de l'élu était cette fois d'une remarquable précision, alors que dans ses discours et interventions à la radio il ne se gênait pas pour brocarder les deux chambres du Parlement, jugeant leur action anachronique et indifférente aux événements qui secouaient l'Europe. Après qu'Hitler eut scellé une alliance avec les fascistes italiens de Mussolini, Keller n'hésitait plus à affirmer qu'une nouvelle guerre devenait inévitable, qui verrait le triomphe du Reich : la Suisse, dans l'impossibilité de rester neutre, ne serait pas épargnée et, comme l'Autriche, finirait intégrée au Grand Reich. A langue commune, patrie commune, prétendait-il. La présence d'étrangers en nombre trop important serait préjudiciable aux intérêts de la Confédération, cela ne semblait préoccuper personne au Conseil national et au Conseil des Etats. Keller le déplorait. Pour la troisième fois, Rothmund lisait le télégramme codé du conseiller d'Etat saint-gallois Keel, reçu la veille. Il précisait avoir eu connaissance d'informations alarmantes sur une entrée massive de réfugiés en provenance d'Allemagne et de l'ex-Autriche : « Dès qu'ils ont pénétré chez nous, quoique la frontière soit fermée, il nous paraît impossible de les refouler... à supposer que nous puissions les retrouver. »

Rothmund ne comprenait pas ces craintes. Il avait envoyé à tous les chefs de police cantonaux des instructions précises. Il en connaissait parfaitement les termes. Motta les avait d'ailleurs approuvés. Sans changer un mot.

« Désormais, toutes les personnes détentrices d'un passeport allemand ou autrichien, avec un nom à consonance juive, désireuses de passer la frontière suisse sans détenir le visa requis, délivré par un consulat suisse, doivent être refoulées sans exception. Celles qui auraient réussi à passer entre deux postes doivent être avec empressement recherchées et ramenées de l'autre côté de la frontière. »

Ses directives semblaient respectées à toutes les frontières. A l'exception de Saint-Gall où la situation posait un sérieux problème. S'il y avait défaillance dans leur application, une sanction s'imposait. Contre qui ? Faute de réponse évidente, Rothmund avait accepté, pour tenter d'y voir plus clair, de rencontrer Eugen après que ses services eurent signalé que le banquier, quoique marié à une Juive, ne dissimulait pas ses sympathies pour

97

l'Allemagne hitlérienne avec laquelle, Rothmund n'en doutait pas, il devait entretenir des relations d'affaires. De là à faciliter l'entrée des Juifs sur le territoire suisse, il y avait un fossé infranchissable. S'il y avait un traître, ce ne pouvait être Stahler. Encore qu'à l'exemple de Janus tout être humain est capable de présenter un double visage. Rothmund voulait en apprendre davantage sur le jeune banquier.

Rothmund, inquiet et curieux avant le rendez-vous avec Eugen, tira de sous un presse-papiers en verre, à l'intérieur duquel des flocons de neige voltigeaient autour d'un Cervin en papier mâché, une lettre reçue la semaine précédente. Imposée ou spontanée ? Il s'interrogeait.

L'écriture était fine, serrée, et portait la signature de Martha, l'épouse du banquier qu'il devait rencontrer quelques minutes plus tard au Schweizerhof. Elle devait avoir la trentaine, l'âge qu'il présumait pour son mari. Rothmund n'avait pas parlé de cette missive à Motta. Pourquoi ? Peut-être par peur de se voir reprocher trop de laxisme. A moins que... Il devait chasser de son esprit l'idée d'une vengeance de femme bafouée. La lettre et la réunion au Schweizerhof... Un policier croit rarement aux coïncidences, et pourtant... Il ne pouvait s'empêcher d'effectuer le rapprochement.

La Saint-Galloise osait braver le chef de la police suisse, sans peur, semblait-il, de représailles.

« C'est une chose insensée, écrivait-elle, que de devoir renvoyer des gens de toutes générations, qui espéraient trouver un refuge en Suisse. Comment pouvez-vous accepter tout cela sans chercher à en savoir plus ? A-t-on, à Berne, connaissance de cette adolescente qui traversait le fleuve, tenant une valise à bout de bras, à laquelle un garde suisse a crié : "Dépêchez-vous de faire demi-tour sinon je vous tire une balle dans la tête" ? Le militaire n'a pas eu besoin de viser, elle est morte noyée. Je n'ai pas pour habitude de pleurer ni de supplier mais, si vous ne changez pas vos méthodes, il est possible qu'un jour je m'en souvienne à vos dépens. Montrez-vous plus tolérant. On ne joue pas impunément avec la vie humaine.» Martha Stahler avait certainement de bonnes raisons d'agir ainsi. Il n'avait même pas remarqué l'absence à la fin de la lettre, au-dessus de la signature, de la moindre formule de politesse. Rothmund n'avait pas parlé de cette correspondance à Motta, devrait-il l'évoquer à la réunion ? L'heure était venue de s'y rendre. Rarement anxieux, il n'aurait pas su l'expliquer, cette rencontre avec Stahler l'inquiétait.

Après les présentations d'usage, l'entretien débuta dans de bonnes conditions, mais on n'en était qu'aux prémices. Assis dans les fauteuils style Art déco d'une petite pièce tapissée de velours carmin, les trois hommes semblaient retarder le moment d'entamer une conversation sérieuse sur les motifs de cet entretien quasi secret. Les silences étaient troublés par le passage du tramway et l'avertisseur de rares voitures. Après qu'un serveur en habit noir et nœud papillon, chemise blanche immaculée, eut apporté café, lait, sucre et biscuits, ce fut Eugen Stahler qui, le premier, se décida à aborder l'objet de la réunion.

— Je n'ai rien, lâcha-t-il d'une voix douce, contre les Saint-Gallois de confession juive, ils sont au nombre de six cent cinquante environ...

— Ce qui représente moins d'un pour cent de la population, l'interrompit sèchement Motta. Cela n'explique pas vos allusions à caractère antisémite. Ne l'oubliez jamais, de nombreux Juifs ne se trouvent juifs que dans le regard des autres. Trop souvent ils s'excluent de nos traditions parce qu'ils ne les comprennent pas. Ne l'oubliez pas, la Suisse n'est pas antisémite. Si certains de nos compatriotes déplorent leurs activités dans les secteurs de la finance et de l'industrie, je crois pouvoir affirmer qu'à Saint-Gall, selon nos services, la plupart d'entre eux travaillent dans le textile. Les plus riches possèdent des entreprises, les plus modestes y sont ouvriers... Je ne nie pas qu'il y ait de temps à autre de petites chicanes, surtout entre concurrents... Votre épouse, une Juive allemande, ne semble pas souffrir de persécutions dans notre pays. Ai-je tort ? Le regrettez-vous ?

Stahler souhaitait évoquer le sort des immigrants, Motta, diplomate avisé, l'entraînait habilement sur le terrain des Juifs de nationalité suisse. Eugen le comprit, il haussa le ton, sans intention d'échauffer l'esprit de ses deux interlocuteurs, il avait besoin d'eux.

— Il ne s'agit pas des Juifs saint-gallois mais de ceux qui continuent d'affluer illégalement dans notre canton.

— Peut-être, reprit Rothmund, ces demandeurs d'asile ont-ils fait des déclarations mensongères ou utilisé de faux papiers, mais je peux vous l'assurer, avec les moyens dont dispose la police des étrangers contre une invasion grandissante de la Suisse et contre l'enjuivement du pays vous n'avez rien à craindre. Si cela s'avérait nécessaire nous renforcerions les contrôles. Cela devrait vous rassurer... Soyez convaincu de l'extrême vigilance du gouvernement, il n'y manque pas d'hommes de cœur, emplis de compassion, qui par civisme appliquent nos lois sans éprouver le besoin ou l'envie de les détourner.

Motta et Rothmund échangèrent un regard, achevèrent leur tasse de café au lait. Eugen demeurait muet. En venant à Berne, il s'attendait à un autre discours. Il espérait plus de fermeté dans la position de Motta et, surtout, de Rothmund. Avant que s'achève l'entretien, jusqu'à cet instant sans intérêt pour lui, il devait réagir. S'il ne lâchait pas le nom qui lui brûlait la langue, il craignait, probablement avec raison, qu'un afflux de réfugiés dans le canton de Saint-Gall ne lui fasse perdre la confiance de Funk. Une part importante de ses revenus fondrait comme neige au soleil et Frederika l'abandonnerait. Il ne voulait pas l'imaginer. Elle ne l'avait pris pour amant, il en avait la conviction, que parce qu'il lui était utile. Fixant Rothmund du regard, il donna simplement un nom :

— Paul Grüninger...

Il n'y eut aucune réaction ni chez Motta ni chez Rothmund. D'un regard, Motta invita le chef de la police à répondre :

— Nous connaissons parfaitement le capitaine Grüninger, il dirige avec efficacité la police saint-galloise... Cela ne date pas d'aujourd'hui... En 1934, il a reçu les félicitations du Conseil fédéral pour avoir, avec l'aide de la police autrichienne, découvert un trafic d'explosifs dans le Vorarlberg. La collaboration entre les polices saint-galloise et allemande de Lindau est excellente. Peut-être le journal de votre canton ne l'a-t-il guère évoqué mais le capitaine a été convié à la réception du chancelier Hitler, dans le village bavarois de Sonthofen.

Eugen se souvenait parfaitement de cet épisode. Le *St. Galler Nachrichten* en avait fait, en son temps, un compte rendu peu élogieux pour les services de sécurité allemands, ce qui était exceptionnel dans un journal répétant quotidiennement son admiration pour le nouveau Reich. Le journaliste rapportait qu'avant d'accéder à la tribune officielle des SS avaient fouillé le capitaine suisse de la tête aux pieds, afin de vérifier qu'il n'était pas armé. Malgré ses sympathies pour les nazis, Eugen avait peu apprécié ce comportement envers un officier suisse, lequel s'était d'ailleurs présenté à la manifestation en uniforme.

— Croyez-nous, monsieur, avait repris Motta, le capitaine Grüninger prend très au sérieux le rôle politique de notre police. J'ajouterai même que, s'il agit peut-être avec discrétion, il a la réputation d'un chef autoritaire. Plus que dans d'autres cantons. Son subalterne, l'appointé Spirig, nous a écrit pour se plaindre ; parce qu'il marche avec difficulté, le capitaine lui aurait retenu une part de son salaire. Nul mieux que Paul Grüninger n'applique avec rigueur et humanité les décisions prises ici, à Berne.

Il était clair pour Eugen, qui attendait beaucoup de la rencontre, que l'ambiance était glaciale. Il avait envisagé de convier pour le repas de la mi-journée le conseiller Motta et le chef de la police, Rothmund, il n'en était plus question. Pour quelle raison les deux hommes ne quittaient-ils pas leur siège ? La réunion avait été un échec, alors qu'elle s'achève rapidement !

A cet instant, Rothmund se leva et, faisant face au banquier, le dévisageant tel un adversaire, lui dit sur un ton sec et sévère :

— Monsieur Stahler, nous avons compris vos craintes. Soyez certain que nous prenons toutes les mesures nécessaires pour éviter les migrations illégales... mais puis-je vous demander votre avis sur un certain Thomas Meinchacht, entré en Suisse avec un visa de complaisance, délivré par notre consulat à Munich ? N'auriez-vous pas voyagé en sa compagnie, dans le train qui vous ramenait de Bavière avec changement à Bâle ? La Bavière justement... y avez-vous une clientèle si importante que vous éprouviez l'impératif besoin de vous rendre régulièrement à Munich afin de la visiter ?

Eugen ne parvenait pas à dissimuler sa stupéfaction. Le sol s'effondrait sous ses pieds, les murs du salon tournoyaient dans un étourdissant vacarme.

Au prix d'un effort difficilement contrôlé, les mains crispées sur les bras du fauteuil, il réussit à se ressaisir, le temps de voir Motta et Rothmund franchir la porte, indifférents à l'état dans lequel il se trouvait. Etait-ce la voix de Rothmund, celle de Motta ? Semi-conscient, il crut entendre :

— Je n'aimerais pas être juif à Saint-Gall... Puisque leur sort préoccupe tant ce type, qu'il les prenne donc en charge !

Le roulement du tram sortit Eugen de son engourdissement. Reprenant peu à peu ses esprits, il avala d'un trait le verre d'eau froide sur le plateau d'argent, à côté de la tasse à café vide. Essayant de mettre de l'ordre dans ses pensées, il dut admettre ne pas avoir obtenu ce dont il avait besoin. Il espérait que Motta et Rothmund, spécialisés dans le problème des réfugiés, l'aideraient à obtenir des plus importantes banques les noms à consonance juive de récents dépositaires étrangers, qui n'auraient pas exigé un compte numéroté anonyme. Il ne s'agissait pas de trahir le secret bancaire, qui participait largement à la fortune du pays, mais, comme le département de Police en avait la possibilité au prétexte d'éviter toute forme de précarité, de vérifier l'identité des titulaires de comptes courants qu'ils soient marchands d'oignons ou artistes peintres. Ceux qui ne pouvaient justifier d'un salaire régulier et du paiement de leurs impôts étaient dénoncés et poursuivis, aucun texte ne les protégeait. Ce devait être le cas des Juifs en fuite dont il avait promis à Funk de lui fournir la liste. Au lieu d'une volonté politique affirmée, Eugen n'avait entendu dans la

103

bouche de Motta et Rothmund que des propos apaisants.

De retour à Saint-Gall, il avait l'âme morose.

Giuseppe Motta et Heinrich Rothmund, satisfaits, retournèrent ensemble, à pied, jusqu'au palais fédéral. Quelques passants les ayant reconnus les observèrent discrètement. Aucun ne les aurait apostrophés, tradition suisse oblige ! Tout citoyen s'impose le respect absolu de la vie privée, qu'il s'agisse d'une célébrité ou de son voisin. Les plus curieux se satisfont d'un regard. Dans les palaces fréquentés par les vedettes du sport ou du cinéma, personne n'ose solliciter un autographe. La discrétion est en tous lieux respectée.

Au palais, les deux hommes grimpèrent le large escalier d'honneur au sommet duquel, dans une niche profonde, impossible d'échapper à la statue de marbre représentant les trois premiers Confédérés du pacte de 1291. Dû au ciseau d'André Vibert, un élève d'Auguste Rodin, le monument, inauguré en août 1914, suscitait chez les fonctionnaires comme chez les visiteurs les sarcasmes les plus divers. Pour certains, il s'agissait d'un « groupe de chanteurs d'opéra se contorsionnant afin d'envoyer un contre-ut », d'autres prétendaient que ces Helvètes des temps anciens avaient l'allure de brutes préhistoriques, quand ils ne se plaignaient pas de leur anatomie, incongrue dans l'enceinte du pouvoir. L'énorme statue ne plaisait à personne, malgré cela, aucun politicien n'en réclamait le remplacement.

Semblable à celui de ses six collègues du gouvernement, le bureau de Motta semblait surgi d'une autre époque. Certes, la vue sur l'Aar, avec le faible courant de ses eaux vertes et calmes, était magnifique mais l'ameublement terriblement vieillot : une tapisserie qui n'avait pas dû être renouvelée depuis 1925, deux fauteuils élimés, une moquette aux couleurs fatiguées... Un bureau, qui n'aurait certainement pas fait monter les enchères d'une vente publique, était recouvert de papiers épars ; les plus importants, sous une petite pendule, unique objet que Motta avait apporté de son Tessin natal.

Dans l'esprit des conseillers, cette forme de misérabilisme austère n'avait qu'une raison d'être : montrer aux visiteurs quels qu'ils soient que l'argent public était aussi sacré que le respect de la neutralité. Une règle helvétique établie depuis plus de six siècles. On respectait l'ordre établi, on ne renouvelait qu'en cas de stricte nécessité le mobilier des bâtiments officiels pour que personne n'en doute : toute dépense était engagée avec discernement, après accord du Parlement.

Ils l'avaient décidé la veille, après le rendez-vous avec le banquier Rothmund suivrait Motta dans son bureau, identique au sien. Le chef de la Police s'assit face au conseiller qui avant de prendre place dans son fauteuil de cuir fauve, le seul meuble récent, ouvrit une armoire. Il en sortit une bouteille déjà entamée de vin rouge des collines tessinoises, et deux verres en cristal, incrustés comme il se devait de l'emblème de son canton historiquement tourné vers l'Italie.

Les deux hommes trinquèrent en riant ; avec le Saint-Gallois, tout s'était déroulé comme ils l'avaient voulu. Si le banquier s'imaginait trouver à Berne des politiques pour l'aider à de basses manœuvres contre les migrants juifs et leur protecteur supposé, Paul Grüninger, il était reparti déçu. Par leurs propos, ils lui avaient fait comprendre que ce n'était pas aux financiers de faire régner l'ordre dans le pays. Les banques avaient un rôle à jouer mais qu'elles ne s'imaginent pas occuper la place de l'autorité fédérale dans les rapports avec le gouvernement nazi. Les affaires d'Etat ne se traitaient pas devant les coffres-forts. Si Eugen Stahler avait été décontenancé, ils s'en réjouissaient. Restaient les problèmes qu'il convenait de régler dans la plus grande discrétion. A commencer par la situation de Thomas Meinchacht.

Accusé d'espionnage pour avoir tenté de pénétrer sous une identité francophone alors qu'il avait un évident accent germanique, dans la base aérienne militaire de Payerne, la plus importante de Suisse romande, incarcéré au pénitencier de Bochuz, dans le canton de Vaud, Meinchacht, dans l'espoir d'une rapide libération, avait mis en cause Eugen Stahler, avec lequel il avait voyagé.

Selon ses déclarations, non seulement Stahler se rendait régulièrement à Munich où il avait une maîtresse mais, par l'intermédiaire de celle-ci, il rencontrait Walter Funk, directeur de la succursale de la Reichsbank. Funk, méfiant, aurait donc désigné Meinchacht pour le surveiller. Une version difficile à croire car, si le Saint-Gallois ne dissimulait pas sa sympathie pour le régime nazi, Motta et Rothmund n'imaginaient pas le rapport entre la surveillance du banquier et les pilotes de Payerne. En effet, dans ce récit rocambolesque Meinchacht avait fait allusion à une transaction mettant en cause Stahler pour la mise à disposition de pilotes suisses dans la Luftwaffe. Si c'était exact, cela méritait qu'on s'y intéresse de plus près. Les relations avec Hitler étaient convenables, souvent courtoises ; à Berne, on refusait néanmoins que l'armée collabore avec un Etat dont on avait besoin mais qu'on savait totalitaire, dictatorial.

Motta continua à lire le rapport rédigé par les enquêteurs vaudois. Selon eux, Eugen Stahler aurait obtenu de Funk, par haine des Juifs, le privilège de percevoir les droits d'auteur sur les exemplaires de *Mein Kampf*[1] vendus en Suisse, passés en franchise par le poste douanier de Saint-Gall sans que Grüninger ne s'y oppose. Les deux hommes ne disposaient que d'un élément tangible : la surprise de Stahler quand il avait entendu le nom de Meinchacht... Avait-il des relations à Payerne ?

— Tout cela, déclara Rothmund, mérite une enquête.

Motta en convint volontiers :

— On pourrait l'appeler « Le Banquier, l'Espion et le Pilote »... Un bon titre pour un roman de Ramuz.

Les deux hommes s'en amusèrent.

Rothmund, avec un mandat signé du conseiller fédéral Giuseppe Motta, quitterait Berne pour Saint-Gall. Sa mission, précise, se limiterait à une visite de contrôle du nouveau camp de Diepoldsau et à un entretien avec Grüninger sur ses liens éventuels avec Stahler. Y aurait-il des faits disciplinaires à retenir contre le capitaine ? Il n'y croyait guère, néanmoins cela justifiait une enquête discrète.

Rothmund n'en avait pas soufflé un mot à Motta, mais il était résolu à rencontrer l'épouse du banquier, la signataire de la lettre. Par devoir ? Par attrait ? Il ne savait que penser.

Dans le train, de Berne à Saint-Gall, il avait l'humeur joyeuse. Une rareté pour ce policier réputé rigide.

---

1. *Mein Kampf* tombera dans le domaine public le 1er janvier 2016.

7

Grüninger attendait Martha. Elle avait besoin de réconfort, elle lui avait fait part de sa tristesse : à quelques exceptions près dans les fermes et les chalets aux alentours de Saint-Gall, on refusait d'accueillir des réfugiés illégaux. On comprenait qu'ils fuient l'Allemagne où la liste des morts non aryens ne cessait de s'allonger, mais le refrain ne variait pas... On n'était pas indifférent au sort de ces malheureux, on avait entendu à la radio le témoignage d'un interné ayant réussi à s'enfuir de Dachau, décrivant quelques-uns des sévices infligés aux détenus... On avait lu dans le *Volkstimme*, l'hebdomadaire socialiste diffusé à moins d'un millier d'exemplaires dans le canton, que les refoulements se multipliaient à toutes les frontières, oubliant volontairement ou non qu'au XVIIe siècle on s'était montré beaucoup plus généreux, attribuant un cinquième du budget à l'accueil des persécutés huguenots... On ne condamnait pas la démarche de Martha, mais le refrain ne variait pas : dans des temps difficiles, impossible de nourrir des bouches supplémentaires. On le regrettait mais on devait veiller à ne pas dépenser plus qu'on ne gagnait. On compatissait mais que faire de plus ? On se donnait bonne conscience en assurant Martha qu'on ne la dénoncerait pas à la police pour l'aide qu'elle apportait aux « illégaux ».

Martha s'interrogeait : devait-elle, pouvait-elle poursuivre sa mission ? Nombreux dans la population étaient ceux qui pensaient que dans cette région frontalière le canton de Saint-Gall aurait à se défendre les armes à la main contre « l'envahisseur ». Personne n'osait dire l'Allemand mais cette crainte justifiait qu'on refuse d'accueillir des individus fuyant ce pays.

Lors d'une visite à un agriculteur qu'elle connaissait, elle n'avait pu contenir sa colère. Hans Weiner possédait plus de cinq cents vaches laitières sur un terrain de cinquante hectares, il vivait seul depuis son veuvage dans une bâtisse d'au moins dix pièces inoccupées. Il l'avait reçue en riant, c'était une plaisanterie de journaliste que d'écrire qu'Hitler anéantirait toute la race juive.

« Quel crime faudra-t-il pour toucher votre conscience ? » avait-elle hurlé.

Weiner n'avait pas répondu et l'avait invitée sans ménagement à sortir de chez lui. Elle n'avait évité les crocs de son chien de berger qu'en s'enfuyant à toutes jambes.

Martha tardait, Paul Grüninger lisait pour la troisième fois un article du quotidien zurichois *Neue Zürcher Zeitung*, réputé pour le sérieux de ses informations. Un chroniqueur rapportait une scène qui se serait déroulée à proximité du camp de Diepoldsau.

Selon l'article, jambes nues, les chaussures et le pantalon sous le bras, deux réfugiés auraient traversé les eaux du Vieux Rhin. Les orbites creusées, les pommettes saillantes, quasiment morts de fatigue et affamés, ils seraient tombés sur les pierres du chemin au passage d'une patrouille armée de gardes-frontières suisses. Les deux hommes, dans la trentaine, avaient en tout et pour tout quatorze marks sur eux. L'un des gardes, compatissant, leur aurait donné des saucisses et du pain, tirés de son sac à cartouches. Sans papiers d'identité, ils auraient imploré le chef de la patrouille de ne pas les refouler. Sous la menace de leurs revolvers, deux militaires désignés par leur chef les auraient poussés brutalement jusqu'à la barrière de la frontière allemande en leur signifiant de ne plus jamais revenir. Ils auraient aperçu de l'autre côté des SA menotter les deux hommes et les diriger à coups de crosse jusqu'à une cabane. Après avoir entendu des cris de douleur et vu ressortir les Allemands, les Suisses avaient poursuivi leur patrouille.

Grüninger, par sa fonction de chef de police, n'était pas informé des mouvements de l'armée dans les zones frontalières. Bouleversé par l'article de la *NZZ*, il s'interrogeait : peut-être devrait-il, avant que toute la communauté juive soit anéantie, organiser des convois clandestins. Oui, mais comment ?

La tête vide, épuisée, Martha entra sans frapper dans le bureau.

Elle s'effondra, tassée sur elle-même, plus qu'elle ne s'assit face à Grüninger. Elle arrivait directement du camp de Diepoldsau où le responsable, Ernst Kamm, désigné par Grüninger avec l'accord écrit d'Heinrich Rothmund, lui avait fait part de son intention de démissionner. Il lui avait confié être dépassé par l'ampleur de sa tâche.

Kamm n'ignorait pas que Grüninger signait chaque jour des visas de séjour datés d'avant la fermeture obligatoire des frontières et que, même ultérieurement, il retirait vingt ou trente francs de son salaire mensuel pour payer un passeur acceptant d'aider un Juif ou toute une famille à pénétrer en Suisse par d'étroits chemins forestiers entourant le village de Diepoldsau. Jamais Kamm n'en aurait soufflé mot à quiconque, pas même à son épouse. Grüninger connaissait bien l'endroit. A neuf ans, il avait intégré l'équipe de football des « Poussins de Diepoldsau ». Le village était enfermé dans un méandre du Rhin. Grüninger se souvenait qu'en 1910 plus de six cents ouvriers, majoritairement italiens, avaient été recrutés pour creuser un profond canal de détournement du fleuve. Originaires des Pouilles ou de Calabre, les régions les plus pauvres de la Péninsule, ils n'avaient pas ménagé leur peine ni compté leur temps dans le maniement de la pelle, malgré un salaire de misère. Bien accueillis par les habitants de Diepoldsau qui tiraient presque tous leurs revenus du secteur encore florissant de la broderie et n'auraient jamais effectué des tâches aussi pénibles.

A la fin des travaux, en 1923, Diepoldsau s'était transformé en île. D'un côté, sur six kilomètres, le nouveau Rhin, détourné, coulait avec un fort débit en direction de Bâle ; de l'autre, ce qu'on appela spontanément le Vieux Rhin, presque sans eau, contournait la commune, servant de frontière naturelle avec l'Autriche, et de but de promenade pour les riverains.

En 1938, les ateliers de broderies, florissants jusqu'alors, avaient presque disparu ; une ouvrière qui gagnait encore quinze francs par jour en 1925 n'en recevait que trois quand elle avait la chance d'obtenir des commandes.

Quelques Italiens s'étaient installés au terme du chantier. Ayant acquis la nationalité suisse, ils se consacraient presque tous à l'élevage et l'agriculture. Ces nouveaux paysans possédaient deux ou trois vaches, parfois quatre, jamais davantage, et cultivaient sur de modestes parcelles, situées souvent du côté autrichien, allemand depuis l'Anschluss, des petits pois connus dans tout le pays sous le nom italien de *boverli*. On prétendait dans les autres cantons qu'on avait à Diepoldsau le niveau de vie le plus bas du pays. Ce n'était malheureusement pas qu'une plaisanterie.

Quand Grüninger avait soumis au conseiller d'Etat Keel le projet de transformer une usine de soierie désaffectée en camp de réfugiés, il avait obtenu sans difficulté l'accord des autorités cantonales qui acceptèrent de financer les installations. Non par souci d'entraide mais parce que cela permettrait de rassembler et de mieux surveiller les immigrés sans visa, avant leur éventuel refoulement. Il s'avérait indispensable que l'hygiène y soit respectée, mais seulement le strict nécessaire. Surtout, que les réfugiés ne soient admis que pour une durée ne dépassant pas quinze jours ! Grüninger, dans un premier temps, avait limité leur nombre à trois cents. Sans hésitation, parce qu'il connaissait son autorité, sa loyauté, sa discrétion, il avait désigné Ernst Kamm pour diriger le camp où les premiers candidats à l'exil arrivèrent dès l'été 1938.

Interrogé sur la situation à Diepoldsau, Grüninger répondait invariablement :

— Tout va très bien... tout va très bien, à l'exception de quelques têtes dures qui ayant connu de meilleures conditions dans leur pays d'origine, n'ont pas conscience que la Suisse leur a sauvé la vie et s'adaptent difficilement à la quotidienneté rigoureuse... Rien de grave.

Grüninger avait lui-même fixé par écrit le déroulement de chaque journée : réveil à 7 heures par une clarine... mais rapidement la plupart des gens étaient déjà debout parce que peu habitués à dormir dans des dortoirs ; l'armée avait fourni vingt-quatre lits métalliques dans chacun des quatre bâtiments. Le repas du matin devait être identique à celui des villageois, très copieux en produits des fermes voisines, boule de pain noir, lait, œufs, viande séchée et café à volonté.

Jusqu'à la mi-journée, après vérification de l'entretien des dortoirs, ils étaient libres de se rendre au bourg par petits groupes, hommes et femmes séparés. Si le chef de police avait fait placer à l'entrée une large banderole portant l'inscription « Merci au peuple suisse », il avait interdit qu'on entoure les bâtiments de barbelés. Qu'on ne considère pas Diepoldsau comme une prison !

La première alerte était venue de Kamm, affirmant être réveillé la nuit par des pleurs ou des cris d'enfant. Lors d'un entretien de routine avec son chef, il lui avait aussi confié que dans le village, Ernst Schegg, dentiste de profession, avait suspendu un drapeau à croix gammée à la fenêtre de son appartement dans la rue principale. Quant au fripier catholique Mario Karrer, qui avait toujours cherché querelle aux protestants du village voisin d'Altstätten, où les catholiques étaient minoritaires, il distribuait chaque dimanche après la messe des tracts très violents contre « la submersion de la Suisse orientale par des étrangers juifs ». Personne ne s'en offusquait.

Kamm avait la conviction que des éléments nazis affirmant être juifs avaient infiltré les réfugiés avec, selon lui, la volonté de découvrir dans quelles banques les plus aisés avaient déposé leurs biens, afin que le gouvernement du Reich puisse en réclamer la restitution au motif d'exportation illégale de devises. Comme l'autorisaient les accords entre les deux pays.

Grüninger n'attachait pas trop d'importance aux récits de Kamm. Il n'y avait pas encore eu d'incident grave à Diepoldsau et les autorités fédérales ne s'intéressaient que modérément aux rapports mensuels que Grüninger avait obligation de communiquer à Rothmund.

Un épisode qu'il n'avait jamais mentionné dans ses comptes rendus à Berne l'avait toutefois interpellé. De jeunes villageoises, apparemment attirées par ces étrangers, tournaient autour du camp sur leur bicyclette ; selon Kamm, il y avait eu quelques échanges de baisers... et plus. Il avait cru devoir signaler que la nommée Trina Kuster, âgée de dix-neuf ans, originaire des Grisons et employée à l'hôtel Krone, s'était trouvée enceinte d'un émigrant dont elle voulait taire le nom. Les services de Grüninger paieraient les frais d'accouchement, cela éviterait que les journalistes ne s'emparent de cette histoire. A Kamm l'obligation de veiller aux relations entre les filles et les internés. Nécessairement ils devraient un jour ou l'autre quitter le camp. Quoi de plus fâcheux dans l'austère canton de Saint-Gall que des naissances de père inconnu !

En raison du nombre de chômeurs – près d'une centaine à Diepoldsau –, Grüninger n'avait imposé aux réfugiés qu'une interdiction : celle de travailler. Un certain Weinreb, surpris aidant à la cueillette des petits pois, avait été menacé de reconduite à la frontière. Menace pour la forme, Kamm lui avait simplement infligé comme punition de nettoyer durant une semaine le sol en terre battue du bâtiment destiné à abriter une infirmerie, pas encore utilisable.

Grüninger savait, par la radio du Reich qu'il écoutait quotidiennement, qu'Hitler et Himmler avaient ordonné que les Juifs enfermés dans les camps de concentration en Allemagne soient condamnés au travail forcé jusqu'à ce que mort s'ensuive ou, sans jugement, qu'on les fusille ou qu'on les pende. La TSF suisse s'empressant de préciser qu'un gaz asphyxiant, conditionné à Bâle, avait été expérimenté sur certains Juifs, y compris des enfants. Cela donnait à Grüninger la force de poursuivre son action. Quel que soit le prix à payer.

Hélas, ce qui devait survenir survint. Le nombre de Juifs désireux de passer en Suisse ne cessait d'augmenter. Chaque jour ils affluaient sans qu'on sache dans quelles conditions ils avaient réussi à franchir la frontière. C'est alors que, dans Saint-Gall, on se mit à murmurer que Grüninger sauvait beaucoup de candidats à l'émigration. Nul ne pouvait rien prouver mais la rumeur parvint à Berne. Rothmund s'interrogea avant de conclure que Grüninger était trop loyal pour agir contre les intérêts de la patrie.

Martha ne s'en remettait pas, le choc avait été imprévisible. Le refus d'assistance opposé par l'Association des Juifs suisses était-il dû à la nécessité de protéger l'économie nationale ou à une forme d'antisémitisme ? Elle devait l'admettre, les victimes du nazisme n'étaient pas les bienvenues en Helvétie.

L'avocat zurichois Ludwig Lévy avait sollicité des autorités cantonales saint-galloises l'autorisation de visiter le camp de Diepoldsau afin d'y rencontrer les réfugiés car, avait-il exprimé dans sa requête, il croyait difficilement que, malgré les horreurs de la Nuit de Cristal, durant laquelle des milliers de Juifs allemands avaient été massacrés, le nombre de réfugiés soit en quelques semaines passé de cent cinquante à six cents dans un camp prévu pour trois cents. Durant l'été, l'entrée en Suisse des illégaux à la frontière saint-galloise n'avait jamais excédé une dizaine par jour. Certains d'entre eux avaient pris depuis longtemps des dispositions financières leur permettant de s'installer en Suisse, avec une préférence pour une région de langue allemande. Ils y obtiendraient sans difficulté, espéraient-ils, le statut de réfugiés admis à séjourner sans limite de temps dans un canton de leur choix. Ils voulaient oublier que les autorités fédérales leur avaient refusé le titre de réfugiés politiques. Le canton de Saint-Gall, s'il n'accordait pas la nationalité helvétique, autorisait néanmoins, après cinq ans et paiement d'une importante contribution, dépassant parfois dix mille francs, la délivrance d'un passeport suisse permettant de se déplacer hors les frontières.

Les moins nantis, ou ceux dont on avait spolié tous les biens et bloqué les comptes bancaires, attendaient à Diepoldsau que l'Aide aux réfugiés juifs leur permette de survivre. Leurs coreligionnaires suisses ne seraient pas assez veules pour les abandonner. Ils patientaient, et Grüninger ne les chassait pas.

Martha, dont Grüninger appréciait la ténacité, avait été désignée pour recevoir Lévy. Le capitaine imaginait qu'entre coreligionnaires les échanges seraient plus aisés. Un gendarme s'y était rendu avec ordre pour Kamm de préparer pour Lévy la visite des lieux, et de répondre avec honnêteté et prudence aux questions qu'il ne manquerait pas de poser. Méfiance aussi car pour Grüninger ce Lévy n'était pas un inconnu.

L'homme, quoique juif, s'était efforcé de jouer un rôle politique dans l'Union démocratique zurichoise, proche des mouvements fascistes italiens. Dès 1937, sans doute inquiet des conséquences de l'alliance signée entre le Duce et le Führer, il s'était contenté de présider la Fédération suisse des communautés israélites. Jusqu'en 1938, l'essentiel de ses préoccupations avait été de demander et d'obtenir que soit levée, à Davos, l'interdiction de l'abattage rituel et que soit créé un cimetière réservé aux Juifs dans ce lieu de cure. De riches tuberculeux, en provenance de tous les pays d'Europe, à l'exception de l'Union soviétique, séjournaient dans les nombreux sanatoriums de la station. A Davos, on ne pouvait pas se permettre la moindre agitation antisémite. Les Rothschild y possédaient un chalet et se montraient très généreux à l'égard de la commune ; on devait éviter tout incident susceptible de les contrarier.

Dès le début des persécutions, compte tenu de la présence de dignitaires nazis, amateurs de sports d'hiver, Lévy avait recommandé aux malades de confession juive de se soigner sous un nom d'emprunt afin d'éviter tout incident malheureux. Quant au cimetière, propriété privée, il avait été clos par précaution.

Lévy écrivait régulièrement dans la *NZZ* des chroniques où il exprimait sa satisfaction d'être un Juif suisse ou plutôt, rectifiait-il souvent, un Suisse juif. A chacun de ses visiteurs il répétait avec force : « Surtout, ne faites rien contre les autorités ! »

Grüninger connaissait Lévy depuis que l'avocat zurichois avait acquis une brève célébrité en 1936 lorsque, à Chur, il avait assuré la défense de David Frankfurter, un sioniste qui avait tiré sur Wilhelm Gustloff, activiste du Parti nazi en Suisse. Lévy n'avait pu lui éviter une condamnation à la prison à vie, il eût été inconvenant pour les juges de déplaire aux autorités du Reich !

Adepte du « surtout, pas d'histoire ! », Ludwig Lévy n'avait pas protesté lorsque Rothmund avait déclaré à la TSF de Suisse alémanique que, quand le département de Police en aurait fini avec les émigrants étrangers, on s'occuperait des Juifs suisses, responsables, selon Berne, de « l'invasion des Juifs allemands ».

Martha, prévenue par Grüninger, devrait se montrer vigilante. En se rendant à Diepoldsau, elle avait pour principale mission d'obtenir de Lévy un minimum d'aide pour ces victimes du nazisme dont la présence était considérée par la Fédération juive comme une catastrophe pour la communauté.

Lévy, un grand type sec, portant barbe drue et mèches rares sur un front dégarni, avec l'apparence de ceux qui ne manquent pas de moyens, était arrivé à Diepoldsau dans une limousine décapotable de marque allemande, comme en possédaient nombre de Zurichois fortunés.

A sa descente de voiture, il s'attendait à être accueilli par Grüninger. Face à Martha, il sut maîtriser sa déception. Elle le salua courtoisement quoique le personnage lui paraisse un peu fat, et l'invita sans plus tarder à pénétrer à l'intérieur du camp. Le responsable, le lieutenant de gendarmerie Kamm, les recevrait ensuite, afin d'entendre les commentaires de l'avocat zurichois.

Les bâtiments, à cette heure de la journée, étaient quasiment vides. Lévy le déplora.

Il ne sera pas possible, dit-il à Martha, qui avait justifié sa présence par un ordre de Grüninger, d'établir le nombre exact de réfugiés, ajoutant immédiatement qu'il serait souhaitable de demander un verrouillage plus efficace de la frontière. Que le capitaine Grüninger prenne ses responsabilités face à l'arrivée illégale d'un trop grand nombre de réfugiés.

Martha serrait les poings dans les poches de son manteau de laine grise, elle ne put retenir une grimace de colère quand, dans un dortoir inoccupé, Lévy lui déclara sèchement :

— Grüninger ne doit en rien faciliter l'entrée de davantage de démunis.

Puis, fixant Martha du regard, il ajouta :

— Vous êtes juive ? Célibataire ou mariée ?

Qu'elle soit juive, mariée ou non, en quoi cela pouvait-il intéresser ce type pour lequel elle éprouvait sans pouvoir l'expliquer une instinctive répulsion ? Etait-ce une nécessité quand on est de confession israélite que d'admettre que tous les Juifs sont sympathiques ? La terreur imposée par le nazisme imposait-elle le silence sur des comportements qu'ailleurs on condamnerait ? Sous toutes les latitudes et dans toutes les religions il y avait des gens de bien et des mystificateurs. Martha n'avait aucune raison de répondre à Lévy. Ne rien lui dissimuler augmenterait sa force quand elle lui poserait la question de savoir si oui ou non les Juifs suisses avaient l'intention de secourir financièrement leurs coreligionnaires opprimés. Elle fit donc le choix du réalisme et, malgré la tentation, de ne point mentir :

— Oui, monsieur, je suis juive. Juive de naissance, par héritage spirituel plus que par attrait de la religion. Juive allemande... épouse d'un Suisse, un banquier de surcroît. Cela semble vous surprendre.

Martha s'exprimait avec une telle fierté dans le regard que Lévy, dans le dortoir quasiment vide, demeura muet. Il n'avait pas l'intention de s'attarder dans ce camp où il ne se sentait pas le bienvenu. Martha s'était assise sur la paillasse d'un lit proche de la porte ouverte sur la cour pavée, où poussaient quelques herbes folles.

— Cela peut vous sembler bizarre, monsieur, qu'une femme ayant la confiance du chef de la police cantonale, une Juive allemande et, de surcroît, mariée à un banquier chrétien, influent de la place de Saint-Gall, occupe son temps à s'efforcer d'apaiser les misères de Juifs cherchant à échapper au massacre, mais c'est ainsi. Je n'obéis qu'à ma conscience. Il y a des douleurs qu'on s'efforce d'atténuer avec discrétion.

Martha prit un temps avant d'ajouter :

— A condition d'y être aidé par ceux qui en ont la possibilité. Ecoutez-moi, les Juifs suisses éprouvent le sentiment d'être préservés. Ont-ils conscience d'être assis sur un baril de poudre, que leur tour de souffrir pourrait venir plus tôt qu'ils ne le pensent ?

Lévy, jusqu'alors froid et distant comme un inspecteur n'ayant de comptes à rendre à personne, devint presque aimable. Muet, admirant peut-être son courage, il s'assit à côté de Martha.

Satisfaite d'avoir suscité la curiosité de Lévy, elle attendait la suite. Certaine d'avoir pris l'avantage sur lui, elle n'avait plus qu'une hâte : connaître la position de l'Aide juive pour secourir les réfugiés plongés dans un total dénuement. Des centaines d'internés vivaient à Diepoldsau sous la menace d'une expulsion. Si Grüninger pouvait leur faciliter l'entrée dans le pays, contre les expulsions il ne disposait d'aucun pouvoir. Rothmund avait confié cette tâche, exigeant fermeté, autorité et absence de compassion, à l'armée. Si les gendarmes douaniers pouvaient se laisser émouvoir, les régiments frontaliers n'avaient, eux, pas à se montrer paternels et compréhensifs. Une consigne et une seule : expulser. Si de l'autre côté de la frontière des camions de la SA ou de la Gestapo attendaient leurs proies, ce n'était pas l'affaire des militaires, ils n'avaient qu'une règle : l'obéissance aux ordres reçus.

Sur un ton qu'il voulut bienveillant, Lévy se tourna vers Martha :

— Pour une Allemande, vous semblez avoir bien compris ce que signifie la neutralité suisse, je vous en félicite. Vous attachez de l'importance aux valeurs morales, même si, comprenez-le, il n'est pas toujours possible de les satisfaire. Surtout lorsqu'on vit dans le milieu de la banque. Alors permettez-moi de vous demander quel est l'heureux financier qui a eu le bon goût de vous prendre pour épouse. Vous m'affirmez être mariée à un chrétien, c'est difficile à croire. Si c'est vrai, voilà une union qui ne plaira guère à la communauté juive de Suisse.

— Sachez, monsieur, répliqua Martha avec un tremblement de colère dans la voix, rejetant en arrière une mèche rebelle, que ni moi ni mon mari ne mangeons casher. Dans un pays moderne, faut-il nécessairement s'unir entre gens de même religion et s'exprimant dans la même langue ? Un Zurichois catholique devrait-il renoncer à épouser une Lausannoise protestante ? Cela porte un nom, monsieur, l'exclusion. Une forme d'intolérance. Hitler n'utilise-t-il pas cet argument pour se déchaîner contre les Juifs, avec la volonté de les éliminer ? Maintenant, si vous tenez vraiment à le savoir, mon mari se nomme Eugen Stahler. Je suis madame Stahler... Est-ce choquant, selon vous, que nous soyons de religions différentes ?

Au nom de Stahler, Lévy blêmit. Comment le dissimuler ? Il était bouleversé. Martha, sans en comprendre le motif, ne s'y trompa aucunement. Avec une fausse ingénuité, elle lui demanda :

— Vous ne vous sentez pas bien, monsieur Lévy ? Un malaise ? Voulez-vous un verre d'eau ?

Au nom de Stahler, Lévy avait reçu un choc. Pour Martha, cette visite devenait soudainement surprenante. Qu'allait-elle découvrir de nouveau sur un homme dont elle ne fréquentait plus le lit mais qu'inconsciemment, en son for intérieur, elle redoutait ? Apparemment, Lévy connaissait bien Stahler. Malgré son appréhension, elle devait le contraindre à dire ce qu'il savait ou croyait savoir.

Lévy peinait à reprendre ses esprits. Qu'il soit dans ce camp avec l'épouse de Stahler, c'était le toit de la gare de Zurich qui lui tombait sur la tête. Comment cette femme, à moins d'être une horrible menteuse, pouvait-elle ignorer que Stahler figurait sur la liste noire des individus dangereux pour les Juifs, Suisses et étrangers ? S'il avouait à ses intimes traiter de sulfureuses affaires avec le Reich, il ne parlait jamais de ses trafics avec Franz Weilmüller, le célèbre galeriste lucernois. Ses collections de meubles et tableaux volés avaient subitement pris de l'importance sans que jamais il ne déclare l'origine des œuvres qu'il mettait en vente à des prix toujours inférieurs à leur valeur réelle.

— Eclairez-moi, mon mari est un homme secret. Il ne me parle pas de ses activités professionnelles, n'est-ce pas normal pour un banquier ?... Suisse, de surcroît, précisa-t-elle.

— Sortons d'ici, avait repris Lévy, qui ne doutait plus de la bonne foi de Martha. Il doit y avoir dans le quartier un salon de thé discret. Allons-y ! Je crois qu'il est de mon devoir, dussé-je vous peiner, de vous éclairer sur certaines activités de votre mari. Je comprends que, même avec vous, il ait fait le choix de se taire. Les Suisses sont par tempérament secrets. Des personnages comme Stahler, malheureusement plus nombreux qu'on ne le voudrait, savent que le silence reste la condition première pour faire fortune. Pour certains Suisses, les Juifs sont des éléments indésirables, voire dangereux. Il faut oublier cela et agir comme nous l'entendons.

Lévy avait su semer le trouble dans l'esprit de Martha, une femme de cœur – il en était convaincu –, dévouée à Grüninger. S'il souhaitait en savoir plus sur les rapports entre le chef de la police et les émigrants, il ne devait montrer à son égard ni froideur ni arrogance, afin de ne pas l'effrayer, encore moins d'hostilité envers les Juifs cherchant à fuir l'Allemagne.

Quant à Martha, au-delà de la curiosité concernant son mari, elle souhaitait obtenir une réponse à l'unique question qui la préoccupait. Lévy devenu plus courtois, le moment lui avait paru bien choisi :

— Si vous souhaitez la discrétion, avait-elle proposé, il y a, à Saint-Gall, dans la Multergasse, la confiserie Kuhn. Votre chauffeur n'aura qu'à nous laisser à l'entrée de la Merkurstrasse. Dans la vieille ville, les rues sont trop étroites et entremêlées pour que nous puissions y accéder en automobile. Satisfait, Lévy s'était levé. Martha demeurait assise sur le châlit.

— Monsieur Lévy, avant d'entendre ce que vous prétendez m'apprendre sur mon mari, j'ai une requête à formuler...

— Laquelle ?

— Vous n'ignorez pas que les Juifs de ce camp ont pénétré illégalement en Suisse. S'ils ont la vie sauve, ils sont démunis de tout ce que les nazis leur ont volé. Ils ont besoin d'une aide... de votre aide, avait-elle insisté.

Inutile d'ajouter quoi que ce soit, Lévy avait compris. Martha réclamait pour les réfugiés sans fortune un soutien financier de l'Association des Juifs suisses. Retrouvant son arrogance naturelle, il avait répondu, un grognement dans la voix :

— Je sais qu'il reste encore quelques places à Dachau, il n'est pas dans nos intentions de faciliter la tâche de ceux qui veulent les combler, mais nous ne pouvons pas davantage subvenir aux besoins d'une foule de fuyards, désireux de s'installer en Suisse. La situation deviendrait vite intenable pour nous. Que les nouveaux émigrés se débrouillent ! Je reconnais volontiers que dans les officines gouvernementales on imagine les Juifs pourvus de moyens de subsistance, on a tort. Certains sont démunis, ils revendiquent des subsides, mais je crains qu'à Berne on ne soit guère sensible à la détresse de ces étrangers. Riches, on s'intéresse à eux ; sans ressources, on les refoule. Adresser des remontrances aux Allemands entraînerait des représailles, une catastrophe pour notre économie. Condamnons dans nos esprits les horreurs nazies, soyons assez intelligents pour ne pas froisser les dirigeants de cette puissante nation.

Martha s'était levée, avait fixé Lévy du regard.

— Y aurait-il, avait-elle lancé avec colère, des Suisses antisémites ? Qui accepteraient la déportation, la torture, voire l'assassinat, d'innocents ? Je les invite à réfléchir et à se montrer plus généreux. La neutralité, c'est aussi ouvrir sa porte aux victimes de meurtres raciaux... La noblesse d'une nation tient dans le soutien des plus faibles contre les plus forts. Ce ne doit pas être qu'une apparence.

C'était plus que Lévy ne pouvait entendre. La réponse fusa, cinglante :

— Comment osez-vous prétendre qu'il y aurait des Suisses antisémites ? Vous devriez avoir honte de tenir de tels propos. Ensuite, qui me prouve que vous êtes juive, et allemande ?... Et si vous étiez la complice de Stahler ? Tout me paraît possible. La vérité est pour les femmes un exercice de l'âme dont elles n'ont guère la pratique... Quoi qu'il en soit, je peux vous assurer que nous ne donnerons pas un franc pour des réfugiés illégaux. Votre supérieur Paul Grüninger, à supposer qu'il soit votre supérieur, doit savoir que, s'il souhaite conserver sa place de chef de la police cantonale, il devra se montrer plus vigilant avec ceux qui franchissent illégalement la frontière. Je fréquente certaines personnes qui disposent de documents compromettants, susceptibles de nuire à sa carrière... Vous pouvez l'en informer.

Face à Lévy, Martha éprouvait le douloureux sentiment que si l'Association des Juifs suisses dénonçait Grüninger aux autorités de Berne, le capitaine serait accusé de trafic d'émigrants, il encourrait une lourde peine de prison. Ce serait terrible. Déshonorant pour ceux qui le condamneraient.

— Quelles que soient les activités de mon mari, je ne veux plus les connaître, avait-elle lâché avec énergie. Cela ne concerne que lui. Quant au capitaine Grüninger, je connais peu de Suisses aussi clairvoyants et humains que lui. Restons-en là. Par politesse, je vous raccompagne jusqu'à votre voiture... un modèle allemand, fabriqué sans doute par des ouvriers embauchés de force par les industriels nazis... Quant aux émigrants dans le besoin, soyez assuré que je mettrai tout mon zèle à ne pas les abandonner. Si l'Association ne les secourt pas, comme ce serait son devoir, je dispose, heureusement, dans mon entourage d'hommes et de femmes plus soucieux que vous d'humanité. Ne l'oubliez pas !

Lévy s'était dirigé sans attendre Martha vers la porte du dortoir. Soudain, il s'était ravisé, était revenu sur ses pas.

— Votre mari, madame, vous aurait-il parlé d'un de ses amis d'enfance – peut-être l'avez-vous rencontré –, un Suisse francophone, le nommé Christophe Crochez, aujourd'hui pilote militaire à la base aérienne de Payerne, en pays vaudois, non loin de Lausanne où il réside ?

Cette fois, Martha n'avait pu dissimuler sa surprise. Lévy en avait profité :

— Vous semblez ne pas connaître ce Crochez... C'est possible. Savoir qui il est vous amènera peut-être à découvrir l'activité essentielle de votre époux... spécialisé dans le recel d'œuvres d'art subtilisées.

Martha silencieuse, Lévy avait poursuivi :

— Chaque semaine, sur ordre des autorités fédérales, cet aviateur se rend à Munich pour y remettre la valise diplomatique suisse et ramener celle du Reich. Stahler lui a fait connaître un certain Funk, lequel reçoit régulièrement des dignitaires du Reich des toiles de maîtres volées aux Juifs tués ou déportés. Crochez les rapporte en Suisse et les remet au galeriste Weilmüller de Lucerne. A chaque toile, chaque sculpture vendue, il dépose sur le compte personnel de Stahler une part du bénéfice. Vous en profitez aussi, non ?

Lévy n'avait rien ajouté, il s'était éloigné sans se soucier de Martha.

Figée par l'effarement, elle avait entendu le bruit d'un moteur de voiture. Des larmes, impossibles à contenir, coulaient le long de son visage. De sa mémoire avait surgi le Modigliani du bureau d'Eugen. Elle commençait à comprendre. Abandonnant tout désir de vivre, écœurée par cette horrible matinée, durement éprouvée, elle était rentrée à Saint-Gall. Rongée par le désespoir, elle avait rejoint directement le bureau de Grüninger. Avec le besoin de partager sa peine.

Le capitaine, à la fois exaspéré et anxieux, regardait cette femme écrasée de douleur. Elle ne parvenait pas à sortir une phrase de sa gorge. Que s'était-il passé ? Avait-elle dû avouer à Lévy que pour éviter des morts supplémentaires il commettait un délit d'humanité ? Il imaginait le pire. Aurait-il dû effectuer lui-même le déplacement ? Comme tout bon policier, il attendait qu'elle domine sa douleur pour la questionner.

Il devrait patienter, Martha s'effondra, prise d'un malaise cardiaque.

Toutes sirènes hurlantes, l'ambulance s'engouffra sous le porche de l'hôpital cantonal.

8

Eugen s'interrogeait. Il ne trouvait pas de réponse à une question pourtant fort simple. Depuis que Walter Funk avait été nommé ministre de l'Economie par Hitler pour services rendus à la direction de la Reichsbank à Munich, Frederika ne lui avait plus donné signe de vie. Pourquoi demeurait-elle silencieuse et invisible ? Il avait d'abord tenté de la joindre par téléphone. Le combiné du domicile munichois sonnait. Jamais décroché. A la banque, un employé avait répondu que, depuis le départ de Herr Funk pour Berlin, un honneur pour le personnel munichois, aucun remplaçant n'avait été désigné. Au ministère de l'Economie, on lui avait dit que, depuis sa nomination, le ministre ne recevait que sur demande écrite et motivée. Pour un étranger, il n'y avait qu'une possibilité : passer par son ambassade.

Stahler connaissait Fröhlicher, il représentait la Suisse auprès du Reich. Hans Fröhlicher, un Bernois s'exprimant dans les quatre langues nationales, y compris le romanche, ce qui était rare, donnait régulièrement des conférences dans tous les cantons afin d'inciter les Confédérés à signer des accords commerciaux avec l'Allemagne et à faciliter la tâche des bureaux du Parti national-socialiste acceptés à Zurich, en vue de multiplier les échanges entre les deux pays. Sans être antisémite, Fröhlicher n'avait jamais condamné les exactions nazies. Dans une note confidentielle, il avait invité le Conseil fédéral à mettre un terme à l'afflux de Juifs allemands, estimant qu'il n'était pas nécessaire de s'apitoyer sur le sort de familles que le gouvernement britannique de Neville Chamberlain autorisait à émigrer en Palestine, un territoire qu'ils partageraient facilement avec la population musulmane, comme en Suisse où catholiques et protestants vivaient ensemble sans vraiment s'aimer. Jamais depuis sept siècles, il n'y avait eu la moindre querelle armée.

Toutes ces idées, Fröhlicher les avait exposées dans le vaste auditorium de l'université de Saint-Gall. A l'issue de la conférence de plus d'une heure, Stahler avait pu échanger quelques mots avec le diplomate. Il l'avait assuré qu'il partageait ses objectifs commerciaux avec le Reich. On se devait de les favoriser. Stahler avait, en sus de ses commentaires, rappelé qu'il avait fait ses études supérieures à Heidelberg et que dans sa banque nouvellement créée une partie de sa clientèle était d'origine allemande. Fröhlicher l'avait félicité, ajoutant aussitôt :

— J'espère que vous n'ouvrez aucun compte à des Juifs. Le Führer répète en toutes circonstances être devenu antisémite à Vienne en découvrant que les Juifs y étaient des gens sans cœur, sans vergogne, calculateurs, dirigeant le monde de la musique et de l'art, tirant d'importants profits de la prostitution... Des Juifs on devrait se méfier, peut-être même songer à les éliminer... C'est assez cruel, j'en conviens. La situation des Juifs suisses, quelques milliers, devrait être sérieusement examinée par le Conseil fédéral.

Eugen avait écouté l'ambassadeur, omettant évidemment de lui révéler qu'il avait épousé une

Juive allemande. Fröhlicher l'avait-il appris ?...
Eugen ne voulait pas prendre le risque d'intervenir
auprès de l'ambassade suisse à Berlin pour rencontrer Funk. Il ne lui avait jamais parlé de Martha
mais il n'était pas impossible que Frederika ait
raconté que son ancienne amie d'université était
juive, allemande de naissance.

Eugen fit quelques pas vers la large fenêtre avec
vue sur l'abbatiale. Le front appuyé contre la vitre,
il ne regardait ni les automobiles ni les passants,
pas davantage les tramways sur lesquels étaient
placardées des réclames pour Burrus, la plus
importante marque suisse de cigarettes. Quoique
non fumeur, il avait acquis une dizaine d'actions,
d'un excellent rapport, de cette firme fondée à
Boncourt dans le canton du Jura, en 1814.
Devait-il ou non se rendre à Munich ? Ne rien
négliger pour y retrouver Frederika ?
Dans un parapheur, sur son bureau, il y avait
une lettre. Il aurait pu ne jamais la détenir mais, à
l'hôpital, il avait sans réfléchir ouvert le sac de
Martha ; elle dormait, il n'avait pu retenir son
geste. Se sentant coupable, il se justifiait en considérant que les circonstances s'y prêtaient. Il avait
quitté l'hôpital sans avoir parlé à Martha. Il avait
attendu d'être de retour dans son bureau pour
déplier la lettre, écrite en allemand, d'une plume
assurée, sur du papier très ordinaire. Il en avait
découvert le contenu avec un vif intérêt. Le texte
pourrait lui être utile.
Eugen l'avait lue plusieurs fois. Devait-il, pouvait-
il en faire usage ? Par pitié ? Par crainte de possibles représailles ? Sincère, il eût admis qu'il hésitait
par lâcheté dans une ville où on l'avait toujours
considéré comme un homme de bien et où la
moindre rumeur malveillante faisait vite le tour du
canton.

Il avait besoin, avant une décision définitive, peut-être par peur des conséquences, de la lire une fois encore. Elle était datée du 13 août 1938, oblitérée en Suisse, à Fribourg. La signature, dirigée du bas vers le haut, trahissait, selon ses connaissances en graphologie, technique à laquelle il s'intéressait depuis l'adolescence, un homme de grande volonté, de fort caractère ; on y devinait le nom d'un certain Kurt Bettelheim, ou Kurt Battelheim. Peu importait, l'essentiel était ailleurs.

« Des SS en uniforme, écrivait ce Kurt, qui occupaient toute la longueur du quai, nous ont encerclés dès que nous sommes descendus du wagon. Nous étions terrifiés, nous savions par les expériences faites à Vienne qu'ils étaient d'une brutalité féroce. »

Eugen s'étonnait que des policiers du Reich, en uniforme, soient admis dans une gare suisse, probablement Saint-Gall, bien que cela ne soit pas précisé. Si les autorités avaient donné leur accord, elles avaient considéré que cela servait les intérêts du pays. La suite, plus surprenante, pouvait avoir de graves conséquences s'il décidait de l'utiliser.

« A notre grande surprise, poursuivait ce Kurt, nous fûmes traités avec humanité. Les SS, à la vue d'un officier de la police suisse, quittèrent promptement la gare. L'officier nous mena dans une auberge voisine, où on nous fit savoir qu'ayant passé la frontière illégalement nous ne serions néanmoins pas refoulés. Après un bon repas avec de la viande et de la bière, l'aubergiste nous fit monter Rosa et moi dans une chambre aux murs de bois. Le lit était excellent, il y avait même une douche, ce dont nous ne disposions pas à la maison.

« Le lendemain, l'aubergiste nous a conduits au bureau de police de Saint-Gall, nous y avons vu l'officier qui nous avait accueillis. Après nous avoir enregistrés, nous fûmes conduits par cet officier qui parlait peu à l'hôtel Krone, un établissement modeste mais confortable où l'officier nous déclara que ses services financeraient notre hébergement et notre nourriture pendant un mois. Ensuite, avec un visa antidaté du 10 avril, nous pourrions nous rendre dans la ville ou le village de notre choix, afin d'y chercher un logement et un emploi. J'ai pu joindre Bernheim à Genève. Nous sommes très heureux et nous espérons avoir la possibilité de remercier ce policier que nous n'avons jamais revu. Nous savons seulement qu'il se prénomme Paul, car c'est avec ce prénom que l'aubergiste lui a parlé. Malheureusement, nous étions tellement impatients d'être en Suisse que je ne pourrais plus retrouver cette auberge. Nous vous confirmerons notre nouvelle adresse, mais quelle joie d'avoir enfin l'espoir de vivre en paix...»

Si la situation de ce Kurt l'intéressait peu, Eugen, en revanche, avait la conviction que derrière le prénom de Paul il y avait Grüninger. Et s'il s'agissait d'un autre Paul, lui aussi officier ? Eugen serait accusé de calomnie. Le pire fléau pour un banquier... En aucun cas il ne devait perdre de vue sa situation financière.

Sur un rayon de sa bibliothèque, mêlé aux ouvrages d'économie, Eugen aperçut l'exemplaire des *Protocoles des Sages de Sion*, programme secret de la domination du monde par l'Internationale juive, acheté dans une librairie de Munich. Lorsqu'il avait lu *Mein Kampf*, il avait remarqué l'indifférence d'Hitler à l'égard de cet ouvrage, l'essentiel pour le chef nazi était de montrer la véritable nature de la race juive, son activité et son but final.

Ce texte, dès sa parution en Suisse, avait suscité de vives polémiques dans tout le pays. Pour le seul canton de Berne, cela avait déclenché une violente réaction de la communauté juive. Présenté comme écrit par le sioniste Theodor Herzl, lors du congrès de Bâle, l'imposture fut vite révélée lors d'un procès intenté à l'éditeur par Nahoum Sokolov et Max Bohenheimer qui avaient participé à ce congrès. Le pamphlet aurait été rédigé par un auteur russe sur une commande du tsar en 1897, afin de limiter l'influence des Juifs russes et polonais. Les plaignants disposaient de preuves irréfutables. Ils furent entendus.

Et si la lettre qu'Eugen avait retirée du sac de Martha était aussi le fait d'un faussaire afin de susciter la compassion des autorités fédérales ? Cela expliquerait qu'elle soit en la possession de Martha qui s'occupait quotidiennement des réfugiés illégaux. En faire parvenir une copie au conseiller saint-gallois Keel, voire directement à Heinrich Rothmund, pouvait prendre une dimension imprévisible si une enquête était diligentée. Qui sait si des policiers pointilleux ne viendraient pas chez lui l'interroger pour en apprendre davantage sur les raisons pour lesquelles il possédait une lettre mettant en cause la loyauté de Paul Grüninger ? Eugen n'en doutait pas, ledit Paul ne pouvait être que le chef de la police. Eugen n'avait pas la moindre envie de se trouver dans l'obligation d'avouer qu'il avait subtilisé la lettre dans le sac de son épouse, alors que sur son lit d'hôpital elle luttait contre la mort après un grave accident cardiaque.

Ils s'étaient séparés mais Eugen gardait de l'affection pour Martha. Parce que subsistaient entre eux de doux souvenirs, ineffaçables, il ne voulait pas compromettre son avenir, quoique réprouvant ses activités. Si Paul était réellement Grüninger, s'il facilitait le passage illégal de Juifs en territoire suisse, s'il faisait l'objet de poursuites judiciaires, s'il était déchu de ses fonctions, même s'il bénéficiait d'une grâce, Eugen en porterait toute sa vie le poids. Et si une dénonciation alimentait les camps de la mort ? Il n'aimait pas les Juifs parce que dans les milieux financiers suisses ils occupaient une place de premier plan, mais depuis quelques mois il pensait, sans les condamner, que les persécutions contre les Juifs allemands et autrichiens, de plus en plus cruelles et meurtrières, pouvaient mettre en péril la paix en Europe, la Suisse ne pourrait pas se tenir à l'écart d'un incendie planétaire. L'économie en souffrirait.

De ses réflexions, de ses hésitations, de ses interrogations, Eugen tira une conclusion : la nécessité d'accroître le plus rapidement sa fortune afin d'être libéré de tout souci alimentaire en cas de conflit ; cela passerait donc, et rapidement, par une augmentation de son chiffre d'affaires avec le Reich. Pour cela il devait par tous les moyens possibles retrouver Frederika et se tenir à l'écart des Suisses qui, tel Georges Oltramare, souhaitaient qu'on réduise les droits des Juifs du pays avant que l'ensemble de la population n'ait à souffrir de leur domination.

Eugen avait ses idées mais dans son inextinguible appétit de réussite il demeurait lucide. S'il se méfiait des réseaux juifs, il se méfiait aussi de certaines dérives favorables aux réfugiés que le gouvernement fédéral s'imposerait pour préserver la réputation d'une Suisse où la solidarité ne serait pas qu'une formule. A Berne, on ordonnait le refoulement des Juifs étrangers tout en condamnant publiquement les persécutions imposées par les nazis.

Eugen replaça la lettre dans le parapheur et leva les yeux vers Jeanne Hébuterne. Une fois encore il admira la fluidité du trait, la force des couleurs de

133

Modigliani. Il grimpa sur son fauteuil, leva les bras et sans difficulté décrocha la toile, prenant soin de retirer le clou du mur. Dans une armoire, sous une pile de formulaires et de rapports inutiles, il plaça l'œuvre. Ce qu'il ferait du tableau, il aviserait plus tard. En le cachant, il crut prendre une sage décision.

Considérant avoir perdu assez de temps en tergiversations inutiles, Eugen, homme d'ordre, socialement reconnu, patriote et soucieux d'une collaboration pacifique avec les nazis, décida d'envoyer la lettre à Rothmund, le chef de la police fédérale. N'étant pas du genre à cacher son identité, il prit sa plume et, sur une feuille à en-tête de sa banque, écrivit :

Monsieur le chef du département de Justice et Police,
Parce que je comprends votre devoir de protéger nos frontières, voici une lettre qui pourrait vous être utile. Vous comprendrez que, par souci de confidentialité, je garde secret le nom de celui ou celle de qui je la tiens.
Veuillez croire à mes respects citoyens.
Eugen Stahler

Eugen relut son texte. Rien à retirer, rien à ajouter. Il écrit l'adresse du palais fédéral de Berne, lécha la colle de l'enveloppe dans laquelle il glissa, après en avoir rédigé une copie, la lettre de Kurt. Impossible d'attendre le lendemain. Brûlant d'impatience, sans même saluer ses employés, il sortit, et courut plus qu'il ne marcha jusqu'à la poste voisine.

Ne pouvant plus retenir ce courrier, soulagé, il revint à la banque et se remit à l'étude de la demande de prêt d'un horloger saint-gallois.

Le téléphone sonna sur la ligne directe reliée à l'extérieur sans passer par sa secrétaire. Une...

deux... trois sonneries. Eugen hésitait à répondre. Peu de gens connaissaient le numéro. Ne pas décrocher, ignorer l'identité de son interlocuteur, susciterait chez Eugen une telle angoisse qu'il n'en dormirait pas de la nuit. Il s'assit dans son fauteuil et souleva le combiné, s'abstenant de se présenter comme c'est l'habitude en Suisse.

— Ici Paul Grüninger. Je parle bien à monsieur Stahler ?

— En effet... en effet, répliqua Eugen. Mon épouse Martha travaille pour vous, ne put-il s'empêcher d'ajouter. Je ne l'interroge pas et ne veux rien savoir de ses activités.

Eugen se retint d'évoquer les soupçons pesant sur le capitaine. Ce fut celui-ci qui poursuivit :

— Monsieur Stahler, ma démarche n'est pas officielle... mais nécessaire. Et secrète.

Grüninger entendait le souffle court du banquier qui gardait le silence. Il put donc continuer :

— Nous vous avons tendu un piège, monsieur Stahler... Avec l'aide de votre femme. Un piège dans lequel vous êtes stupidement tombé... Vous auriez pu facilement l'éviter.

La sueur perlait au front d'Eugen. Lui, le regard habituellement brillant d'intelligence, gardait les yeux clos. D'une voix sourde, il demanda :

— Un piège ?... Quel piège, Paul ?

Il voulait, en l'appelant par son prénom, montrer qu'entre eux il y avait eu jusqu'alors une certaine intimité. Le capitaine le remarqua mais continua à s'adresser à lui par son patronyme.

— Vous êtes, monsieur Stahler, le seul autorisé par les médecins et moi-même à visiter votre épouse Martha. C'est exact ?

— Probablement, reprit Eugen, la gorge nouée, j'avoue ne pas m'être posé la question. En quoi cela vous contrarie-t-il ?

— Monsieur Stahler, si vous ne voulez pas qu'une plainte pénale soit déposée contre vous pour vol avec effraction, je veux avant ce soir que la lettre subtilisée dans le sac de Mme Stahler me soit restituée, sans délai. Vous m'avez compris ? La main d'Eugen, moite, se crispa sur le combiné. Il bafouilla :

— Une lettre ? Quelle lettre ? Il s'agit d'une erreur. Martha est très atteinte, elle peut dire n'importe quoi... On n'attache pas d'importance aux paroles d'une malade.

Grüninger l'interrompit sèchement.

— Allons, monsieur Stahler, nous sommes parfaitement au courant de vos déplacements en Allemagne. Nous n'ignorons rien des services que vous rendez de bon gré aux nazis... Vous n'agissez pas par admiration du régime mais par attrait de l'argent... Votre comportement vis-à-vis des réfugiés juifs nous inquiète davantage... Apprenez donc que cette lettre est un faux... Avant son grave malaise, votre épouse, dont vous êtes séparé, a imaginé vous écrire afin de juger de vos réactions... Elle n'a pas eu la possibilité d'envoyer le courrier... L'idée de la glisser dans son sac, sachant que vous êtes le seul à disposer d'un droit de visite, je la revendique. Alors, maintenant, il faut me la rendre. Vite. Sinon...

Grüninger n'acheva pas sa phrase.

— Sinon ? lâcha Eugen dans un souffle.

— Sinon, reprit Grüninger, je serai dans l'obligation, officiellement cette fois, de m'intéresser de près aux conditions dans lesquelles un tableau de Modigliani a été accroché il y a quelques mois dans votre bureau.

Grüninger n'ajouta rien, il raccrocha. Eugen avait réagi comme il le voulait, mais il n'y avait rien d'évident à cela. La sueur perlait sur son front, d'autres affaires internes à la sécurité du canton devaient être examinées sans tarder. Malgré tous les efforts pour ne plus y penser, ne serait-ce que quelques heures, il n'avait qu'une préoccupation jour et nuit : ne pas procéder à des refoulements envoyant des gens à la plus injuste des morts.

Après une rapide visite à Diepoldsau, sans avoir donné à Kamm le moindre avis sur les conditions de vie et d'hygiène dans le camp, Rothmund avait décidé de retourner sans plus tarder à Berne. Il devait rester quelques jours, sans explication il avait changé d'avis. Grüninger l'avait informé dès son arrivée : la loi imposant la fermeture hermétique des frontières aux Juifs ne détenant pas un visa d'entrée n'honorait pas la Suisse réputée terre d'accueil. Rothmund avait écouté mais n'avait pas modifié les consignes : les Juifs en détresse aux barrières devaient être systématiquement refoulés. Aucune exception ne serait tolérée. Grüninger avait pourtant expliqué que les expulsés seraient interpellés et entassés comme des animaux qu'on mène à l'abattoir dans les camions de la SS visibles du côté allemand de la frontière. Succéderaient – de nombreux témoignages l'attestaient – de longues journées dans des wagons à bestiaux sans nourriture ni eau, avant qu'ils soient livrés à leurs bourreaux dans des camps dont le nombre ne cessait de croître – le dernier en date, Buchenwald. Rothmund ne reviendrait pas sur sa décision, il n'avait pas cédé. Il l'avait déjà dit : « En Suisse, la barque est pleine. »

Rothmund, grognon, agacé par les remarques de Grüninger, entendait qu'on poursuive sans relâche la lutte contre l'*Überfremdung* – la surpopulation étrangère, essentiellement juive. Avant son départ, il avait exprimé le souhait de rencontrer dans la Maison commune une certaine Martha

137

Stahler. En insistant, car celle-ci lui aurait envoyé à Berne une correspondance émouvante mais à laquelle il n'avait pas encore donné suite. Très surprenante, avait-il précisé. Grüninger s'était interrogé : Rothmund connaissait-il Martha? Une bizarrerie qu'il ne comprenait pas.

Rothmund avait aussi indiqué, sans dévoiler le contenu de la lettre, sans non plus faire allusion à la rencontre au Schweizerhof, que l'époux de cette Mme Stahler était, depuis assez longtemps, placé sous la surveillance des autorités de Berne. Cela avait été une découverte pour le chef de la police cantonale. Une question le taraudait : Rothmund savait-il que Martha travaillait pour lui? Grüninger n'avait pas posé la question. C'eût été compromettant pour elle, pour lui. Avant de quitter Saint-Gall, Rothmund avait demandé à ce que soit maintenu à un bon niveau le négoce avec le Reich, ajoutant presque à regret que, sans heurter Adolf Hitler, chacun à la place qu'il occupait devait veiller à ce que ces pratiques ne nuisent pas aux intérêts de la Confédération.

Grüninger s'alarmait : pour quelle obscure raison Martha avait-elle écrit à Rothmund, alors que c'était lui qui, à Saint-Gall, avait en charge les affaires de police?

Rothmund supposait qu'elle avait voulu en apprendre davantage sur leurs conditions de séjour par un courrier adressé directement à Berne. Sans doute lisait-elle dans les journaux que ses coreligionnaires allemands étaient à intervalles réguliers accusés de trahir le national-socialisme et que pour eux chaque jour pouvait être le dernier jour de liberté. Il souhaitait donc s'en entretenir avec elle.

Grüninger le déplorait mais c'était impossible. Victime d'un malaise dans une rue de Saint-Gall, elle avait été transportée dans un état sérieux à l'hôpital cantonal, où toute visite avait été interdite par les médecins et la direction de l'établissement.

Grüninger avait ajouté que dès que sa santé s'améliorerait, si le chef du Département tenait toujours à la rencontrer, il ne manquerait pas de l'en aviser immédiatement. Ce que dans son for intérieur il était décidé à ne pas faire.

Rothmund n'avait pas insisté, des affaires importantes l'attendaient à Berne. Auparavant il avait rendez-vous avec le conseiller d'Etat saintgallois, le socialiste Keel. Non, avait-il ajouté, il n'était pas nécessaire que Grüninger l'accompagne. Après lui avoir renouvelé sa confiance en quelques mots – Grüninger avait cru deviner une forme de menace aimablement formulée –, Rothmund avait quitté le bureau pour descendre au troisième étage où Valentin Keel l'attendait.

Grüninger avait évité provisoirement un drame mais toute sa personne était en proie à un affreux doute. Comment s'en sortir ? Cela ne lui ressemblait pas mais s'il voulait poursuivre sa tâche d'accueil il devait par tout moyen calmer une tempête susceptible sans prévenir de fondre sur lui. Il ne craignait pas pour sa personne mais pour ceux qui, refoulés, seraient menacés de mort, ce dont Rothmund n'avait pas conscience.

Lorsque Martha était encore en bonne santé, dans son bureau, il avait eu l'idée pour s'assurer de sa loyauté de lui confier une lettre le mettant en cause. Il lui avait donc remis les remerciements d'un Juif auquel il avait facilité le passage, en demandant à Martha, sans prendre de risques inutiles, d'essayer de retrouver le signataire reconnaissant. Martha avait accepté cette mission, pris sans en lire le texte la lettre glissée dans une enveloppe, puis l'avait placée dans son sac. Quelques minutes plus tard, tombée inerte sur le sol de son bureau, elle avait été immédiatement transportée à l'hôpital. Grüninger avait reçu l'autorisation de visiter Martha au service de cardiologie. Il l'avait découverte plongée dans un profond coma, il en avait été fortement impressionné. Sur la table de chevet, était posé le sac. Par instinct, ou par peur, il en avait vérifié le contenu, l'enveloppe s'y trouvait toujours, ce qui l'avait rassuré. Il respirait et s'en voulait de sa suspicion. Vite oubliée. Demeurait néanmoins une réalité : Rothmund avait reçu un courrier de Martha. Impossible dans l'état de la jeune femme de résoudre l'énigme. Plus tard, peut-être, lorsque sa santé s'améliorerait... Il patienterait et continuerait à signer des visas d'entrée anticipés, ne cherchant jamais à s'enrichir, simplement à se conduire en homme d'honneur. Pour lui, ce n'était pas une vertu mais un devoir.

Il tenait d'autant plus à poursuivre sa mission que Kamm lui avait rapporté qu'à Diepoldsau certains réfugiés n'auraient pas été particulièrement bien traités par l'Association d'aide aux Israélites. Lévy, selon eux, n'était qu'un bureaucrate distant qui aurait voulu leur voir les talons. Traqués en Allemagne, seraient-ils indésirables en Suisse ? Pour Grüninger, pas question de se dérober. A chaque instant de la journée et parfois même la nuit une pensée le taraudait : que se passait-il quand on venait à l'aube frapper à la porte ? La vie s'arrêtait. On était embarqué, dépossédé de tous ses biens et déporté dans un camp de concentration... battu... mordu par des chiens dressés par les hommes en noir de la SS. Avec, à court terme, la mort dans d'horribles souffrances. Ainsi s'établissait le règne de la terreur. Rien ne devait l'arrêter dans l'action humanitaire que depuis des mois il menait.

Grüninger avait repris courage et voilà que, de nouveau, tout semblait s'écrouler. L'état de Martha ne s'améliorait pas. Bien que soignée à la morphine, dans sa poitrine la douleur ne s'apaisait pas. Wilfried Siegrist, le directeur de l'hôpital, quoique surpris de constater que le chef de la police cantonale s'intéressait plus à cette patiente que son mari, téléphonait chaque jour à Grüninger. Les nouvelles n'étaient guère encourageantes. Il n'était pas évident qu'on puisse la sauver. Grüninger avait pourtant besoin d'elle pour continuer à protester contre les arrestations, les déportations qui se multipliaient. Dans ce combat, rares étaient les hommes qui acceptaient de se trouver en première ligne ; les femmes, sans doute plus courageuses, s'engageaient, nombreuses.

En pénétrant dans la chambre, comme presque chaque jour, le policier avait été saisi d'effroi. D'une extrême pâleur entre deux gros oreillers, Martha n'était plus qu'un cadavre vivant, sans forces, déjà dans un autre monde. Une sensation terrible l'avait envahi. Il avait approché sa joue, tiède, presque chaude, contre la sienne, glacée. Elle n'avait pas esquissé le moindre sourire. Pourrait-on la sortir d'affaire ? S'il avait été croyant il aurait prié. Il ne l'était pas mais voulait garder espoir.

L'obsession de la lettre ne le quittait pas, alors ce qu'il n'avait jamais fait dans le cadre de ses fonctions il avait osé le faire. Sans réfléchir. Chacun dans les services de police savait que, malgré son titre et son autorité de chef, il n'imposait jamais à une femme qu'un de ses hommes aurait interpellée d'ouvrir un sac personnel. Il s'en serait voulu de regarder ce qui appartenait à l'intimité. Il y avait mille autres façons pour lui de faire parler une contrevenante. Et pourtant Grüninger n'avait pas pu se retenir, il avait trop peur d'une catastrophe. Il ne pensait pas toujours à eux mais, cette fois, il agissait avec à l'esprit sa femme et ses deux enfants. En famille, il ne parlait jamais de ses activités, il ne voulait pas, si on découvrait qu'il délivrait de faux visas de séjour et s'il était arrêté, que la vindicte publique les accable. Il n'ignorait pas qu'en matière de délation, en Suisse, tout était possible.

Un coup d'œil avait suffi. Il avait eu le souffle coupé : la lettre avait disparu. Tout alors lui avait semblé irréel. Lui, le policier tenace, avait soudain été pris de panique. Seul Stahler avait eu accès à la chambre de Martha, personne d'autre que lui n'avait donc pu s'emparer de la lettre, dans laquelle son prénom était mentionné. Si Stahler avait volé la lettre, compte tenu de ses convictions pronazies, il ne manquerait pas de l'utiliser contre lui. Il serait dénoncé, arrêté, condamné. Si, au moins, il connaissait le contenu de l'autre courrier, celui envoyé à Rothmund par Martha... Il ressentit une grande impression de vide autour de lui, impossible à maîtriser.

En sortant de la chambre, il n'avait pas pris l'ascenseur réservé aux visiteurs, il avait descendu lentement les trois étages, croisé deux infirmières, des vieillards en chemise de nuit boitillants, peut-être déjà résignés à leur fin prochaine.

Grüninger avait enfourché sa bicyclette, pédalé plus vite qu'à l'accoutumée. En pénétrant, à bout de souffle, dans son bureau, il avait réfléchi et pris une décision. Il n'avait qu'une obligation : ne pas appliquer les lois iniques de son pays ; il affectionnait la Suisse mais ne s'y reconnaissait plus. Il ne lâcherait rien. Le plus urgent était, s'il en avait la possibilité, de récupérer la lettre que seul Stahler avait pu dérober. Si ce n'était pas trop tard...

Sans trembler, il avait décroché le téléphone afin de réclamer ce qu'il devait affirmer être un faux. Mentir devenait pour lui une nouvelle forme d'aventure. Quand on combat les démons de la peste brune, quand on stigmatise les injustices, on ne capitule pas. Il y a des mensonges qui sont mensonges d'honneur.

Après la conversation téléphonique, Grüninger avait repris confiance, il voulait croire que Stahler, par lâcheté ou pour protéger ses intérêts, lui restituerait le document. Il bourra sa pipe de son mélange habituel, craqua une allumette. Malgré la nuit noire, il n'alluma pas sa lampe de bureau. Il respirait calmement. Depuis longtemps, la pipe était éteinte, il y avait de la fumée dans toute la pièce. Souper ? Il n'y avait pas songé. Dans l'obscurité, il attendait Stahler, le banquier n'appelait pas. L'angoisse d'une erreur de tactique commençait à l'obséder. La tyrannie de la finance l'effrayait moins que celle du nazisme. Il sauvait des hommes. Naturellement et sans se prendre pour un héros.

9

Après le départ de Martha, Eugen avait embauché Angela, brodeuse d'origine italienne, au chômage sans indemnité parce qu'étrangère, pour s'occuper des tâches ménagères. Il n'était pas homme à vivre longtemps en célibataire. Lui qui ne se mêlait jamais à la vie quotidienne des Saint-Gallois, avait profité de sa nouvelle liberté pour se rendre au Kasino, le cinéma de la Merkurstrasse. On y projetait un film sur lequel le *St. Galler Nachrichten* ne tarissait pas d'éloges : *Hôtel du Nord*, de Marcel Carné, un réalisateur qu'il ne connaissait pas. Bien que le son soit en français, il avait, le temps d'une soirée, oublié ses soucis. Il connaissait peu de mots de cette langue, ceux nécessaires à une discussion avec des clients francophones, pour la plupart alsaciens. Redoutant un nouveau conflit après la prise de pouvoir des nazis sur les Sudètes allemands, peu convaincus que les accords de Munich sauveraient la paix, les plus riches avaient, par prudence, placé leurs fortunes en Suisse. La beauté, la grâce de la comédienne Arletty lui avaient rappelé la séduction de Martha quand il la courtisait à l'université d'Heidelberg.

Comme cela lui paraissait loin ! Pouvait-il imaginer alors que l'atmosphère du monde deviendrait en quelques années irrespirable ? Le poison avait contribué à sa fortune. Puisse-t-il ne jamais le regretter.

Maintenant, tout autour de lui semblait différent. Après l'appel téléphonique de Grüninger, comment voyait-il son avenir ? Si le chef de la police cantonale était intervenu quelques heures plus tôt, peut-être lui aurait-il, par peur d'un scandale, restitué la lettre. Maintenant, c'était trop tard. Demain, si les services postaux suisses fonctionnaient normalement, dans deux jours au plus tard, Rothmund l'aurait sur sa table de travail. Qu'adviendrait-il alors ? Si, comme il le croyait, le Paul cité dans le courrier était Grüninger, le chef de la police cantonale serait-il destitué, voire arrêté pour ne pas avoir respecté les lois sur la fermeture des frontières ? Quand des extrémistes de droite avaient accusé Grüninger d'être mêlé à un trafic d'émigrants et d'avoir sauvé des socialistes juifs autrichiens, le gouvernement n'avait pas réagi. Nul n'ignorait à Berne que pour déstabiliser les partis politiques traditionnels, y compris le Parti socialiste auquel Grüninger affirmait avoir adhéré dès 1930, les fanatisés ne reculaient jamais à diffuser d'abominables calomnies, suscitant la plupart du temps au mieux des haussements d'épaules dubitatifs, au pire quelques phrases de mépris entre intimes. Car, malgré le danger des admirateurs nationalistes, heureux de savoir qu'Hitler tenait dans une main la paix, dans l'autre, la guerre, il convenait en Suisse d'éviter toute polémique inutile. Les accusations avaient fait long feu car, réaction exceptionnelle pour des journaux avides de scandales, la presse n'avait pas commenté les griefs contre Grüninger.

Avec cette lettre de délation, dont Rothmund connaîtrait l'auteur puisque, par une bravade que Stahler espérait encore ne pas avoir à regretter, il

145

l'avait signée de son nom, il pourrait en aller différemment. Il n'était pas impossible que Rothmund refuse de diligenter une enquête contre un fonctionnaire apprécié de sa hiérarchie, de ses collègues et, surtout, de la population saint-galloise. Pour la première fois, et malgré un antisémitisme que nul ne cherchait à dissimuler, des voix s'élevaient dans les administrations et les bars à café contre l'œuvre d'extermination des Juifs menée par Hitler et ses proches. Les Saint-Gallois n'étaient guère favorables aux Juifs dont ils critiquaient, sans en avoir été victimes, l'agressivité et les comportements dominateurs mais, après l'annexion des Sudètes et la capitulation franco-britannique de Munich, il se pourrait que demain le Führer veuille envahir les cantons de langue allemande. L'armée suisse résisterait, ce pourrait devenir une boucherie comme jamais depuis sept siècles la Suisse n'en avait connu. Le malheur, alors, ne s'abattrait pas que sur les Juifs... Cela se répétait à voix basse et, malgré le service militaire imposé à tous les jeunes Confédérés et les très coûteuses dépenses d'équipement, il n'était pas évident que l'armée puisse résister à une invasion de la Wehrmacht. La Suisse n'avait pas vocation aux drames, mais il en est qu'on peut difficilement éviter. Il semblait qu'à Berne on n'en prenne pas conscience.

Eugen pensait à tout cela, cherchant une solution qui le protégerait. Sans la douceur de Martha, sans l'autorité que lui avait longtemps imposée Frederika, le banquier avait abandonné sa morgue. Il n'était qu'un citoyen helvétique qui, par orgueil, s'était érigé en défenseur des lois suisses concernant les réfugiés, plus – il en prenait conscience –

par intérêt personnel que par admiration de l'idéologie national-socialiste.

Sur la cheminée du salon, la pendule indiquait 4 heures. La sonnerie du téléphone devrait bientôt retentir. Grüninger reviendrait à la charge. Ne pas décrocher ne servirait à rien. Qu'il utilise une voiture de la gendarmerie ou qu'il enfourche sa bicyclette personnelle, il se passerait peu de temps avant que Grüninger frappe à la porte. Stahler pouvait tout imaginer. Un policier détenteur d'un ordre de mission avait le droit, en application de la loi, de se présenter au domicile d'un particulier pour une perquisition ou un interrogatoire vingt-quatre heures sur vingt-quatre. Pour la première fois de sa vie, Stahler se sentit en danger. Il sortit une bière de l'armoire frigorifique. La capsule sauta, la mousse n'eut pas le temps de se former, Eugen but d'un trait, posa la bouteille sur la table et retourna au salon.

Dans le fond du canapé de cuir, il revoyait son passé. Toutes ses années de jeunesse... sa vie d'étudiant... son mariage avec Martha... sa liaison avec Frederika... sa réussite de banquier... Une masse confuse de sentiments prenait possession de son esprit. Pour un avenir s'annonçant terriblement incertain. Un sentiment diffus qui portait un nom : la peur du lendemain.

Soudain le regard d'Eugen, qui n'avait pas mis les pieds à la banque depuis l'appel de Grüninger, se figea sur la pendule : une bouée de sauvetage dont le tic-tac régulier résonnait à ses oreilles comme un appel. Il voulait encore y croire.

Comment ne pas y avoir pensé plus tôt ? Quelques semaines, quelques mois là-bas... Il continuerait à diriger ses affaires de loin. Il reviendrait à Saint-Gall quand il aurait la certitude que les choses, avec ou sans Grüninger, auraient repris leur cours normal. Martha, guérie, se rapprocherait-elle de lui ?

La pendule lui avait été offerte par un de ses meilleurs clients, Hadj Amine el Husseini, le grand mufti de Jérusalem. Hadj, comme il l'appelait familièrement lors de ses séjours européens, n'était pas n'importe qui. Devenu chef du Haut Comité arabe pour la Palestine, il avait conquis la gloire et la fortune lorsque, en 1936, il avait dirigé la révolte contre les Anglais. Les rebelles lui avaient ouvert leurs bourses pour acheter des armes. Ces transactions passaient souvent par la Suisse, sur lesquelles Eugen prélevait un confortable pourcentage.

Lors de son séjour sur les rives du Léman, il avait rencontré Georges Oltramare dont il partageait l'admiration pour Hitler. Oltramare avait souhaité qu'Hadj lève des volontaires arabes pour servir dans la Waffen-SS afin, surtout, qu'ils fassent pression sur les autorités allemandes pour que soient ouverts de nouveaux camps de concentration pour les Juifs plutôt que de les inciter à émigrer en Palestine, où les Anglais les aideraient à chasser les Arabes de leurs terres. La présence d'un nombre important de Juifs en Palestine susciterait une agitation à l'issue incertaine. Hadj avait accepté et, sur les conseils d'Oltramare, avait confié une partie de ses gains à Eugen Stahler qui, Oltramare le lui avait aussi assuré, éprouvait des sentiments favorables à l'idéologie nazie.

Il avait préféré Eugen Stahler, banquier en vue de Saint-Gall, proche de l'Allemagne, à un financier de Genève. Dans les grandes banques aux enseignes visibles sur toute la rade du lac, il n'avait aucune certitude que le secret serait bien protégé. De nombreux Français des communes frontalières y travaillaient ; on y employait sûrement des Juifs. Le Palestinien Hadj s'en méfiait.

En remerciement des services de Stahler, Hadj lui avait offert la magnifique pendule qui de la cheminée régnait sur le salon.

Prendre à la banque de quoi vivre plusieurs mois, annoncer au personnel que, démoralisé par la maladie de son épouse, il s'éloignait pour quelque temps de Saint-Gall... prendre le train jusqu'à Zurich... une voiture-couchette jusqu'à Marseille où il attendrait le premier départ pour Haïfa ou Port-Saïd. Une épopée devant laquelle Stahler ne reculait pas. Il pensait même avoir l'occasion d'étancher sa soif de dépaysement, ce qui le changerait de la grisaille saint-galloise.

Il n'hésita pas. Plusieurs fois le mufti l'avait convié. Le moment était venu d'accepter l'invitation. Il fallait néanmoins du courage pour tout abandonner. La liberté existe, il suffit d'en payer le prix. Un séjour dans les sables d'Orient lui paraissait tout à fait acceptable, voire réjouissant. Il se prenait déjà pour Lawrence d'Arabie !

A la banque, il croisa les employés qui, leur journée achevée, le saluèrent avec déférence avant de rentrer chez eux. Quelques-uns, sans évidemment porter de jugement, s'étonnèrent que le patron surgisse quand le personnel, à 17 heures selon l'habitude, quittait son lieu de travail.

Dans la bâtisse silencieuse, convaincu d'avoir pris la bonne décision, il sortit de son porte-monnaie une petite clé sur laquelle il ne cessait de veiller. Il déverrouilla le cadenas, pénétra dans son bureau.

Avant d'ouvrir le coffre-fort pour y prendre les liasses nécessaires au voyage, il voulut vérifier qu'il ne laissait rien de compromettant derrière lui.

Dans l'armoire, il y avait le Modigliani. N'ayant nulle envie d'avoir à justifier la présence de cette toile dans son bureau, il ne partirait pas de Suisse avant de s'en être débarrassé. Avant de changer d'horizon, il se rendrait à Lucerne. Weilmüller l'hébergerait et, sans la moindre gêne, négocierait pour lui le prix de ce tableau volé. Dans du papier de mauvaise qualité, le seul en sa possession, et de la grosse ficelle trouvée dans le cagibi des nettoyeuses, il avait emballé l'huile d'une valeur difficile à estimer. Le banquier se transformait en voyageur curieux. Il ne voulait penser à rien, pas même à Martha agonisante sur un lit de l'hôpital cantonal. Sauver son âme, un financier y pense rarement. Comme la plupart de ses collègues, Stahler n'avait qu'une recette pour le bonheur : accroître sa fortune sans jamais culpabiliser. Une règle qu'il avait toujours appliquée.

Après avoir rassemblé en hâte quelques habits dans une valise de cuir griffée Louis Vuitton, Stahler téléphona à la gare. Entre Saint-Gall à Lucerne, à cette heure tardive, il n'y avait plus de liaison directe ; il devait changer de train à Zurich, prévoir plus d'une heure d'attente pour la correspondance, et dès 20 heures le buffet était clos ; le kiosque à journaux aussi. Le fonctionnaire des chemins de fer l'incita à remettre au lendemain matin son voyage : le pays était trop petit pour prévoir une intense circulation ferroviaire nocturne. Il n'avait certainement aucune urgence à se déplacer de nuit. Quant au train-couchettes pour Marseille, il était aussi trop tard. Il nécessitait un changement à Zurich, puis deux arrêts jusqu'à Genève, le premier à Berne, capitale fédérale, le second à Lausanne pour les voyageurs à destination de la Suisse romande. Les formalités de police et de douane s'effectuaient sur un quai spéciale-ment aménagé à la gare genevoise de Cornavin. Le convoi passait par Marseille mais il avait Nice pour terminus. Il aurait depuis longtemps quitté la Suisse quand M. Stahler, s'il préférait Marseille à Lucerne, arriverait à Genève.

L'employé de service à la gare de Saint-Gall devait certainement connaître, au moins de répu-tation, le banquier Stahler mais il était de ces Confédérés qui ne partageaient pas l'admiration du gouvernement pour le régime nazi. Un contrô-leur sur la ligne Saint-Gall/Vienne lui avait confié avoir sauvé un médecin autrichien juif qui, des-cendu du train à Feldkirch, avait l'intention de pénétrer en Suisse par des chemins forestiers. Ce que son collègue Karl Weitz, un Zougois, lui avait rapporté, si c'était la réalité, était atroce. Le médecin avait raconté que, détenu comme Juif à la prison centrale de Vienne, il souffrait d'un ulcère perforé à l'estomac. Il avait été transporté à l'hôpital mili-taire, dans les locaux d'une ancienne infirmerie réquisitionnée quelques jours après l'annexion, opéré dans de bonnes conditions, avait-il précisé, soigné comme il convenait. Derrière la porte de sa chambre, verrouillée comme la Gestapo l'exigeait pour tous les détenus juifs, les deux policiers en faction avaient dit qu'une fois guéri il serait conduit dans une clairière spécialement aménagée dans la forêt viennoise afin d'y être fusillé. Ils avaient parlé aussi d'un autre prisonnier qui, après une transfusion sanguine, devait subir un sort identique.

Par chance, le médecin avait réussi à échapper à ses bourreaux. Il n'y avait pas de barreaux à la fenêtre et sa chambre était située au rez-de-chaussée. Malgré ce qu'il avait supporté, il riait en racontant qu'ayant dû fuir en chemise de nuit, il avait volé des vêtements au vestiaire des infirmiers et, en courant, avait rejoint la gare dont, heureusement, il connaissait l'emplacement. Weitz ne lui avait pas réclamé le prix du billet, il lui avait même donné quelques marks en lui conseillant de franchir la frontière à Saint-Gall : selon la rumeur, les fuyards pouvaient passer sans trop de difficultés. Weitz ne connaissait pas la méthode, elle devait être périlleuse, mais il lui semblait que de nombreux Juifs avaient pu pénétrer illégalement en Suisse.

L'employé de la gare, foncièrement attaché aux exigences de neutralité du haut en bas de la hiérarchie administrative, n'avait pas porté de jugement sur le comportement de son collègue. Il n'empêche que, choqué par ce récit, il n'avait pas montré la moindre amabilité envers Stahler, dont tout Saint-Gall connaissait l'antisémitisme. Il ne pouvait que l'engager à prendre un train le lendemain matin.

Il l'avait renseigné d'une voix monocorde, sans excessive courtoisie ; que le banquier ne lui en demande pas davantage ! Stahler voulait-il en urgence se rendre à Lucerne ou à Marseille ? L'employé ne comprenait pas cette bizarrerie. Cela ne le tourmenta pas trop. Chacun dans le pays n'était-il pas libre de ses actions ? Un fonctionnaire suisse n'a le droit ni d'approuver ni de condamner, pas davantage de commenter, surtout pas de juger. La neutralité est une règle à laquelle on ne déroge pas. Les réfugiés juifs qui ne le savaient pas devraient rapidement l'apprendre.

Le guichetier, après avoir vérifié l'heure exacte à la grosse horloge du hall, ferma le fenestron, éteignit les plafonniers et, sur sa bicyclette, pédala jusqu'à la petite maison qu'il louait dans un faubourg ouvrier de Saint-Gall. Sa femme, Ursula, et sa fille, Linda, l'y attendaient. Au programme de la soirée, une fondue dont il se régalait avant même que d'arriver chez lui.

Pour Stahler, pas question de rester une nuit de plus à Saint-Gall. Il n'aimait pas conduire de nuit mais, cette fois, il y avait nécessité et urgence. De son garage privé, il sortit sa petite limousine Rosengart, une marque française de qualité, donna deux tours de manivelle. Le moteur ronronna. Valise et toile emballée sur le siège passager, phares allumés, il prit la route en direction de Lucerne. Cinq heures jusqu'à destination, par Zoug. Avec l'intention de se rendre chez Weilmüller auquel il avait annoncé sa visite. Il n'avait qu'un but : échapper à Grüninger.

Sur la route, il avait dû se mettre sur le bas-côté, une patrouille d'artilleurs, avec dix canons illuminés, se dirigeait vers la frontière. La défense suisse était bien organisée, l'armée était une nation dans la nation helvétique. Ce qui l'avait rassuré.

L'aube annonçait une journée ensoleillée lorsque, après un peu plus de cinq heures de route, Eugen découvrit, couvert d'une brume légère, le lac des Quatre-Cantons. Quelques kilomètres sur une route étroite en corniche et il apercevrait sur les pentes verdoyantes les premières maisons de bois sombre aux terrasses fleuries d'un bout de l'an à l'autre ; il ne tarderait plus à entrer dans Lucerne.

Lucerne ! La ville où, à chacune de ses visites – nombreuses depuis ses années d'enfance –, il éprouvait un sentiment de fierté patriotique. Lucerne avait toujours représenté pour lui l'âme historique du pays. Avec son père, il aimait trotter sur les chemins des collines du Gütsch ou du Dietschiberg. Plus que Berne, froide, austère, rigoureuse, Lucerne aurait mérité d'être la capitale de la Confédération. Eugen l'aurait souhaité. Plus que de Saint-Gall, il en parlait avec passion. Lors d'une promenade sur le lac où se reflétaient dans les eaux transparentes les hautes montagnes alentour, son père lui avait montré – il ne l'avait jamais oublié – la façade recouverte de marbre sculpté d'une résidence transformée en hôtel de luxe. Après l'ouverture du premier collège de Jésuites en Suisse alémanique, Rome y avait installé son ambassade. De 1601 à 1873, Lucerne était devenue une sorte de Vatican helvétique. Sur les rives de la Reuss, catholiques et protestants vivaient depuis des siècles en bonne entente. Les touristes qui avaient de la Suisse une image paisible, où jamais on ne laissait la parole aux armes, où le repli sur soi n'était qu'une forme de bonheur collectif, accouraient de toute l'Europe, mais aussi d'Amérique, afin de profiter des paysages enchanteurs, des sommets souvent enveloppés de nuages, des vieilles demeures entretenues par les autorités cantonales quand les propriétaires n'en avaient pas les moyens. A Lucerne, naguère petit village de pêcheurs, de nombreux natifs prenaient, sans y être contraints, dès l'enfance, goût à la musique. Et ce n'était pas seulement parce que Richard Wagner avait composé *Siegfried Idyll* à Tribschen, un faubourg élégant de la ville, à quelques dizaines de mètres au-dessus du lac.

Arturo Toscanini, chef d'orchestre mondialement réputé, avait dirigé là, quelques semaines plus tôt, des œuvres de Wagner. Nul ne l'ignorait, le compositeur ne dissimulait pas son antisémitisme, et Adolf Hitler en avait fait son artiste préféré, exigeant qu'avant chacun de ses discours publics on interprète plus ou moins bien la célèbre et tonitruante *Chevauchée des Walkyries*. Toscanini, refusant de jouer en terre nazie, notamment à Bayreuth et Salzbourg, avait choisi pour inaugurer les Semaines musicales, le 25 août, le parc de la demeure où Wagner avait vécu avec

Cosima. Provocation inutile à laquelle – Stahler le déplorait – avaient participé de nombreux musiciens autrichiens et allemands.

En pénétrant dans Lucerne, Eugen, pas rasé, yeux rougis, vêtements fripés, luttait contre une fatigue de plus en plus intense. La galerie de Weilmüller, comme beaucoup d'autres dans une ville où elles étaient plus nombreuses qu'à Genève ou Zurich, n'ouvrirait que dans la matinée. Qui pouvait s'intéresser à la peinture à l'heure du café au lait ?

Il n'y avait dans les rues que quelques passants se hâtant vers leur lieu de travail, ou des domestiques d'hôtels, reconnaissables à leur habit noir et leur gilet à rayures jaunes, se dirigeant vers les jardins afin que les chiens, généralement minuscules, des clients puissent poser leurs crottes dans des emplacements réservés, nettoyés plusieurs fois par jour par les employés de la commune.

Eugen ne pouvant se présenter si tôt chez Weilmüller, il prendrait un peu de repos et, si c'était possible, une douche dans le plus réputé des palaces lucernois, le Schweizerhof. Il arrêta le moteur brûlant de la Rosengart devant le perron. Y avait-il une ville suisse d'importance qui n'ait pas son Schweizerhof, symbole omniprésent de la qualité de l'hôtellerie haut de gamme helvétique ? s'interrogea-t-il un instant. Ces sanctuaires du bien-être suisse accueillaient les hôtes les plus riches et les plus titrés de la planète. Cela lui rappela que son entrevue avec Rothmund et Motta, au Schweizerhof de Berne, ne lui avait pas apporté ce qu'il en attendait.

Alors que le voiturier conduisait le véhicule au garage de l'établissement, Eugen pénétra dans le hall et demanda une chambre.

— Pour quelques heures, précisa-t-il.

155

La phrase à ne pas prononcer ! Une situation anormale pour le réceptionniste qui jeta sur cet insolite client, la mine aussi fatiguée que la mise, un regard condescendant. Eugen le comprit vite, dans cet établissement on ne s'installait pas pour quelques heures. Lucerne, ville touristique, ne s'animerait pas avant que le soleil brille sur les cimes enneigées. Ce qui expliquait l'ouverture tardive – un Saint-Gallois se rend dès 7 heures au travail – de la galerie Weilmüller.

Afin de vaincre la méfiance de l'employé – il ne devait pas avoir plus de vingt ans –, Eugen, qui avait conservé sa petite valise – un bagage léger au Schweizerhof, cela ne faisait pas sérieux –, extirpa de sous une pile de chemises son passeport rouge à croix blanche.

Décidément peu désireux d'accueillir un hôte n'ayant pas même réclamé les services du bagagiste, le jeune homme vérifia, sur un registre extrait d'une armoire derrière le comptoir, que le document ne figurait pas sur la liste des indésirables. Il aurait pu s'agir d'un faux, mais il était trop tôt pour téléphoner à la gendarmerie, seule habilitée à s'assurer de l'authenticité dudit passeport. Certain que la photographie correspondait à la physionomie de ce client de passage, l'employé daigna préciser, avec un fort accent italien ou espagnol :

— Nos chambres ne se louent pas à l'heure mais à la journée. Cent cinquante francs pour les plus simples, côté rue, sans vue sur le lac. Payables d'avance. Auxquels il faut ajouter cinquante francs pour d'éventuels extras, évidemment remboursables si vous n'utilisez aucun de nos services... Cent cinquante francs, petit déjeuner compris... Petit déjeuner continental, car si vous désirez – comme nos nombreux habitués britanniques – un *breakfast* anglais avec omelette, bacon et porridge, prévoyez un supplément de vingt francs.

Eugen ne put supporter davantage pareille insolence. Quoiqu'il n'y ait personne dans ce vaste hall, éclairé par un lustre géant en cristal et quelques lampes sur des chandeliers en fer forgé, en dehors du bagagiste indifférent, assis sur son chariot, lisant avec, semblait-il, le plus vif intérêt les résultats des derniers matchs de football, il hurla :

— Mon nom, vous l'avez lu sur mon passeport, est Eugen Stahler. Oui, Eugen Stahler, de Saint-Gall. En Suisse ! La profession n'est pas inscrite, soit. Apprenez donc que je suis banquier et que j'ai les moyens de payer non seulement une chambre, mais tout un étage de l'hôtel. Eugen Stahler, cela ne vous dit rien ?

— Non, j'en suis désolé, répliqua, presque souriant, le freluquet. Nous ne pouvons pas connaître toutes les banques suisses, la liste est si longue ; il faudrait pour toutes les répertorier, et ce ne serait pas aisé tant leur discrétion est reconnue, un catalogue plus épais qu'une bible.

Quelle insolence ! Stahler n'avait plus la force de réagir. Il pensait simplement que l'avenir de l'hôtellerie helvétique n'était guère prometteur. Qu'on ne compte pas sur lui pour investir dans ce que certains étrangers considéraient comme l'activité la plus représentative de la qualité suisse, la plus rentable avec l'horlogerie.

Le réceptionniste lui remit la clé de la chambre 702, ajoutant, ce qui était un accroc à la réputation de discrétion de la Suisse :

— Votre voisin de la 704 est un personnage important. Un proche collaborateur de Joseph Goebbels. Il vient régulièrement se reposer à Lucerne. Les affaires du Reich sont épuisantes. Ce monsieur, dont il m'est interdit de dévoiler l'identité, est très apprécié du personnel. Tous les clients, ajouta-t-il, amer, ne sont pas aussi généreux.

Eugen avait saisi ce qu'il pouvait y avoir de pervers dans les propos de l'employé, indispensable à la réception pour la bonne réputation de l'établissement, mais qui n'avait guère de travail à une heure où la plupart des clients dormaient. Il n'avait d'autre activité que d'assurer le service de nuit. Il eût été inutile de se plaindre à la direction. Eugen tourna les talons sans lui laisser le pourboire quémandé de façon si inélégante. D'autant que moins il ferait parler de lui, plus il aurait de chance d'échapper à Grüninger et, surtout, à Rothmund qui, dans quelques heures, en recevant le courrier quotidien, aurait la surprise de lire la lettre envoyée sous le coup de l'émotion. Quelle serait sa réaction ? Difficile pour Stahler de se persuader qu'il en sortirait indemne.

Avant d'emprunter l'ascenseur, précédé du bagagiste qui s'était emparé de sa petite valise et du paquet mal ficelé, dans l'attente d'une récompense de ce voyageur ayant hurlé sa profession de banquier, Eugen Stahler avait récupéré sur une petite table un journal du jour. Rédigé en anglais à l'intention des clients britanniques. Il avait assez de connaissance de la langue pour comprendre immédiatement qu'une tragédie avait, la veille, semé la panique à l'ambassade d'Allemagne à Paris ; le Führer exigeait non seulement des excuses, mais une importante compensation financière.

Sur toute la largeur du *Luzern Evening*, on pouvait lire en énormes caractères « Agression mortelle à l'ambassade du Reich à Paris ». Et en sous-titre « On doit déplorer le décès d'un employé subalterne de la mission diplomatique en France ».

Avant de lire l'article, Stahler, sa fatigue oubliée et sa vivacité d'esprit soudain retrouvée, prit immédiatement conscience qu'il devait, quoi qu'il lui en coûte, modifier ses projets et peut-être abandonner l'idée d'un dépaysement dans les sables d'Orient.

Dès qu'il fut dans sa chambre, avant même de dresser l'inventaire du mobilier, constatant avec satisfaction la présence d'une douche dans une salle de bains dont les aménagements n'avaient pas changé depuis l'époque où la reine Victoria séjournait régulièrement sur les bords du lac, Stahler s'assit sur le bord du lit recouvert de soie piquetée de fleurs multicolores. Il lut le récit du quotidien anglais. Si c'était la vérité, une guerre entre la France et l'Allemagne devenait inévitable. La Suisse serait-elle impliquée ? A répéter sans cesse qu'on est neutre, on finit par s'engager.

Le journaliste rapportait qu'un Juif allemand, Herschel Grynszpan, avait tiré sur un membre du personnel de l'ambassade d'Allemagne à Paris. Ses parents ayant été déportés par la Gestapo, il avait résolu d'assassiner l'ambassadeur. N'ayant pu l'atteindre, car celui-ci était très protégé, il s'en était pris à un conseiller, Ernst vom Rath, qui avait été grièvement blessé. Le journaliste précisait que c'était là le comble de l'ironie car, soupçonné de sympathie pour les Juifs français, vom Rath était discrètement surveillé par la Gestapo. Arrêté et conduit à la Police judiciaire, Grynszpan aurait répondu aux enquêteurs l'interrogeant sur les motifs de son geste :

— Ce n'est pas un crime d'être juif, j'ai le droit de vivre, et mon peuple a le droit d'exister sur cette terre.

Ernst vom Rath était mort des suites de ses blessures à l'Hôtel-Dieu, face à Notre-Dame de Paris. Hitler en aurait été informé à l'hôtel de ville de Munich, pendant une réunion des chefs du Parti.

Goebbels, présent, lui aurait suggéré d'incendier les deux synagogues de la ville, le Führer aurait donné son accord. Avec un cynisme dont ses proches avaient l'habitude.

Plus inquiétant, Hitler serait entré dans une violente colère parce qu'il n'y avait pas dans les locaux du Parti une secrétaire pour rédiger l'ordre de brûler les synagogues. Travaillant habituellement pour Funk, cette collaboratrice à laquelle les maîtres du Reich confiaient sans crainte leurs secrets intimes, une certaine Frederika Wittenberg, serait en Suisse afin d'y acquérir à bas prix des toiles de maîtres volées à des Juifs autrichiens. Himmler, aussi amateur d'art qu'excellent violoniste, souhaitait les exposer dans son appartement privé de Berlin. Franz Weilmüller, un galeriste lucernois, d'autres probablement, pratiquaient ce fructueux négoce. Déportées dans les camps, les victimes ne s'aviseraient pas de les réclamer !

Le journal tomba sur l'épaisse moquette. Stahler ne parvenait plus à respirer. Le nom de Franz Weilmüller avait été lâché dans la presse. Il était donc à peu près certain que le sien le serait prochainement. La révélation de ses trafics avec le Reich annoncerait pour lui une succession de revers de fortune : sa renommée internationale était insuffisante et il ne disposait d'aucune autorité politique. Il se sentait victime de la cruauté des temps. La guerre était là, prête à jaillir des eaux du lac. Stahler le pressentait, l'Europe se transformerait bientôt en une vaste scène où se jouerait une tragédie que personne ne pourrait contrôler, pas même Hitler, Mussolini, ni leur entourage. Quand reviendraient les temps heureux ?

Eugen oubliait son manque de sommeil, sa fatigue. Traversait-il le fleuve des Enfers ? Si, instinctivement, il n'avait pas pris le journal anglais, jamais il n'aurait retrouvé une trace de Frederika... Un concours de circonstances qui le terrifia. Il comprenait mieux les raisons de son silence : n'ayant plus besoin de lui, elle l'avait abandonné. Tout cela lui paraissait cohérent, inévitable et dangereux. Dans sa tête tout fourmillait, tout se mêlait. N'avait-il pas trop demandé à la vie ? Incapable de répondre, il s'endormit.

Rasé de frais, après avoir changé de chemise et obtenu de la gouvernante qu'elle repasse sans attendre sa veste et son pantalon, Eugen décida que, contrairement à ce qu'il pensait un peu plus tôt, il conserverait la chambre jusqu'au lendemain. Cela éviterait à Franz Weilmüller de l'héberger et de l'inviter à sa table. Outre qu'il n'était pas évident qu'il puisse vendre le Modigliani à un prix convenable avant la fin de la journée. Weilmüller se montrait toujours plus conciliant avec sa clientèle nazie qu'avec les Suisses ou les Français qui – on ne pouvait pas le leur reprocher – s'inquiétaient de l'origine des pièces qu'ils souhaitaient acquérir. Les dignitaires nazis n'avaient pas à s'interroger sur leur provenance, le pillage systématique de résidences juives d'Allemagne ou d'Autriche.

Goebbels avait lui-même téléphoné au galeriste, l'informant que pour certaines toiles de grande valeur, transportées en Suisse par Crochez, pilote à la base militaire de Payerne, que Stahler plaçait ensuite chez les plus fortunés de ses clients, le montant de la vente serait remis à Frederika. Ces sommes, importantes, devraient être immédiatement disponibles pour les besoins de l'armée allemande. Elle avait toute la confiance des dignitaires du Reich et, outre les sommes à rapatrier, elle était autorisée à acheter au prix le plus bas, puisque Weilmüller en connaissait l'origine, les œuvres

161

qu'Himmler, spécialiste des peintres du xxe siècle, Picasso en particulier qui le fascinait, exigeait pour sa collection personnelle.

Goebbels l'avait précisé à Weilmüller, Frederika avait été désignée pour ces transactions secrètes parce qu'elle avait été longtemps la maîtresse d'un banquier saint-gallois, et connaissait bien les habitudes suisses, à la fois proches et différentes des allemandes. Elle avait rompu sur ordre de Funk, réticent à mêler activités au service du Parti et vie privée. Elle ne parvenait pourtant pas à l'effacer de sa mémoire ; le reverrait-elle un jour ?

Frederika bénéficiait d'un visa de transit permanent, délivré par Fröhlicher, l'ambassadeur de la Confédération à Berlin. Soucieux d'entretenir de bonnes relations avec les maîtres du Reich, il s'était gardé de s'interroger sur la nécessité d'accorder à cette jeune femme, qui avait dû fournir un certificat d'aryanisme, un visa à entrées et sorties multiples. L'ayant aperçue dans des réceptions officielles, où il était toujours bien accueilli, il ne s'était jamais permis de la questionner sur les motifs de ses fréquents déplacements en Suisse. Parce qu'il supposait qu'il s'agissait de missions secrètes, il avait envoyé à Giuseppe Motta une note diplomatique codée afin d'envisager une surveillance discrète de Frederika pour s'assurer qu'elle ne nuisait pas aux intérêts de la Suisse. Le conseiller fédéral n'ayant jamais répondu, Fröhlicher n'avait pas insisté. Il était déjà assez embarrassé d'avoir dû répondre à Rothmund qu'il avait considérablement restreint la remise de visas d'entrée en Suisse et qu'il n'en délivrerait plus aux Juifs, alors que le chef du département de Justice et Police affirmait que, malgré les interdictions imposées, ceux-ci se présentaient en grand nombre aux frontières, particulièrement aux barrières de Saint-Gall. Rothmund jusqu'à présent n'avait pas semblé mettre en doute la réponse catégorique de Fröhlicher.

Au cours d'une de ces soirées chez Walter Funk, Fröhlicher avait entendu le nouveau ministre de l'Economie faire allusion, en parlant de Frederika, au banquier saint-gallois Eugen Stahler. Dans le tumulte des échanges, Fröhlicher n'avait pas voulu se présenter en gêneur curieux. Il ne s'était pas mêlé à la conversation, résolu, comme tout diplomate suisse, à feindre l'indifférence à l'égard d'affaires ne concernant pas directement son pays. C'était la tâche des services secrets, pas la sienne.

Après avoir informé le concierge de jour, un homme bedonnant et courtois, qui arborait sur sa veste noire les clés d'or de sa corporation, qu'il conservait la chambre, Stahler, le Modigliani sous le bras, prit la direction de la galerie de Weilmüller sur la rive droite de la Reuss. Sa montre indiquait 11 heures, il avait donc suffisamment dormi pour engager avec Franz Weilmüller une discussion importante. Momentanément, l'article du journal anglais n'occupait plus son esprit. Quant à Frederika, si elle avait eu la chance, peut-être en choisissant habilement ses amants dans le Parti, d'atteindre les sommets de la hiérarchie nazie, elle n'était pas pour l'heure son sujet de préoccupation ; il avait désormais le cœur en déroute.

Eugen ne pensait qu'à sa rencontre avec Weilmüller. Il traversa la rivière par le pont de la Chapelle. C'était toujours pour lui un moment d'émotion, le souvenir d'une lointaine jeunesse définitivement perdue. Quand il venait avec son père en train jusqu'à Lucerne, c'était sur cette passerelle en bois, couverte, qu'il aimait s'arrêter.

163

Penché sur la balustrade, il était fasciné par les eaux bouillonnantes de la Reuss tout juste échappée du lac des Quatre-Cantons. Il aimait à répéter une phrase, apprise au gymnase, du poète français Victor Hugo, qui avait séjourné et aimé Lucerne. Eugen la connaissait par cœur : « Ce pont est un livre. Le passant lève les yeux et lit. Il est sorti pour une affaire et il revient avec une idée. » Eugen éprouvait toujours le même sentiment. Sur deux cents mètres, cent onze peintures triangulaires accrochées sous les poutres de la toiture. Depuis le xviie siècle, elles n'ont rien perdu de leurs couleurs vives ! C'est toute l'histoire de la ville et de la Suisse alémanique que Hans Wegmann et son fils ont contée. Les Suisses francophones n'ont jamais contesté la valeur artistique de l'ouvrage, même si certaines figurines naïves exaltent l'héroïsme des Helvètes de langue allemande. L'art ignore les frontières et les discordes.

Malgré ses fréquentes visites, Eugen s'arrêta devant la dernière peinture avant les quais de la rive droite, un vieillard et un nourrisson symbolisant l'égalité devant la mort. Une évidence qui le rendit songeur.

Après le pont, Eugen longea la rive sur une courte distance, contemplant sur les collines les remparts ceinturant la ville, avec encore les tours de guet d'où, depuis le xive siècle, des hallebardiers hier, des militaires avec leur fusil automatique aujourd'hui, veillaient sur la cité. Wagner, lors de son installation en 1866, s'était exclamé : « D'ici personne ne me sortira. » Eugen connaissait la formule, il se l'appropriait, mais en sens inverse : d'ici, il avait hâte de sortir. Alors que dans ces ruelles il avait si souvent senti venir à lui les événements historiques de la patrie comme une succession de vagues légères ou tumultueuses, la peur désormais chassait les rêveries d'hier, les souvenirs personnels. Ce serait chimère que de croire qu'il poursuivrait sans dommage ses activités de banquier à Saint-Gall. Pourquoi avoir attiré l'attention sur Grüninger alors que le problème des réfugiés n'était pas le sien ? Que le gouvernement déclenche une campagne contre eux, les sionistes en profiteraient plus que lui. N'avait-il pas envoyé cette lettre par dépit amoureux parce qu'il aimait encore Martha ? Avait-il voulu se venger de se voir abandonné ? Hélas, il n'y pouvait plus rien changer. Hier était derrière lui. Il ne se l'avouait pas, il était simplement triste. Il ne l'ignorait pas, dans la banque comme dans d'autres professions une chute est toujours possible, et il ne voulait pas tomber, mais il n'avait plus le choix.

La galerie de Weilmüller se situait, après avoir traversé la Bahnhofstrasse, derrière l'église baroque des Jésuites, dont il avait souvent, enfant, gravi les raides escaliers de l'un des deux clochers, dans une petite ruelle aux maisons anciennes décorées de fresques, dans lesquelles avaient vécu depuis des siècles de nombreux artistes illustres ou inconnus.

La façade, dont l'enseigne représentait une palette de peintre en fer forgé, ne mesurait que sept à huit mètres de long. On pénétrait dans la galerie par une lourde porte de bois sculpté d'animaux sauvages comme on en apercevait parfois dans les montagnes alentour. Dans la vitrine, posée sur un chevalet, un tableau d'Henri Matisse. Pourquoi, se demanda Eugen, prendre des risques inutiles en exposant ainsi à la vue des passants un tel chef-d'œuvre aux couleurs vives ? Certes, les vols d'art étaient rares en Suisse et il comprenait la fierté de Weilmüller à exposer cette femme langoureusement allongée, nue, sur un canapé de velours rouge mais, si la devanture était brisée, il ne reverrait jamais la toile. Eugen redevenait

– en avait-il conscience ? – le banquier Stahler en proie à l'angoisse qu'il ne dominait pas : être dépouillé. Il lui paraissait essentiel, quand on disposait d'un bien aussi admirable qu'un Matisse, de le mettre à l'abri dans un coffre-fort. Seuls les banquiers pouvaient en assurer convenablement la sécurité.

Dès la première sonnerie, la porte s'ouvrit. Franz Weilmüller, un grand gaillard de deux mètres, accueillit Eugen, sans manifester de surprise, avec un large sourire : chevelure rousse, costume de tweed sur une chemise de soie blanche, cravate retenue par une pince d'or sertie d'un minuscule diamant, il voulait autant par son apparence que sa jovialité inspirer confiance à d'éventuels clients.

Deux fauteuils en osier côtoyaient un bureau sur lequel Weilmüller s'empressa de poser le paquet mal ficelé d'Eugen, sans l'interroger sur le contenu, il en devinait la nature. Une rampe lumineuse courait le long des murs blancs, complètement nus, de la galerie, d'environ vingt mètres carrés.

Il y avait un point commun entre le galeriste et le banquier : un souci de secret, nécessaire à la réalisation d'importantes affaires. Il était, en effet, peu probable que des gens aux moyens modestes osent franchir le seuil. L'art n'était pas à la portée de toutes les couches sociales.

Après quelques amabilités d'usage, Weilmüller, dont Eugen avait, dès les premiers mots, remarqué l'apparente gêne, exprima des banalités intelligemment calculées :

— J'espère que vous avez fait un agréable voyage. J'imagine qu'arrivé hier soir à Lucerne par le train vous êtes descendu au Schweizerhof où, ajouta-t-il avec un rire forcé, vous devez être le seul Suisse. On n'y accepte généralement que des étrangers et...

— Oui, effectivement, je loge au Schweizerhof, l'interrompit brutalement Eugen qui avait hâte de passer aux choses sérieuses. Le personnel y a le sourire difficile, la plupart des chambres, c'est probable, doivent être occupées par des étrangers, des Anglais et – il ne put se retenir de le souligner avec une ironie piquante – des dignitaires allemands.

A entendre Stahler évoquer la présence des notables nazis, le galeriste éprouva quelque trouble. Nul mieux que lui ne pouvait témoigner qu'ils contribuaient pour une part importante à sa fortune. Il sut se reprendre :

— Ah, monsieur Stahler, je suis content que vous ayez pu vous loger au Schweizerhof. Evidemment – il leva la tête vers le plafond en stuc verni –, vous savez qu'il y a ici au premier une chambre ; vous êtes toujours le bienvenu, c'est un honneur pour moi que de vous recevoir sous mon toit, sauf que...

— Sauf que ?... l'interrompit sèchement Stahler que l'hypocrisie du galeriste commençait à agacer.

Le ton d'Eugen accentua le malaise de Weilmüller qui devait avoir le courage d'avouer la vérité.

— Sauf que, bafouilla-t-il, faute d'être avisé de votre venue, j'ai accepté de loger une amie.

Stahler, sans en avoir vraiment envie, répondit avec humour :

— Weilmüller amoureux ! Je vous croyais incapable de vous intéresser à autre chose qu'à votre négoce. A quand le mariage ? S'il y a un festin, je compte bien avoir ma place sur la liste des invités...

Humilié par l'ironie de Stahler, Weilmüller répondit :

167

— La jeune femme – Eugen nota qu'il avait dit « jeune » – qui occupe la chambre, il n'est pas impossible que vous l'ayez déjà rencontrée... Puisse cela ne pas vous être désagréable.

Pour se donner une contenance, Weilmüller coupa la ficelle du paquet, et découvrit la toile de Modigliani. Il la tint à bout de bras, comme s'il la découvrait pour la première fois. En fait, il la connaissait très bien, n'était-ce pas lui qui l'avait offerte à Eugen, en remerciement des ventes réalisées auprès de Suisses fortunés et de quelques amateurs allemands, dont Himmler et Goering ? Dans ses collections, des peintures sur bois d'inspiration yiddish, récupérées lors du pillage des riches demeures juives allemandes ou autrichiennes.

Franz Weilmüller posa la toile à plat sur le bureau.

— Je ne le regrette pas, mais je vous ai fait là un cadeau exceptionnel. Modigliani est arrivé à Paris en 1906, à vingt et un ans... Rendez-vous compte qu'il n'a peint que trois cent cinquante toiles environ, mais il y en a beaucoup plus en circulation, aucun peintre contemporain n'a autant inspiré les faussaires.

— Et celle-ci, s'inquiéta vivement Eugen.

— Soyez sans crainte, elle est authentique.

Il se saisit à nouveau du Modigliani, le plaça sous la rampe lumineuse, contre le mur blanc.

— Regardez l'élégance de ce corps de femme... Quelle pureté de lignes ! La force des couleurs me rappelle Titien... Goya aussi l'a inspiré.

Eugen en convint volontiers, Weilmüller parlait en connaisseur. Enrichi par ses trafics avec le Reich.

Weilmüller reposa le portrait sur le bureau. Il n'était visiblement pas pressé de discuter le prix auquel on pouvait espérer vendre cette Jeanne

Hébuterne, certainement très recherchée par des collectionneurs peu soucieux de savoir quel était l'ancien propriétaire de cette pièce unique. L'atmosphère devenait de plus en plus pesante entre les deux hommes. L'un voulait se débarrasser au plus vite du Modigliani, dont la possession ne pouvait que lui attirer des ennuis, l'autre hésitait encore à présenter celle qu'il hébergeait de peur d'une réaction trop vive de Stahler. Souriant, il crut s'en sortir en déclarant sur un ton badin :

— Vous le constatez, monsieur Stahler, il serait dommage d'exterminer tous les Juifs. Modigliani était juif, n'est-ce pas ? De la communauté de Livourne, en Italie, le saviez-vous ? Nous lui devons des chefs-d'œuvre comme celui-ci. Chagall aussi était juif, et Kandinsky, et Soutine... S'il le voulait, Hitler constituerait le plus extraordinaire musée du monde. Qu'on arrache aux Juifs de telles richesses, je ne m'y oppose pas mais, plutôt qu'exterminer les créateurs, pourquoi ne pas en faire des artistes officiels ? Ils ne refuseraient pas. Au gibet, qui ne préfère le pinceau ?

Et Weilmüller ajouta à voix basse, comme s'il avait honte de l'avouer :

— Staline, lui, l'a compris. Des artistes opposants à son régime, il en a fait les meilleurs propagandistes du totalitarisme. L'« art officiel » ne se pratique pas que dans les prisons de Sibérie !

Stahler avait écouté, d'abord irrité puis d'autant plus attentif qu'il avait longtemps travaillé sous ce Modigliani et découvrait, lui qui ne portait pas les Juifs dans son cœur, la judaïté de l'auteur !

— Tout cela est très intéressant, dit-il, vous m'en avez appris beaucoup sur les artistes juifs mais, pardonnez-moi, je suis impatient d'apprendre le nom de cette femme que vous hébergez et qui, selon vos dires, ne serait pas une inconnue pour moi... Vous avez aiguisé ma curiosité.

Weilmüller planta son regard dans celui de Stahler :

— Venez avec moi. J'en suis certain, elle va se réjouir de vous revoir.

On aurait annoncé à Eugen Stahler qu'il devrait se préparer à affronter le Diable, le choc n'aurait pas été plus rude. Deux semaines plus tôt, comment aurait-il pu imaginer que sa vie serait à ce point bouleversée. Aurait-il pu l'expliquer ? A cet instant, certainement pas.

L'hôte de Weilmüller n'était autre que Frederika.

10

Paul Grüninger ne pouvait plus dissimuler son angoisse. Confronté à des problèmes douloureux, toute solution lui paraissait périlleuse. Il éprouvait le sentiment, lui qui ne croyait ni à Dieu ni à Diable, que par bêtise ou aveuglement on acceptait, sans avoir le courage d'affronter les massacreurs maniaques, de leur abandonner des milliers, probablement beaucoup plus, d'innocents qui n'avaient commis qu'un crime : ne pas être chrétiens. Il devait leur éviter la mort, traqués qu'ils étaient et quotidiennement menacés de mort par la Gestapo. Rothmund, au nom du gouvernement fédéral, l'avait mis en garde contre une trop grande bienveillance envers les Juifs qui tenteraient sans visa de franchir la frontière. A vouloir les sauver, devait-il les refouler au-delà de barbelés de plus en plus infranchissables ?

Tout semblait s'unir contre sa volonté de ne pas appliquer les ordres de Berne. Chez lui, il ne s'occupait plus des tâches scolaires de ses enfants et, malgré sa tendresse et de multiples attentions, son épouse ne réussissait plus à lui arracher un sourire. Enfermé dans ses pensées, il passait de longues heures, beaucoup plus qu'auparavant, assis derrière son bureau, sans ouvrir un des parapheurs qui s'accumulaient. Avec sans doute à l'intérieur des documents importants à signer sans délai. Son adjoint, le major Ernst Guggenheim, se désespérait d'un tel changement dans le comportement de son supérieur. Ce qui auparavant se réglait en quelques jours, Grüninger ne s'y intéressait plus.

Guggenheim lui avait naïvement demandé la cause de cette lassitude, il n'avait obtenu pour toute réponse qu'une explication tout à son honneur :

— Vois-tu, Ernst, nous nous connaissons depuis longtemps. Mon service m'enthousiasmait, j'ai pour cela refusé des postes plus en vue, comme adjoint particulier de Rothmund ou directeur de pénitencier. On m'a offert le Bois-Mermet, la plus importante prison de Suisse romande, j'ai aussi refusé. Tout !

Il y avait dans ce « tout » une sorte d'amertume que Paul ne cherchait pas à dissimuler. Guggenheim avait la gorge nouée. Il avait toujours admiré, sans en connaître tous les détails, les risques que son chef prenait avec discrétion pour faciliter le passage des Juifs en Suisse. Les nazis, eux, ne disposaient que d'un langage, celui de la haine.

Assis dans un des deux fauteuils, Guggenheim écoutait Paul, haut gradé, se confesser avec l'humilité d'un citoyen ne comprenant pas une injuste répression, ne rêvant que de réconciliation entre les hommes si différents soient-ils les uns des autres. Après un long silence, Grüninger avait besoin de se libérer, il avait confiance en Guggenheim et poursuivit, avec un peu plus de fermeté dans la voix :

— J'ai toujours eu à cœur de lutter contre la criminalité en utilisant les moyens d'investigation autorisés. Toi, Ernst, d'autres aussi, vous savez combien, par votre formation, j'ai voulu que vous soyez compétents. Tu sais aussi l'importance que j'attache aux succès de notre club de football...

Grüninger n'ajouta rien. Guggenheim savait aussi – qu'il ne l'évoque pas montrait à quel point il était un policier respectable – que pendant la crise de 1930 son supérieur, qui gagnait convenablement sa vie, rendait souvent service à des fonctionnaires moins gradés en leur prêtant de l'argent. Des montants modestes – on le répétait dans les cantines de la police – qu'on ne lui rendait pas. De cela, il ne parlait jamais.

Si Guggenheim espérait qu'après cette confession Paul Grüninger reprendrait le goût de vivre il était dans l'erreur. La pile de parapheurs continuait à s'épaissir. Grüninger avait interdit l'accès à son bureau, il ne répondait plus au téléphone. Sur sa table de travail, dans le cendrier, la pipe demeurait froide.

Grüninger s'approcha de la fenêtre et observa les passants. Une pluie fine tombait sur Saint-Gall et il n'apercevait qu'un tapis de parapluies noirs ouverts. Là-bas, au loin, l'hôpital cantonal où Martha luttait toujours contre la mort. Cela lui importait plus que le pli que Rothmund venait de lui transmettre : la copie d'une lettre et de son courrier d'accompagnement signé par le banquier Stahler. Lettre dans laquelle était cité un certain « Paul » qui, selon Rothmund, ne pouvait être que Grüninger. A Berne, on n'avait pas encore donné suite dans l'attente d'une réaction rapide. On aviserait.

Grüninger n'était pas décidé à répondre à ce qui ressemblait davantage à une injonction qu'à une simple information. Pour l'heure, c'était le sort de Martha qui le préoccupait, le jour et souvent la nuit. Naguère excellent dormeur, il souffrait d'insomnies auxquelles s'ajoutaient de fréquents maux de tête.

Le directeur de l'hôpital cantonal s'était personnellement déplacé pour lui apporter les dernières nouvelles. Rien de très réconfortant.

— Je sais, avait dit cet homme courtois, l'intérêt que vous portez à Mme Stahler. Si elle pouvait s'exprimer, je ne doute pas qu'elle vous saurait gré de votre compassion... Surtout depuis que M. Stahler ne la visite plus.

Sans penser à mal, le directeur avait accentué l'angoisse de Grüninger. Il aurait été surprenant qu'Eugen se rende au chevet de son épouse ; depuis des semaines personne, ni à la banque ni à son domicile, ne l'avait aperçu. Il avait disparu de Saint-Gall. Grüninger n'avait pas voulu déclencher une recherche, le banquier avait certainement trouvé une bonne cachette, il en avait les moyens et ne manquait pas de relations influentes, certaines sulfureuses. Aussi longtemps que Martha ne serait pas rétablie, le silence sur ce qui était devenu « l'affaire Stahler » s'imposait.

Ernst avait frappé à la porte de Grüninger. Quatre coups, comme ils en étaient convenus en cas d'urgence, et seulement pour circonstances exceptionnelles. Grüninger ne pouvait pas refuser. Prostré dans son fauteuil, d'une voix sourde il avait lâché :

— Entre !

Il avait utilisé le tutoiement sachant qu'il ne pouvait s'agir que de Guggenheim.

Celui-ci, lorsqu'il pénétra dans le bureau, avait le visage blême.

— Assieds-toi... Que se passe-t-il encore ? Il s'agit de la frontière ?... Raconte !

D'un signe de tête, Guggenheim répondit par la négative, mais tout dans sa personne laissait transparaître le découragement. Enfin, il se décida à parler comme si ce qu'il devait dire le concernait personnellement :

— Il s'agit de Mme Stahler... Comme vous m'en avez donné l'ordre, lorsque le téléphone a sonné j'ai décroché, vous ne répondiez pas.

Grüninger sursauta. Ce qui n'arrivait jamais chez un militaire, surtout dans les services de police. Ernst, qui ne connaissait Martha que de vue, avait les yeux emplis de larmes. Il était malheureux mais ne pouvait par discipline que rendre compte. Impossible de taire ce qu'il avait entendu de la bouche du directeur de l'hôpital, lequel avait semblé hésiter avant de parler à tout autre que Paul Grüninger. Il s'y était résolu et Ernst Guggenheim répéta mot pour mot ce qu'il venait d'apprendre. Pressé de sortir de cette pièce où il ne parvenait plus à respirer.

— Selon M. Winkelried, le directeur de l'hôpital, le coma de Mme Stahler se prolongeant, aucune amélioration n'ayant été constatée par les médecins, elle a été transportée dans un état végétatif du service de cardiologie à l'étage où sont rassemblés les malades en fin de vie.

Grüninger avait écouté sans esquisser le moindre mouvement. Immobile dans son uniforme, comme exilé dans un autre monde, ce qui paraissait incompréhensible pour qui connaissait son intelligence, sa vivacité d'esprit, son respect de l'ordre militaire.

Ernst attendait une réaction, un commentaire, voire un ordre. Rien. Grüninger demeurait muet. Après plusieurs secondes, durant lesquelles aucun son ne parvint à sortir de sa bouche, il fixa Ernst du regard, lui demanda d'une voix faible :

— Le directeur n'a rien dit sur ses chances de survie ?

Ernst hésita. Devait-il accroître le désarroi dans lequel il voyait son chef ? Ne voulant encourir plus tard aucun reproche, il se décida à répéter ce qu'avait déclaré, agacé, Otto Winkelried : « Il y a peu de chances, selon les médecins, que Mme Stahler survive plus de quelques jours. Il appartient au responsable de la police cantonale de retrouver M. Stahler afin qu'il vienne rapidement au chevet de son épouse... avant qu'il ne soit trop tard ! » Cela doit être possible, il ne s'agit pas d'un citoyen inconnu, il n'a pas quitté la Suisse.

— C'est tout ? demanda Grüninger sans montrer la moindre émotion.

Ernst aurait souhaité éviter le pire, mais c'eût été manquer à ses devoirs de militaire. Il savait Grüninger dans la difficulté, il ne voulait pas lui porter un nouveau coup mais, pour inconfortable que soit sa position, il était dans l'obligation, quoiqu'il en ressente de la gêne, de rendre compte de ce que le directeur de l'hôpital lui avait asséné avant de raccrocher : « Dites à M. Grüninger qu'il s'occupe immédiatement du cas de Mme Stahler. Nous le savons, elle a facilité le passage illégal de nombreux Juifs allemands vers la Suisse... Lui-même a contribué à l'invasion de notre pays par des étrangers... des Juifs. »

Cette fois, Grüninger réagit. Avec sa règle de bois, tapotant nerveusement sur son bureau. Il prenait conscience de la solitude dans laquelle il se trouvait. Pour une importante part de la population saint-galloise, il commençait à devenir gênant. Il ne faisait aucun doute qu'on chercherait bientôt à l'éliminer. Difficile de savoir qui avait trop parlé. Stahler dont il connaissait les liens avec le Reich ? C'était peu probable, cela aurait desservi ses intérêts encore qu'il ait adressé à Rothmund un courrier qui, sans le désigner nommément, le mettait néanmoins en cause. C'était envisageable mais à Berne, sans preuve indiscutable, on ne l'accablerait pas. La lettre de Rothmund ne contenait aucune menace... Les réfugiés eux-mêmes ?

Heureux d'avoir échappé aux persécutions et malgré des instructions très précises, certains d'entre eux auraient pu céder à la tentation du bavardage... Qui avait eu l'idée de le dénoncer ? Grüninger ne voulait pas porter de fausses accusations. Il n'avait qu'une possibilité : se montrer encore plus prudent et méfiant ; il y avait quelque part un traître... ou une traîtresse. N'était-il pas déjà trop tard ?

Après l'avoir remercié de sa franchise, Grüninger congédia Ernst Guggenheim. Celui-ci se leva, sortit à reculons, comme l'exigeait le protocole militaire. A l'instant de franchir le seuil, il se ravisa.

— J'ai omis de vous rapporter, parce que je ne voulais pas vous offenser, que le directeur avait encore ajouté : « Le chef de la police devrait parfois prendre conscience qu'à accueillir trop d'étrangers, si persécutés soient-ils, nous ne pourrons pas tous les soigner s'ils sont malades. La liberté a un prix, la santé de nos concitoyens aussi. »

Cela, c'était ce que Ernst Guggenheim pensait personnellement, le directeur de l'hôpital ne s'était pas autorisé de tels propos. Ernst était conscient d'exprimer une opinion majoritairement répandue en Suisse.

Ernst Guggenheim informa Grüninger qu'un homme souhaitait impérativement s'entretenir avec le chef de la police, qu'il connaissait depuis longtemps.
Paul interrogea :
— De qui s'agit-il ? A-t-il donné son nom ?
— Absolument pas.

177

— Bon, je le prends ! dit-il, irrité.

Qui pouvait quasiment exiger de lui parler. Dans un soupir, il lâcha :

— Paul Grüninger, chef de la police cantonale... Pourquoi ne pas avoir pris rendez-vous ?

Le ton se voulait ferme, la voix était faible. Pour toute réponse, Grüninger n'entendit qu'un long éclat de rire.

— Je t'ai connu plus affable, dit l'interlocuteur s'exprimant en allemand avec un fort accent vaudois ne laissant aucun doute sur ses origines romandes.

Grüninger reconnut aussitôt son ancien ami de gymnase, Guillaume Prodollier. Cinq années, si ce n'est plus, que les deux camarades de classe s'étaient perdus de vue. L'un et l'autre avaient dans la vie emprunté des chemins différents. Employé de commerce dans l'industrie chimique à Bâle mais dévoré d'ambition, Prodollier avait réussi par ses relations dans la franc-maçonnerie à s'introduire dans la diplomatie où, faute de diplômes, il n'occupait que des postes secondaires. Sa situation dans les profondeurs de la hiérarchie s'expliquait, affirmait-il, par son aversion pour le régime nazi. Néanmoins, parce qu'il entretenait des liens d'amitié avec Rothmund, Grüninger ne souhaitait plus le rencontrer. Ulcéré qu'on puisse être proche de Rothmund, qui ne condamnait pas les exactions hitlériennes. Tellement révolté qu'il n'avait pas changé d'avis quand Ernst Guggenheim, délégué à Berne pour une réunion administrative chez Rothmund, lui avait rapporté les propos de Prodollier : il avait révélé à Rothmund que, selon ses sources, les horreurs décrites par la presse socialiste depuis 1935 n'avaient rien d'une invention sinistre, elles correspondaient malheureusement à la réalité et que, selon lui, l'extermination des Juifs par Hitler serait la pire

178

calamité qui balaierait l'Allemagne depuis la guerre de Trente Ans. Plus rapidement qu'on pouvait le redouter.

Grüninger n'ayant vu dans ces propos que vile flagornerie, il avait la conviction qu'en participant à cette réunion Prodollier avait voulu flatter Rothmund dans l'espoir d'une promotion dans la diplomatie suisse. Guggenheim avait aussi raconté que Rothmund avait envisagé de proposer aux dirigeants du Reich, car personne ne prendrait les armes pour défendre les Juifs, qu'Hitler organise, avec l'accord du gouvernement français d'Edouard Daladier, la déportation de tous les Juifs européens à Madagascar ; ils contribueraient au développement d'une colonie où les indigènes se plaignaient de manquer de main-d'œuvre.

Le récit de son adjoint n'avait suscité chez Grüninger qu'un haussement d'épaules dubitatif. Personne depuis cette réunion à Berne n'avait évoqué cette humiliante proposition, qui n'avait, évidemment, aucune chance d'être acceptée par Paris.

Avec Prodollier, Grüninger avait donc gardé ses distances. Il réapparaissait avec insistance, que lui voulait-il ? Le motif était-il sérieux ? Cet appel annonçait-il de nouveaux soucis ?

Aussi calmement que possible, Grüninger, méfiant, lui demanda ce qui l'avait amené à téléphoner alors qu'ils ne s'étaient pas vus depuis longtemps.

— Ecoute-moi, lui répondit-il, rencontrons-nous. Ne crains rien, je viens en effet d'être nommé « commis principal » à l'agence consulaire suisse de Bregenz, en charge de délivrer des visas de séjour pour la Confédération.

Il prit un temps avant d'ajouter :

— Je pense pouvoir t'être utile. Mais je ne peux t'en dire plus au téléphone. Rencontrons-nous rapidement.

179

Des gouttes de sueur perlèrent au front de Grüninger. Prodollier lui en apportait la preuve, les activités en faveur des illégaux étaient plus connues qu'il ne le pensait. Avec Prodollier, qu'il croyait un proche de Rothmund, le pire était à redouter. Le policier rigoureux fut pris de panique. Quelle serait la suite des événements ? Serait-il en Suisse, comme en Allemagne où les maîtres du Reich ne connaissaient que l'arbitraire et la terreur, victime de sa compassion ? Ce qui était vérité, il ne le transformerait pas en mensonge pour préserver son rang. Sur ce point, il demeurerait inflexible.

Ayant repris ses esprits, il répondit sèchement :

— Toutes mes félicitations... Je ne sais pas si nous aurons l'occasion de nous voir, Rothmund ne souhaite pas que l'on accorde trop de visas ; tu ne devrais donc pas avoir beaucoup de travail. Une précision : d'où m'appelles-tu ?

Il y eut un long silence. Grüninger avait parlé brutalement. Préoccupé par l'afflux de réfugiés, épuisé par ses inquiétudes, il n'avait pas su dominer ses nerfs. Prodollier l'avait deviné.

— De Bregenz... Ne te méprends pas, Paul, j'ai appris ta générosité. Contrairement à ce que tu pourrais croire, je l'apprécie. J'aimerais t'aider. Tu veux un exemple de ma bonne foi, une preuve ? Va au poste frontière, on te racontera comment Josef Udelsmann auquel mon chef avait refusé un visa parce que son passeport était marqué d'un « J » est monté dans ma voiture et a franchi sans difficulté la frontière. Une automobile avec des plaques diplomatiques, cela peut aussi servir à sauver des vies... Je crois pouvoir t'assurer qu'à la douane tes subalternes ne te trahiront pas. Aie confiance en eux.

Quoique sur ses gardes, Grüninger commençait à se convaincre que Prodollier, âgé de trente-trois ans, pouvait ne pas apprécier les méthodes nazies. Ce que lui avait rapporté Guggenheim aurait été courage plus qu'affligeante flatterie ? Prudent, il lui dit simplement :

— Avec ton passeport, tu franchis la frontière autant de fois que tu le souhaites... La Gestapo ne devrait pas gêner ton activité. Tu as passé un Juif, c'est louable, y en aura-t-il d'autres ?

A plusieurs reprises, parce qu'il occupait un poste stratégique, Grüninger avait sollicité un passeport diplomatique que Motta et Rothmund lui avaient toujours refusé alors que le conseiller Valentin Keel, son ami, l'avait obtenu sans difficulté.

— Rappelle-moi demain matin, nous fixerons un rendez-vous.

Cela laissait à Grüninger le temps d'effectuer quelques vérifications indispensables.

— D'accord, je te téléphone demain mais accorde-moi encore un instant d'attention. Connais-tu ou as-tu entendu parler d'une certaine Frederika Wittenberg ?

Au nom de Frederika, Grüninger sursauta, une pile de parapheurs s'effondra sur le bureau. Il avait suffi que l'Allemande surgisse d'une façon imprévue pour que le policier retrouve naturellement ses comportements de chef.

— Frederika... Non, je ne vois pas de qui tu parles. D'abord, quelle est sa nationalité ? Suisse ?

A l'autre extrémité, Prodollier, ambitieux mais pas naïf, comprit que Grüninger devait avoir d'excellentes raisons de tenter d'en savoir plus sur une femme qu'il prétendait ne pas connaître.

— Alors voilà, raconta-t-il. Cette Frederika, pas belle mais – je m'en suis aperçu dans mon bureau – aimant jouer les séductrices façon Marlene Dietrich, est allemande. Sans profession. Au prétexte de retrouver un amant qui, selon ses affirmations,

181

serait saint-gallois et auprès duquel elle souhaite s'installer, elle a déposé il y a déjà quelque temps une demande de permis de séjour permanent. Visa accordé puisqu'elle a, en outre, déclaré qu'elle désapprouvait les discriminations dont les Juifs sont victimes dans son pays ; elle réprouve un régime qui court à la guerre... Une inquiétude que je partage. Comme tu connais la quasi-totalité des habitants du canton, j'ai pensé que peut-être...

Prodollier, diplomate de rang modeste mais sachant appliquer les règles élémentaires de sa profession, convaincu plus par instinct que par déduction que Grüninger connaissait cette Frederika, avait l'art de manipuler ses interlocuteurs. Il n'acheva donc pas sa phrase, laissant à Grüninger le soin de répondre.

Grüninger, de son côté, avait flairé le piège. Il n'avait pas la moindre intention, malgré l'intense curiosité que le discours de Prodollier suscitait en lui, de laisser paraître les sentiments qui l'agitaient. Il n'aimait guère le procédé mais devait se résoudre à l'hypocrisie.

— Désolé, cher ami, je ne connais pas cette dame. Quel métier exerce le monsieur qu'elle dit vouloir rejoindre ?

Dans ce jeu du chat et de la souris, le chat Grüninger avait repris l'avantage. Prodollier n'avait qu'une solution : répondre sans mentir.

— Il doit s'agir d'une liaison secrète car, selon la justification de la requérante, l'amant serait séparé de sa femme. Un notable. Un banquier fortuné... Un certain Eugen Stahler. Tu devrais le connaître...

Après des jours d'angoisse, Grüninger à cet instant retrouvait, grâce à Prodollier, la trace de celui qu'il recherchait depuis des semaines. Il devait agir. Sans se laisser surprendre. Devait-il se réjouir à la perspective de ramener Stahler avant la mort de Martha ? Devait-il s'inquiéter du passage de Frederika en ville ? Eugen avait-il l'intention de la protéger, et sous quelle forme ? Frederika, il ne devait pas l'oublier, travaillait pour les nazis, selon les déclarations d'Edmond, le restaurateur de l'Edelweiss. Prodollier, sans intention malhonnête, lui avait délivré un visa de longue durée. Quelle erreur ! Selon toute vraisemblance, elle aurait été envoyée par les nazis pour espionner la Confédération en un temps où la guerre s'annonçait inévitable et pour continuer – un comble ! – de l'intérieur et beaucoup plus aisément les trafics relevés par Edmond.

Après avoir répondu à Prodollier que, sans être de ses intimes, il connaissait Eugen Stahler, banquier très favorable au régime nazi, Grüninger craignit que les lignes téléphoniques entre la Suisse et l'Autriche ne soient écoutées. Il proposa un rendez-vous le lendemain matin, à 10 heures, au bar de l'hôtel Krone.

— Avec joie, répondit Prodollier.

La conversation achevée, Grüninger n'avait plus une minute à perdre. Sans prévenir Ernst, il quitta son bureau, descendit quatre à quatre les escaliers, enfourcha sa bicyclette, toujours à la place 603, celle qu'il s'était attribuée, et, pédalant à en perdre le souffle, il se rendit à l'hôtel Krone.

Paul Grüninger ne lisait plus les journaux. Que l'Italie ait gagné la Coupe du monde de football n'avait suscité chez lui, le passionné de ballon rond, qu'indifférence. En revanche, ce qui se passait à Marseille l'intéressait davantage. Outre l'incendie des Nouvelles Galeries, sur la célèbre Canebière, qui avait fait soixante-dix-sept morts dans les six étages embrasés, se tenait au parc Chanot le congrès du Parti radical. Le président du Conseil, Edouard Daladier, témoin de la catastrophe depuis l'hôtel de Noailles, palace tout proche où il séjournait, devait examiner la requête des autorités de la Confédération pour l'accueil des migrants juifs, allemands, autrichiens et tchèques, auxquels elles avaient refusé un visa de séjour de longue durée. L'ambassade suisse à Paris avait déjà fait savoir que ces réfugiés seraient, sans exception possible, refoulés vers leur pays d'origine. Grüninger, néanmoins, ne se désespérait pas. En passant devant le kiosque, Paul avait eu le regard attiré par l'affichette, comme il y en avait quotidiennement, du *St. Galler Nachrichten*. On pouvait y lire en gros caractères « les Arabes refusent d'accueillir les Juifs en Palestine ». De sombres pensées occupaient déjà son esprit, ce qu'il venait d'apprendre ne lui rendrait certainement pas le sourire.

Des migrants dont il avait facilité l'entrée en Suisse l'avaient assuré qu'ils ne feraient que transiter avant de se rendre à Marseille où ils embarqueraient sur un des navires assurant des liaisons régulières entre l'Europe méridionale et le Proche-Orient. Certains bateaux partaient aussi de Naples, la traversée de l'Italie était alors plus périlleuse, le Duce accédait à tous les désirs de son maître et allié, Adolf Hitler. Au Vatican même, le pape Pie XI, très malade, n'avait élevé aucune protestation contre la loi « pour la protection de la race italienne » promulguée par Mussolini.

Grüninger, plus par inquiétude que par curiosité, avait acheté pour vingt-cinq centimes le *St. Galler Nachrichten*, sans ignorer que depuis longtemps on y prêchait la signature d'un accord de paix éternelle avec l'Allemagne. L'éditorialiste, anonyme selon l'habitude de la feuille d'extrême droite, se félicitait qu'en Grande-Bretagne le Parlement, malgré une proposition de lord Peel, ait rejeté, à la demande du député Woodhead, l'éventualité de partager la Palestine entre les communautés juives et arabes. Woodhead avait été hué, fait rarissime aux Communes, quand il avait déclaré que de cent cinquante mille en 1930 le nombre de Juifs en Palestine était passé à plus de quatre cent mille. Cela suffisait. Accueillir davantage de migrants présenterait un danger pour les intérêts anglais dans la région. L'éditorialiste concluait en affirmant que les Juifs allemands par leur comportement agressif suscitaient eux-mêmes dans les démocraties laïques la haine dont ils étaient l'objet. Le journaliste, qui semblait bien informé, quoique – et c'était malheureusement souvent le cas dans la presse – obligé de suivre sans la discuter la ligne de sa direction, admettait que le chiffre de cent mille Juifs internés dans les anciens et nouveaux camps de concentration était conforme à la réalité. Selon ses affirmations, Goering leur aurait offert le rachat de leur liberté contre une importante participation à l'industrie d'armement du Reich ; ils auraient refusé alors que la plupart d'entre eux disposaient de richesses dont nul n'aurait su dire d'où ils les tenaient.

Quelles que soient les pressions, les migrants pourraient compter sur lui. Il s'y était engagé, rien ne l'arrêterait. A fermer ses portes aux demandeurs d'asile, la Suisse devrait tôt ou tard payer la facture. Grüninger n'avait plus besoin de réfléchir. S'il s'était un moment résigné, c'était terminé. Qu'on dresse les uns contre les autres ceux qui croyaient en des dieux différents était pour lui, athée, une violation du principe d'unité de l'espèce humaine. En aucun cas, selon Rothmund, il ne s'agissait d'antisémitisme, démon ignoré dans tous les cantons, mais de respect de la tradition multiséculaire de la patrie suisse née sur le Grütli lors de la signature du pacte de 1291. Grüninger n'était pas dupe de ces propos, ils n'avaient qu'un but : montrer au monde que, dans une période troublée, la Suisse pouvait sans honte afficher sa bonne conscience. Ce qui n'était pas la réalité.

Pour Grüninger et ceux qui partageaient ses angoisses, la Suisse terre d'asile était devenue, avec la fermeture hermétique des frontières décidée par une Autorité toute-puissante, terre d'inhumanité. Cela, Grüninger ne le comprenait pas mais il y avait d'un côté les sentiments et de l'autre, l'action. Pour agir, il savait pouvoir compter sur Théo Weill qui, après un court séjour à Diepoldsau, avait exprimé le souhait de ne pas quitter Saint-Gall. Il lui avait trouvé une place, modeste, d'aide-cuisinier à l'hôtel Krone.

Tout le personnel connaissait le chef de la police cantonale. Edouard Kolly, le propriétaire grincheux, garde-frontière de 1914 à 1918, savait que Grüninger était de ces hommes faisant honneur à la Suisse. Comme d'autres Saint-Gallois, il avait appris par une rumeur de plus en plus insistante, sans qu'on ne lui ait jamais parlé clairement, que Grüninger facilitait l'entrée dans le pays de familles entières qui en Allemagne seraient mortes en déportation. Des actes de fraternité qui l'avaient bouleversé.

Quand le chef de la police lui avait proposé de prendre à l'essai Théo Weill, il l'avait engagé sur-le-champ. Il n'avait pas besoin d'un commis supplémentaire, mais il était incapable de refuser d'aider un homme victime de sa foi. On ne ferait pas de lui un complice des criminels. Que Théo Weill se présente ! S'agissant des nazis, Kolly ne voyait en eux que des barbares, qui subiraient un jour ou l'autre le châtiment qu'ils méritaient.

Lors d'une visite à Diepoldsau, Grüninger avait remarqué Théo Weill. L'homme jeune, visage particulièrement défait, demeurait immobile, assis sur

186

son lit, avec pour tout vêtement un pantalon de toile, une chemise sans manches, pas de chaussettes mais des chaussures couvertes de boue séchée. Avant de trouver refuge dans le camp, il avait dû passer par les chemins forestiers gorgés de l'eau des dernières pluies, abondantes. A son arrivée, Kamm l'avait accueilli. Il avait décliné son identité, Théo Weill, mais refusé de trahir le passeur. Un paysan, avait-il consenti à avouer, qui n'avait pas réclamé un mark. Compatissant, Grüninger avait promis de lui trouver un emploi, il avait tenu parole.

Dans l'office, Théo s'affairait à laver soigneusement assiettes et plats en porcelaine, comme l'exigeait Wilhelm Grunwald, le chef de cuisine. Celui-ci ne manquait jamais une occasion de le rappeler, il avait été apprenti chez Alexandre Dumaine, le maître cuisinier français du restaurant de La Poste, à Saulieu, en Bourgogne.

Un jour, Kolly s'était arrêté pour déjeuner à cette table illustre, il y avait particulièrement apprécié une poularde à la crème. Restaurateur généreux, aimant converser avec ses clients, Dumaine avait avoué à Kolly que ce n'était pas lui mais un de ses adjoints, le Suisse Wilhelm Grunwald, qui avait confectionné la savoureuse sauce recouvrant la volaille servie entière.

En moins d'une heure, l'affaire avait été réglée. Kolly avait engagé Wilhelm. Convaincu, comme nombre de ses compatriotes, que les accords de Munich n'étaient qu'une mascarade retardant seulement de quelques mois une inévitable guerre, Dumaine devrait tirer les volets de son établissement. Avec regrets, mais avec sa sagesse coutumière. En Suisse, Wilhelm serait à l'écart du conflit.

187

Wilhelm déplorait que la majorité des clients du Krone ne voient la Suisse que comme un îlot de bonheur au cœur de l'Europe, épargné par les vagues de l'Histoire. Il aurait parfois aimé les détromper, leur rappeler que ce n'était là qu'une fable. De nombreuses familles vivaient dans l'angoisse des fins de mois et la formule souvent entendue, « un peuple heureux est un peuple qui se satisfait de sa condition », n'était qu'une boutade.

Kolly, patriote et rigoureux, affirmait néanmoins qu'en Suisse les enfants devaient être mis au travail dès leur plus jeune âge, cela éviterait la désagrégation des liens familiaux, la régression des habitudes d'ordre, le dévergondage, l'insouciance, l'esprit de jouissance, qui mettent en danger les fondements mêmes de la Confédération.

Kolly était un citoyen honnête, hostile, sans chercher à le dissimuler, à la dictature nazie ; elle n'avait rien à voir avec l'ordre helvétique. Il était d'un caractère grincheux par civisme. N'avait-il pas refusé une table à un industriel, propriétaire d'une des plus somptueuses résidences sur les rives du lac de Zurich, parce que dans ses usines il fabriquait les mouvements d'horlogerie équipant les chars allemands ? Ce n'était pas ainsi, affirmait Kolly, qu'on défendrait l'honneur du pays. Il le ressassait, moralité et discipline devaient cohabiter. Kolly n'avait pas compris les propos de l'écrivain Charles-Ferdinand Ramuz, qui avait déclaré que si la Suisse existait encore, ce n'était pas évident, à la fin du xxᵉ siècle, ce ne serait plus qu'un peuple de portiers d'hôtels.

Kolly était ainsi, fier d'être suisse, heureux d'être hôtelier, toujours disposé à aider Grüninger en toute discrétion, dans ses missions de sauvetage. En revanche, il répétait à qui voulait l'entendre que la Croix-Rouge internationale devrait se préoccuper du sort des victimes d'Hitler. Il n'en était rien. Heureusement pour la réputation historique de la Suisse, il y avait des Grüninger. Hélas, on les comptait sur les doigts d'une main.

Avec l'accord de Kolly, Théo avait abandonné ses casseroles, retiré son tablier et suivi Grüninger dans un petit bureau où étaient fixés sur tout un mur le drapeau suisse et sur son vis-à-vis l'étendard du canton de Saint-Gall. Deux fauteuils de cuir défraîchis, une table basse sur laquelle Kolly avait fait déposer deux verres gravés aux armes saint-galloises et une bouteille d'Henniez, l'eau gazeuse nationale.

Théo emplit les deux verres, silencieux, ignorant ce que Grüninger attendait de lui.

Paul hésitait, il ne quittait pas des yeux les mains de l'apprenti. Qu'elles étaient fines ! Qu'ils étaient longs ces doigts ! Pas vraiment destinés à frotter des casseroles. Théo l'avait confié à Grüninger, sans amertume, tant il mesurait sa chance d'être en vie, mais il n'oubliait pas qu'à dix-huit ans, au Conservatoire de Munich, ses maîtres voyaient déjà en lui un des plus brillants pianistes du siècle. A cinq ans, ce fils d'enseignants littéraires interprétait des sonates de Chopin avec une telle délicatesse que ses proches n'hésitaient pas à le comparer à Clara Schumann ou à Marguerite Long qui ne jouait plus en Allemagne depuis que les nationaux-socialistes s'étaient emparés du pouvoir. Théo avait obtenu un premier prix de piano, un premier prix d'harmonie, l'année où Hitler avait interdit aux Juifs l'exercice de toute profession artistique. Théo rêvait de jouer un concerto de Brahms avec l'orchestre de Bavière dirigé par Wilhelm Furtwängler, quoiqu'il soit un intime d'Hitler. Rêve envolé. Il s'était retrouvé jeune Juif errant dans les rues de Munich dans l'attente d'être déporté, avant de réussir à passer en Suisse.

Avant qu'ils aient échangé la moindre parole, le bagagiste de l'hôtel, Franz Schultz, originaire de Schwyz où ses parents, spécialistes de l'élevage bovin, étaient testeurs des différents laits destinés à la fabrication des fromages à fondue, frappa à la porte. Sans même attendre la réponse, il pénétra, essoufflé, dans la pièce, à la grande surprise de Théo Weill et, surtout, de Grüninger auxquels Kolly avait assuré qu'en aucun cas ils ne seraient dérangés.

— M. Kolly m'envoie vers vous... c'est très grave...

Il peinait à s'exprimer.

— Un client arrivant d'Allemagne... un habitué de l'hôtel... un homme d'affaires berlinois... s'est présenté à la réception... Il a rapporté ce dont il avait été témoin... au poste de douane... côté suisse...

Théo Weill demeurait muet, Grüninger ne cachait pas son inquiétude. Kolly n'était pas homme à perturber l'entretien pour un motif futile.

— Parle ! De qui s'agit-il ? De quoi s'agit-il ?... C'est la guerre ?

Schultz, le visage encore marqué par l'effroi qu'il avait partagé avec son patron, lâcha :

— Cet homme vient de nous prévenir que M. Prodollier a été arrêté alors qu'il tentait de passer la frontière pour la seconde fois.

— Par la Gestapo ? l'interrompit Grüninger, soudain terrifié.

— Non, non, reprit Schultz, par un Suisse. Devant le poste. Alors que deux gardes-frontières le menottaient, Prodollier hurlait son statut de diplomate et son nom. Sans résultat.

— Prodollier était-il seul ? interrogea Grüninger.

— Non, toujours selon notre client, il était accompagné d'un Juif.

Grüninger, le visage creusé, avait besoin d'en apprendre davantage. Il se leva pour sortir, Franz Schultz ajouta :

— Prodollier arrêté, le Juif se serait enfui à toutes jambes. Paniqué, il aurait pris par mégarde le chemin de l'Allemagne, des SS de service à la frontière l'auraient immédiatement interpellé. A la satisfaction de notre client, amusé d'avoir assisté à un tel incident.

— Ce type est là ? On peut le voir ?... Je ne comprends pas l'attitude de mes douaniers envers Prodollier... J'exige d'autres détails.

A mi-voix, avant de se retirer, il dit encore :

— Vous connaissez M. Kolly, il n'aime guère les Allemands qui se félicitent d'assister à ce genre de scène... Pour ce client, réjoui du spectacle auquel il avait assisté, il n'y avait plus de chambre disponible... Il ne manque pas d'hôtels à Saint-Gall. L'homme, pourtant un habitué, est sorti en maugréant, sans lâcher une valise qui me paraissait très lourde. Dès qu'il eut tourné le dos, M. Kolly m'a envoyé vers vous.

Franz Schultz n'ajouta rien, s'éclipsa dans le couloir sombre menant au hall d'entrée.

Grüninger, impatient, voulut le suivre. Théo Weill, qui n'avait pas prononcé un mot, tenta de le retenir.

— J'ai encore quelque chose d'important à vous apprendre. J'ai l'œil, je suis certain que cela vous intéressera.

Grüninger savait que Weill ne parlait jamais au hasard et qu'il n'était pas homme à colporter rumeurs et légendes. Il tenait déjà la poignée de la porte, il la lâcha et reprit sans dire un mot sa place dans le fauteuil. Weill avait compris que le capitaine était disposé à l'écouter.

— J'aurais dû vous aviser, je n'ai pas osé... Il y a quelques jours, je ne me souviens plus de la date exacte, deux hommes que je n'avais jamais vus ici ont déjeuné au restaurant de l'hôtel. Contrairement aux Suisses qui n'accordent que peu de temps au repas de midi, à 3 heures ils discutaient encore. M. Kolly avait fait son habituel tour de salle, toutes les tables s'étaient vidées, il n'y avait plus que ces deux hommes, assis dans la pénombre, loin de la cheminée.

— Et alors, qu'as-tu vu ? Que sais-tu ? insista Grüninger.

— Comme il ne restait que ces deux clients, M. Kolly est passé en cuisine et m'a demandé de m'occuper d'eux, de les satisfaire s'ils souhaitaient quoi que ce soit et de leur présenter l'addition, ce que j'ai pris pour une preuve de confiance. Il est vrai que leur service achevé, tous les employés de salle avaient quitté le restaurant. M. Kolly luimême est venu dans ce bureau pour, comme chaque jour à la même heure, faire tranquillement ses comptes de midi et de la nuitée précédente, à l'abri des regards indiscrets. En Suisse, ce qu'un commerçant gagne doit rester secret, par crainte de la concurrence.

— Et alors ? demanda Grüninger.

— L'un et l'autre, reprit calmement Théo, ont commandé des cafés au lait. La discussion paraissait vive, alors j'ai pris mon temps, j'ai passé la panosse sur le sol et j'ai tendu l'oreille.

— Ensuite ? insista Grüninger.

Apparemment l'impatience du chef de la police amusait Théo. Après s'être servi un verre d'Henniez, qu'il but sans se hâter, il déclara sur un ton volontairement solennel :

— L'un des deux dîneurs, apparemment un Suisse, annonça à son interlocuteur que le gouvernement fédéral accordait au Reich un crédit de cinq cents millions de francs suisses, pour l'achat chez Oerlikon, à Zurich, de matériels d'armement lourd. Après cette déclaration, ils se sont levés et se sont très chaleureusement serré la main. Je leur ai présenté la facture, le Suisse a payé.

— Poursuis, s'il te plaît !

— Je suis retourné derrière le comptoir du bar, je les ai vus sortir bras dessus, bras dessous mais j'ai néanmoins entendu, quand le Suisse a signifié l'accord du Conseil fédéral pour ce crédit à l'économie nazie, que le banquier saint-gallois Stahler servirait d'intermédiaire et réglerait les détails.

Grüninger sut se dominer. Ce qu'il venait d'apprendre était une véritable atteinte à la neutralité mais, sans l'avoir voulu, il suivait la trace de Stahler.

— Quand j'ai entendu le nom de ce banquier, reprit Théo, il m'a semblé que ce n'était pas la première fois... Promettez-moi de n'en rien dire à M. Kolly, s'il apprenait que je parle de la clientèle il me chasserait.

— Tu as ma parole.

Théo reprit, en murmurant alors que nul ne pouvait l'entendre :

— Stahler... cela m'a rappelé quelque chose. Peu de jours auparavant, une femme a passé deux nuits à l'hôtel. J'ai profité d'une absence de M. Kolly pour consulter le registre des arrivées dans lequel, sur ordre de Rothmund, doivent désormais figurer tous les motifs du séjour.

Grüninger brûlait d'impatience d'en apprendre davantage. Théo le devina.

— Cette femme se nomme Frederika Wittenberg. Sur le registre, elle a inscrit être de nationalité allemande et se rendre à Lucerne où, artiste peintre, elle aurait un rendez-vous avec un galeriste... Franz Weilmüller.

Théo ne saisit pas dans l'instant pour quelle raison Paul Grüninger le serra longuement entre ses bras.

Quand il sortit du Krone, après avoir chaleureusement remercié Kolly d'avoir libéré un moment Théo de ses tâches, pour la première fois depuis longtemps et malgré la tristesse d'avoir appris l'arrestation de Prodollier, il sembla à Paul qu'au-dessus de l'abbatiale le ciel était plus bleu qu'à l'accoutumée.

Il n'avait qu'un regret : ne pouvoir partager ses espoirs avec Martha, qui entrerait bientôt dans l'éternité.

A quelques mètres du Krone, il y avait une pâtisserie où l'épouse de Grüninger achetait régulièrement quelques douceurs. Sans réfléchir, il entra dans la boutique, prit dans une vitrine une tarte aux cerises, l'engloutit avant même de l'avoir payée.

11

Berne se réveillait. Avec une ponctualité que rien ne semblait jamais pouvoir entraver. Les premiers tramways grinçaient sous les arcades, les bars à café ouvraient leurs portes, les dernières lumières de la capitale endormie s'éteignaient l'une après l'autre. Le concierge de service au palais fédéral, siège du gouvernement et des deux chambres du Parlement, pourrait rentrer chez lui dans un faubourg de la capitale. Rien n'était venu perturber sa garde. D'un pas rapide s'ils craignaient d'arriver en retard, en tramway si leur domicile était trop éloigné de la vieille ville, les fonctionnaires des différentes administrations, costume sombre, cravate terne, chemise unie, quasiment tous à l'identique, retrouveraient à 8 heures précises les tâches abandonnées la veille quand 17 heures avaient sonné à l'église de la Nydegg. Pour un étranger, la flânerie sous les arcades prenait vite la forme de l'ennui dans ce long salon de vieilles pierres où on s'efforçait, souvent sans résultat, de percer les secrets de la vie politique, des secrets qui généralement n'en étaient pas. Les ours eux-mêmes réclamaient dans leurs fosses leurs premiers glands de la journée.

Au palais fédéral, les sept membres du gouvernement, sagement répartis en tendances, langues et cantons, arrivaient soit à pied, soit en tramway, sans que quiconque ose les interpeller. Aucun ne logeait au palais et ne disposait d'une voiture de fonction. Les dirigeants du pays ne voulaient être que des citoyens comme les autres, ne devant leur titre de ministres conseillers qu'à la volonté des électeurs. Les femmes étaient exclues de la vie politique et avaient pour obligation de gérer la vie familiale, conscientes comme leurs parents qu'il n'y a en Suisse qu'un art de vivre, celui de la mesure du temps. Petites gens, notables ou banquiers, tous appliquent une règle simple : midi, dîner... 7 heures, souper... A quelque échelon de la hiérarchie qu'on appartienne, on se devait de respecter cet usage de bienséance, imposant aussi à tout Suisse honorable de ne jamais évoquer au cours d'un repas ce qui pourrait susciter des fâcheries. Le secret des pensées personnelles, tout comme celui des fortunes, était, plus qu'une vertu, une institution.

Ceux que Rothmund avait convoqués n'ignoreraient rien de cela mais durant la réunion, consacrée à l'immigration, toute erreur de jugement, tout mensonge serait sanctionné. Du meilleur de ses amis, Rothmund était décidé à ne supporter aucun manquement au respect des lois. Responsable de la police fédérale, il ne s'enliserait pas dans le sable de la compassion. On l'avait choisi pour son caractère autoritaire, il ne se déroberait pas.

Giuseppe Motta, de retour des funérailles du pape Pie XI, où il représentait la Suisse, ressentait la fatigue du voyage à Rome et, quoique conseiller fédéral aux Affaires étrangères, n'avait guère envie de discourir sur la position à prendre face aux dirigeants du Reich dont on prétendait – ce n'était encore qu'une rumeur – qu'ils ne tarderaient pas, après la Tchécoslovaquie, à envahir la Pologne.

Motta ne partageait pas l'admiration de Fröhlicher, l'ambassadeur à Berlin, pour Hitler et ses acolytes mais, comme Rothmund, chef du département de Justice et Police, il avait estimé nécessaire et sage d'interdire l'entrée dans le pays aux migrants juifs. Il y avait eu les Allemands, les Autrichiens, les Tchèques... Si demain Hitler envahissait la Pologne, où la communauté juive était importante, nombre d'entre eux voudraient transiter vers les Etats-Unis où des milliers de leurs coreligionnaires vivaient déjà, voire s'installer en Suisse. Pour éviter tout débordement, et sur l'insistance de Rothmund, Motta avait libéré Prodollier de son assignation à domicile et l'avait nommé consul à Rotterdam, pour l'éloigner, ignorant sans doute qu'aux Pays-Bas les Juifs songeaient déjà à fuir si, comme c'était probable, l'armée allemande envahissait le pays. Ce ne serait certainement pas pour y admirer les champs de tulipes mais pour établir une base d'où elle préparerait un débarquement sur le sol anglais. Hitler avait la délirante volonté de devenir le maître de l'Europe, il n'avait pas encore échoué. Si la Suisse voulait préserver sa fausse neutralité de la domination nazie, comment ne pas pactiser avec le Diable ?

Motta avait l'habitude de chantonner sous la douche, avant de s'habiller puis, seulement avant de partir pour le palais, d'avaler, dans la cuisine de son quatre-pièces, un café crème dans lequel il trempait une biscotte méthodiquement couverte de confiture de cassis, en écoutant les informations de 7 h 15.

Depuis que la radio avait pris de l'importance, jusque dans les chalets de haut alpage, la Société suisse de radiodiffusion était placée sous le contrôle direct du Conseil fédéral. Chaque soir, un adjoint de Motta rédigeait le texte des nouvelles, strictement identique dans les quatre langues nationales et débité sur un ton obligatoirement neutre, c'est-à-dire monotone, par un speaker de l'Agence télégraphique suisse, organisme d'Etat, comme la TSF. Faits divers, actualité culturelle étaient strictement bannis de ces bulletins ponctués par une annonce météo qui faisait sourire les auditeurs. Conçue avec plusieurs jours d'avance, afin d'aviser éleveurs et agriculteurs du temps à venir, elle n'était fiable qu'une fois sur dix. Personne ne se plaignait, c'eût été offenser l'autorité que chacun se devait de respecter.

Heinrich Rothmund, qui espérait tirer un avantage politique de cette réunion, avait établi lui-même la liste des participants : Motta s'imposait, par sa fonction... Pilet-Golaz, autre conseiller fédéral appelé, selon toute probabilité, à prendre la succession de Motta aux Affaires étrangères... Paul Grüninger parce que directement concerné... Valentin Keel, le conseiller d'Etat saint-gallois, expert en problèmes d'immigration dans son canton. N'était-ce pas malheureusement à sa frontière avec l'Allemagne qu'il y avait eu le plus de passages illégaux ?

Rothmund avait aussi convié Franz Weilmüller, le galeriste lucernois qu'il avait reçu à sa demande quelques semaines plus tôt. Celui-ci avait accepté les conditions imposées par Rothmund, il se ferait discret, n'arriverait au palais fédéral qu'après le début de la réunion et attendrait à la buvette du Conseil des Etats d'être introduit dans le salon de réunion si Rothmund jugeait sa présence utile.

Malgré les réticences de Giuseppe Motta, Rothmund avait décidé afin, sans doute, de donner à cette réunion matinale un caractère plus solennel qu'elle se tiendrait dans le salon bleu, dit salon des Ambassadeurs. Moquette bleue, tapisserie bleue, fauteuils profonds et confortables autour d'une table ronde fleurie en permanence d'une composition en étoile de roses jaunes, une variété rare cultivée à Berne dans le jardin des Roses, proche du palais. Les hôtes officiels avaient ainsi le sentiment d'être bien reçus dans un pays où les réceptions n'avaient qu'un but : vanter les mérites de la neutralité et n'engager de discussions strictement commerciales qu'avec les représentants accrédités des nations étrangères.

Le gouvernement suisse auquel on prêtait de sombres accords avec le Reich, voulait montrer qu'en toutes circonstances il observerait une neutralité « correcte ». Motta n'aurait pas juré qu'il suffisait d'une tasse de café dans une pièce richement meublée et agréablement fleurie du palais pour convaincre ses hôtes de la sincérité de la Suisse, d'autant que la propagande nazie répétait qu'en Europe, entre vallons et montagnes, la Confédération helvétique était leur meilleure alliée.

De tous les participants, Paul Grüninger était certainement le plus inquiet. Il était arrivé la veille dans la soirée et, ne voulant pas se montrer au Schweizerhof quoique ayant les moyens d'y loger, il avait loué une chambre au Modern Hotel, une résidence calme d'où il pouvait apercevoir par la fenêtre à petits carreaux le dôme verdâtre du palais fédéral. Quelques heures avant de monter dans le train, Grüninger avait reçu un appel téléphonique de Valentin Keel :

— Je vais à Berne... Toi aussi, je crois... Veux-tu que nous voyagions ensemble ?

Grüninger avait décliné poliment l'invitation. Il pressentait, sans que Rothmund l'en ait informé, les raisons de la présence de Keel à Berne : on y examinerait la politique aux frontières.

Après de rapides poignées de main, chacun, s'efforçant de deviner la pensée de ses voisins, s'assit autour de la table, devant le petit carton

199

indiquant son nom et la place à occuper. Motta, Pilet-Golaz et Rothmund faisaient face à Keel et Grüninger.

Rothmund et Motta en étaient convenus, quoique la réunion ait été organisée par le chef du département de Justice et Police, il appartiendrait par respect du protocole au conseiller Motta, en charge des Affaires étrangères, de s'exprimer le premier.

Giuseppe Motta n'avait rien préparé. Pas la moindre note écrite. Trop fatigué par le séjour à Rome et la maladie qu'il ne parvenait pas à surmonter, il aurait préféré rester auprès de son épouse à écouter une symphonie de Mozart, le compositeur dont il ne se lassait jamais et dont la grâce n'était pas altérée par le grattement régulier de l'aiguille sur le disque. Il avait le sens du devoir et n'avait pas cherché à se dérober ; les exigences de sa charge passaient avant la musique.

— Messieurs, dit-il, en évitant les regards de Valentin Keel et de Paul Grüninger, la presse romande, informée par je ne sais quel espion, venu de l'étranger avec des documents dont j'aime à croire faux, fait mention des passages sur notre territoire en moins d'une année de quarante-neuf convois d'armes légères à destination de l'Italie par le Gothard... Par précaution et sagesse, nous suspendrons pendant quelques semaines ces livraisons, je vous invite néanmoins à veiller, particulièrement à la frontière entre Saint-Gall et l'Allemagne, au strict respect de notre neutralité.

Motta s'arrêta un instant, avant d'achever :

— Le Conseil fédéral fera distribuer à la presse un communiqué résumant ce que je viens de vous déclarer. Evitons tout incident fâcheux avec les nations voisines.

Rothmund gardait le visage fermé, Pilet-Golaz semblait absent, quant à Keel et Grüninger, ils avaient la conviction que cette réunion convoquée en urgence avait un autre objet qu'une déclaration officielle sur une livraison à l'Italie du Duce. Qui aurait osé démentir que des engins modernes suisses équipaient l'Abwehr et les *carabinieri* fascistes ? Il devait y avoir autre chose. D'ailleurs, Rothmund ne leva pas la séance. Sitôt le propos de Motta achevé, il tira de la poche intérieure de sa veste une feuille pliée. Une lettre manuscrite qui lui avait été personnellement adressée.

Rothmund prit la parole, sur le ton d'un président de tribunal criminel annonçant une condamnation à mort :

— Monsieur le conseiller d'Etat socialiste – il accentua le mot *socialiste* –, monsieur Valentin Keel, monsieur Grüninger, chef de la police cantonale saint-galloise, si j'ai souhaité votre présence ce matin à Berne, la raison en est simple. Le doute n'est pas possible, il appartient à la police de connaître la vérité sur une affaire trop grave pour être négligée.

Sans prononcer un mot, Keel et Grüninger, côte à côte, demeuraient immobiles. Rothmund d'une voix ferme donna immédiatement lecture du texte qu'il tenait dans sa main droite.

— Messieurs, reprit-il, il semblerait selon notre correspondant qu'au début de l'année la municipalité de Saint-Gall se soit vue dans l'obligation d'ouvrir un bureau pour répondre aux nombreuses demandes d'émigrants juifs venus d'Autriche et d'Allemagne. Après vérification auprès de mes collègues à Zurich et à Bâle, ces administrations sont beaucoup moins débordées et ne reçoivent de requêtes que de quelques Juifs souhaitant pénétrer en Suisse avant notre décision de fermer les frontières. Malgré toute l'énergie des fonctionnaires saint-gallois, il est impossible de continuer ainsi. Il nous semble que dans ce canton la police se montre trop clémente, le nombre de demandeurs d'asile a augmenté de manière notable. Nous avons vu arriver des personnes indésirables et des malades âgés qu'il est impossible d'accueillir dignement dans le camp de Diepoldsau, l'infirmerie n'étant pas installée et les médecins saint-gallois n'ayant pas vocation à soigner bénévolement des migrants dont nous sommes convaincus qu'ils ont franchi frauduleusement la frontière.

Rothmund releva la tête et fixa du regard Keel et Grüninger.

— Suivent quelques formules de politesse, conclut Rothmund.

Si Valentin Keel n'avait pas paru troublé, rien, pas un clignement d'œil, pas un geste des mains, Grüninger, lui, s'attendait à une dénonciation, elle arrivait. Sans montrer d'émotion, sa seule remarque fut de demander :

— Pourrait-on avoir connaissance du nom du signataire de cette lettre ?

Rothmund s'attendait à la question, il avait prévu la réponse.

— Pourquoi pas, monsieur Grüninger ? Auparavant j'aimerais vous poser une question… sur une personne de vos relations, je crois.

Grüninger, dissimulant mal sa surprise, rétorqua :

— Puis-je me permettre de vous demander de qui il s'agit ?

L'atmosphère de la réunion devenait lourde. Au prétexte de la fatigue, Motta s'excusa et sortit, suivi de Pilet-Golaz qui reprocha assez sèchement à Rothmund de l'avoir convoqué à une heure aussi matinale pour une affaire ne le concernant pas.

— Pas encore, lâcha Rothmund.

Grüninger l'avait noté, dans ce bref échange l'un et l'autre s'étaient exprimés en français – Pilet-

Golaz était natif du canton de Vaud, en Suisse francophone –, une langue que Paul Grüninger parlait, comme la règle l'imposait à tout haut fonctionnaire. Rothmund se trouvait désormais seul face aux deux Saint-Gallois, comme il l'avait souhaité.

Oubliant momentanément la présence de Keel, il s'adressa directement à Grüninger :

— Monsieur Grüninger – il ne le désignait pas par son grade –, je vous connais depuis longtemps et vous avez toujours usé de votre autorité avec une loyauté que je respecte...

Il prit un temps.

— Je m'efforce alors de comprendre pour quelle raison vous avez facilité le transit de...

Il marqua un autre temps. Grüninger n'en doutait plus, il allait être accusé d'avoir facilité l'entrée illégale de Juifs dans le pays. Rothmund semblait réjoui de voir le policier saint-gallois plongé dans une sorte de brouillard, il toussota et poursuivit :

— Pourriez-vous me confirmer, mais peut-être n'étiez-vous pas au courant du contenu, que vous avez demandé à vos douaniers de ne pas s'intéresser aux paquets dont votre ami le banquier Stahler était destinataire ?

— M. Stahler n'est pas mon ami... une connaissance locale tout au plus, répliqua Grüninger.

— Et Martha Stahler ? Elle aussi est une simple connaissance locale ?

Que répondre ? Grüninger, pouvait-il nier qu'il fréquentait Martha et qu'elle lui rendait de nombreux services ? Inutile. Rothmund semblait bien informé mais par qui ? Rothmund, qui avait ordonné la fermeture des frontières et jeté des milliers d'innocents, d'une « race inférieure » selon la formule de Goebbels, entre les griffes des nazis, participant aveuglément à une meurtrière démence collective, ne serait pas même troublé d'apprendre l'état dans lequel se trouvait l'épouse du banquier. Refusant de s'adresser à Rothmund, Grüninger se tourna vers Valentin Keel.

— Toi, tu sais que je n'aurais jamais consenti à fermer les yeux sur un quelconque trafic à la douane... Tu connais Stahler mieux que moi... Tu as certainement un avis sur la question...

Valentin Keel, très maître de lui, répondit, sans regarder ni Rothmund ni Grüninger :

— J'ai aperçu deux ou trois fois ce banquier au restaurant l'Edelweiss... J'ignore tout de ses activités... Je n'ai qu'un compte en banque... à l'UBS[1]. Alimenté par mes indemnités mensuelles auxquelles s'ajoutent quelques francs pour mes prestations dans l'industrie chimique à Bâle, où je réside une partie de l'année. Un conseiller cantonal honnête ne fait jamais fortune... Je n'ai rien à ajouter.

Pour Grüninger, c'était un nouveau coup dur. Assez surprenant dans la bouche d'un camarade socialiste de longue date. Pas une phrase, pas un mot pour lui venir en aide. Grüninger ne parvenait pas à croire que, comme tant d'autres politiciens, au nom du « surtout pas d'histoires », Keel avait acquis une excellente pratique du mensonge. N'avait-il pas reçu à plusieurs reprises Martha Stahler, à la demande de Grüninger, pour lui fournir quelques adresses afin que les plus démunis des migrants soient accueillis dans des familles aisées, hostiles à tout refoulement ? Des citoyens généreux qui les nourriraient, les logeraient sans contrepartie financière alors que Rothmund leur avait interdit toute activité rémunérée susceptible de retirer le pain de la bouche des « bons » Suisses ?

---

1. Union de banques suisses.

Grüninger ne pouvait plus cacher son désarroi. A la grande satisfaction de Rothmund qui n'avait qu'une hâte : punir le seul chef de police des vingt-cinq cantons à ne pas refouler les migrants.

Tous les autres, y compris à Genève où, à l'exception d'Oltramare, on n'appréciait guère le régime nazi, n'hésitaient pas, sans même écouter les explications ou les gémissements de ceux dont le sort serait scellé dès qu'ils auraient franchi la barrière séparant la Suisse de l'Allemagne. Les SS les attendaient, avec matraques et parfois des fouets ; ils seraient directement conduits dans les camps de concentration. Les gardes, fonctionnaires de police et de douane, feignaient de ne pas voir. Comment pouvaient-ils appliquer aussi strictement les consignes ? Pour un Suisse en uniforme, le règlement, c'est le règlement. Faire preuve de clairvoyance et d'humanité serait considéré comme une forme de désobéissance, une faute patriotique. Ils savaient pourtant que les hommes seraient dirigés vers Dachau ; les femmes et les gamins en bas âge, vers Ravensbrück, où on utilisait les premières chambres à gaz. Toute tentative de fuite était impossible : à quelques mètres d'une terre d'asile, une rafale de mitraillette mettait un terme définitif à leurs espoirs.

Rothmund n'avait jamais d'états d'âme, il ne supportait aucune exception. Selon toute probabilité, Grüninger avait, lui, à Saint-Gall la pratique des exceptions. Il falsifiait des visas. Rothmund n'en avait pas la preuve formelle, cela ne devrait pas tarder.

Le moment était donc venu pour Rothmund de le confondre. Il se leva, appuya sur un bouton. Une jeune recrue, affectée au palais parce que ses parents étaient liés à un conseiller d'Etat, se présenta, effectua un impeccable salut militaire et attendit les ordres.

— Allez à la buvette... Vous y verrez un homme que vous n'avez encore jamais rencontré dans le palais. Ramenez-le ici... Soyez sans crainte, il est prévenu.

Ils se sentaient mal à l'aise. Rothmund tirait sur sa cigarette, Grüninger, inquiet, se servit un café ; quant à Keel, après quelques secondes d'hésitation, il demanda si on avait encore besoin de lui et, le plus aimablement du monde, déclara, se félicitant d'avoir trouvé le meilleur prétexte :

— Vous me pardonnerez, je dois sauter dans le train de 11 h 02 pour Zurich. Le conseiller Etter[1] doit prendre la parole à 14 heures, au pavillon central de l'Exposition nationale, pour souligner, malgré la situation dans les pays voisins, notre volonté commune de liberté, de respect des droits de l'individu et d'union de toutes nos classes sociales. Et vous connaissez la ponctualité rigoureuse du conseiller Etter. Lorsque, à la fin de l'année, il remettra les clés de la maison Suisse à son successeur nous regretterons un politique dont personne ne discute les vertus civiques. Il aura su préserver la paix. Puisse celui qui, pendant un an, aura la charge de diriger le pays garantir notre neutralité.

Satisfait, Keel se leva et, après une rapide poignée de main aux deux autres, sortit. Sans se retourner. Il ne manquait qu'une fanfare pour l'accompagner.

Les occasions étaient trop rares pour ne pas en profiter. Sans se concerter, dès que Keel eut fermé la porte derrière lui, Rothmund et Grüninger, seuls, face à face, pour quelques instants encore, ne purent s'empêcher de rire. Connaissant Keel, ils savaient que, même dans un entretien intime, il

---

1. Président de la Confédération.

s'exprimait avec la solennité d'une joute oratoire, il ne maîtrisait jamais sa fougue naturelle, identique à celle qu'il montrait dans les assemblées politiques, qu'il y ait trois ou trois cents auditeurs. Le rire se figea rapidement. Le temps pour Rothmund et Grüninger de prendre conscience, tels des coqs dressés sur leurs ergots, qu'ils allaient devoir combattre.

Rothmund hésitait. Pour évoquer la correspondance de Stahler, il lui parut opportun d'attendre le moment où il deviendrait évident que le dénommé « Paul » désigné dans ce courrier ne pouvait être que Grüninger. Le visiteur, qui dans un instant les rejoindrait dans ce salon, serait pour Rothmund un acte évident d'accusation. Qu'on y ajoute les éléments dont il avait déjà conscience, Grüninger serait contraint, s'il voulait conserver son poste, de mettre un terme définitif à l'afflux illégal des Juifs cherchant à fuir l'Allemagne, d'autant qu'Hitler avait décidé d'appliquer aux Juifs ce que Reinhard Heydrich avait appelé la « solution finale ». Cela ne concernait pas le gouvernement suisse. La plupart des Juifs nationaux l'avaient parfaitement compris et Ludwig Lévy lui avait écrit pour lui confirmer que la communauté juive de Suisse n'apporterait aucune aide à ses coreligionnaires des pays voisins. Rothmund avait répondu à l'avocat zurichois qu'il appréciait un comportement aussi patriotique.

Bien qu'il soit entré avec des faux papiers sur le territoire suisse, le Conseil fédéral avait à l'unanimité signé le décret d'absolution du dénommé Thomas Meinchacht, libéré de la prison de Bochuz ; il serait autorisé à réintégrer librement le territoire allemand. Auparavant, et pour remercier les autorités suisses de leur bienveillance, l'ancien détenu devrait déjeuner à Berne, au Schweizerhof avec Rothmund, désireux de montrer à qui les verrait la bonne entente maintenue entre les polices suisse et allemande. Au cours du repas, Meinchacht avait raconté qu'à la base de Payerne il voulait s'assurer de la loyauté du pilote Crochez qui transportait régulièrement des œuvres volées dans des résidences juives et qui en transmettait la totalité au galeriste lucernois Weilmüller. Celui-ci avait accepté de les négocier. Après chaque vente, il remettait au banquier Stahler de Saint-Gall une commission non déclarée au fisc suisse. Weilmüller, selon ses déclarations, n'avait jamais vérifié si ces sommes, souvent importantes, étaient transférées en Allemagne.

Meinchacht voulait montrer sa bonne volonté et son intention de collaborer avec la police allemande dans la traque des migrants juifs illégaux. Certes, Crochez, originaire de Versoix, était un excellent pilote qui par chance avait échappé à l'accident du Douglas immatriculé HBIT, assurant une liaison commerciale entre Zurich et Paris, qui avait dû faire un atterrissage forcé à La Chapelle-en-Serval, dans la région parisienne, près de Senlis. Accident dans lequel avaient péri trois des quatorze occupants, des passagers de nationalité anglaise et un seul Suisse. Rothmund avait néanmoins promis que Crochez serait radié de l'armée de l'air de la Confédération. Sans aucune indemnité de licenciement.

Pour Rothmund, la dénonciation de Crochez était très importante. Si le sort du pilote congédié l'intéressait peu, en revanche il retrouvait encore Stahler sur son chemin. Comment Stahler n'aurait-il pas été mêlé aux fraudes de Grüninger ? Décidé à enfermer Grüninger dans l'étau de ses défaillances, il avait téléphoné à Saint-Gall, au siège de la banque Stahler. Un employé, flatté que le chef du département de Justice et Police s'intéresse à lui, lui avait exprimé ses regrets de ne pouvoir le satisfaire.

« M. Stahler, nous ne l'avons pas vu depuis longtemps, lui avait-il déclaré sur un ton larmoyant, tout le personnel de la banque est consterné.

— Depuis quand ? » avait insisté Rothmund.

La réponse de l'employé était significative, la disparition de Stahler coïncidait avec la date d'expédition de la lettre qu'il avait envoyée à Rothmund.

Neuf heures sonnaient à l'horloge du salon quand Weilmüller fit son entrée. Rothmund et Weilmüller, qui s'étaient déjà rencontrés, feignirent de ne pas se connaître. Rothmund, après les présentations, invita chacun à s'asseoir, Grüninger et Weilmüller côte à côte, face à lui.

— Monsieur Weilmüller, connaissez-vous le capitaine Grüninger, chef de notre police cantonale à Saint-Gall ?

— Pas du tout, répondit-il.

— Bien, bien... reprit Rothmund.

Pour lui, la traque à l'officier félon ne faisait que débuter, il était décidé à ne pas lâcher prise. Grüninger, lui, s'interrogeait : quelle était l'activité de ce Weilmüller au physique de notaire vaudois qui s'exprimait dans un allemand parfait, très différent des accents schweizerdeutsch couramment utilisés en Suisse alémanique. Maîtrisant difficilement la colère qui montait en lui, Grüninger s'adressa directement à Rothmund :

— S'il s'agit d'une confrontation, je connais assez bien les habitudes de la police pour vous demander, comme tout citoyen, les raisons de la présence ici de M. Weilmüller...

209

Rothmund ne s'exprimerait pas au hasard. Qu'il commette la moindre erreur dans la stratégie qu'il avait arrêtée, en accord avec Motta, Grüninger lui échapperait. Il choisit de se montrer cordial :

— Pardonnez-moi, capitaine, je pensais que M. Stahler — lui, vous le connaissez bien, n'est-ce pas ? — vous avait parlé de M. Weilmüller, un des meilleurs spécialistes suisses de l'art contemporain, galeriste à Lucerne... J'ai souhaité sa présence afin de vous éviter des ennuis inutiles... Ce qu'il va dire devrait vous intéresser... Nous vous écoutons, monsieur.

Weilmüller, dans ce salon du palais, sentait peser sur lui toute l'histoire récente de la Confédération. Sur la cheminée étaient disposées des photographies de personnalités reçues à Berne, dont un portrait de Mussolini, la veille du jour de 1938 où il avait été fait docteur *honoris causa* de l'université de Lausanne. Avait suivi une somptueuse réception à Berne où, dans les rues empruntées par le cortège entre la gare et le palais, toutes les façades étaient couvertes de drapeaux et de banderoles aux couleurs italiennes, suisses... et bernoises, avec leurs ours brodés, symboles de la capitale fédérale.

Le galeriste croisa les jambes et, réflexe habituel, quoique cela ne soit pas visible sous la table, vérifia que ses chaussettes montaient assez haut pour cacher ses mollets. Intimidé malgré lui d'avoir à s'exprimer devant deux policiers de haut rang, il répéta d'une voix blanche ce qu'il avait rapporté à Rothmund lors d'une rencontre, qu'à présent il regrettait :

— Pardonnez-moi, monsieur Grüninger, je sais en quelle estime vous tiennent les Saint-Gallois mais, lorsque résonnent à nos oreilles des bruits de guerre, les gens ne s'intéressent plus guère à l'art, notre commerce en souffre... Vous comprenez cela, n'est-ce pas ?

Il prit un temps avant d'ajouter à voix basse :

— Dans une période difficile, où personne n'est certain de ce qu'il adviendra le lendemain, n'est-il pas de notre devoir de citoyen d'informer les autorités d'activités éventuellement clandestines pouvant nuire à notre pays ?

Grüninger écoutait, silencieux, ne sachant pas trop où voulait en venir le galeriste. Stahler avait dû citer son nom devant lui à deux ou trois reprises... Rothmund commençait à s'impatienter, cognant sur la moquette du talon de ses bottes. Des bottes dont il possédait plusieurs paires car, que ce soit en tenue civile ou en uniforme militaire, excellent cavalier, il en était toujours chaussé. Quand il était de méchante humeur – c'était le cas en cet instant – il les frappait d'une fine badine qu'il n'abandonnait jamais. Il dit avec autorité :

— Très bien... Très bien, monsieur Weilmüller, je suis certain que M. Grüninger est tout comme moi sensible à votre intéressant préambule, maintenant nous aimerions entendre ce que vous avez à déclarer.

Weilmüller n'avait plus qu'à s'exécuter.

— Comme je vous en ai déjà informé – c'est ainsi que Grüninger apprit que les deux hommes avaient déjà eu un ou plusieurs entretiens –, je me suis rendu il y a plusieurs semaines dans une auberge autrichienne, proche de la frontière... Vous me permettrez de demeurer discret sur le nom de la bourgade et l'identité de l'aubergiste.

— Vous deviez vendre ou acheter ? l'interrompit Rothmund.

Ainsi donc les deux hommes s'étaient déjà rencontrés. Grüninger remarqua, en outre, que la question de Rothmund avait gêné Weilmüller, qui peinait à dissimuler sa surprise. Il devenait de plus en plus évident que si l'incorruptible Rothmund cherchait à perdre le policier saint-gallois, il n'était pas du genre à voler au secours d'un témoin convoqué.

— Ni l'un ni l'autre, bafouilla Weilmüller. Dans le marché de l'art, une première entrevue n'engage pas l'avenir. Il faut savoir être patient... et persévérant, insista-t-il.

— Soit... Soit, reprit Rothmund, de plus en plus rugueux.

Grüninger, impassible, écoutait. Avec attention, constatant que jusqu'à présent le témoin ne se montrait guère précis.

Après un bref silence, le galeriste, hésitant peut-être à lâcher ce qu'il avait appris, se lança sans réfléchir, tel un plongeur dans une piscine :

— Voilà, le repas achevé, une fois mon interlocuteur sorti de l'auberge, le patron m'a fait signe de le rejoindre.

Un silence, puis :

— Pardonnez-moi, monsieur Grüninger, mais selon cet aubergiste, un honnête homme qui, quoique allemand, n'a pas souhaité adhérer au Parti national-socialiste, vous auriez partagé votre déjeuner avec un couple de Juifs, allemands eux aussi. L'aubergiste vous a entendu les rassurer, leur promettre de les protéger. Sachant, s'ils étaient capturés sur le sol autrichien, qu'ils pourraient être dépouillés de tous leurs biens. Effrayés, ils vous auraient confié un sac de bijoux et une somme importante de francs suisses. Selon le restaurateur, ils auraient décidé de franchir la frontière sur un bateau à moteur, piloté par un passeur de votre connaissance, auquel pour prix de chaque voyage, vous remettiez cinquante francs.

Pendant le récit, Rothmund n'avait pas quitté Paul Grüninger des yeux. Celui-ci n'avait pas esquissé le moindre geste, la moindre réaction. Une véritable statue de marbre.

Rothmund remercia Weilmüller pour son témoignage. Le galeriste s'était déjà levé pour sortir, Grüninger le retint :

— Encore un moment, monsieur Weilmüller... si vous le permettez, monsieur Rothmund. J'aimerais compléter ce témoignage, très intéressant pour vous j'imagine, par ce que monsieur Weilmüller a, sans doute involontairement, omis de vous rapporter.

— Je vous en prie, répliqua Rothmund qui non seulement ne pouvait pas refuser, mais souhaitait entendre la version du chef de la police.

— Il y a parfois de curieux hasards, reprit très calmement Grüninger. Le village dont vous nous avez tu le nom, c'est Lustenau ; quant à l'auberge, il s'agit du restaurant Mineralbad, dont le patron, M. Stocker, n'est pas nazi, en effet.

Weilmüller voulut réagir :

— Je n'en disconviens pas, monsieur Grüninger. Ainsi vous connaissez l'auberge de Lustenau... C'est par souci de discrétion que j'ai préféré ne pas nommer M. Stocker.

Le visage de Rothmund se crispait, Grüninger comprenait qu'il reprenait l'avantage.

— Monsieur Weilmüller, je conteste formellement le contenu de vos déclarations, vous ne doutez pas un instant que si M. Stocker s'en tient à une stricte neutralité politique, ce qui n'est malheureusement pas le cas chez nous, en Suisse, c'est davantage pour protéger ses intérêts que par convictions personnelles.

Weilmüller regardait Rothmund qui regardait Grüninger.

— Capitaine, avez-vous encore quelque chose à ajouter ? demanda Rothmund avec une naïveté feinte.

213

Grüninger se leva et se trouva d'un bond à hauteur du visage de Weilmüller.

— Monsieur Weilmüller, vous êtes un excellent témoin... surtout un délateur. N'importe qui, sans qu'on le lui reproche, peut avoir des trous de mémoire. Pourquoi ne pas citer dans la clientèle de M. Stocker le banquier Stahler, aujourd'hui en fuite ? Il devait fréquenter régulièrement l'établissement : sans m'y avoir convié, il m'en a souvent vanté la qualité de la cuisine.

Weilmüller tremblait sur sa chaise. Dans la partie d'échecs entre Rothmund et Grüninger, celui-ci venait de marquer un point. Rothmund n'avait qu'une possibilité : lever la séance. Ce qu'il fit immédiatement, avant de sortir sans saluer ni Grüninger ni Weilmüller.

Le chef du département Justice et Police était furieux, ce qui se comprenait. Il n'avait plus qu'une idée en tête : il ne négligerait aucun moyen pour abattre Grüninger. Peu lui importait que des Juifs refoulés puissent être victimes de sa hargne à détruire le Saint-Gallois qui non seulement enfreignait la loi, mais venait de le ridiculiser.

Weilmüller n'avait pas faim. Egaré dans ses pensées, il se représentait les passants tels des fantômes, les yeux fixés sur lui. Plusieurs fois, il avait essayé de résister à Stahler, qui le pressait de dénoncer Grüninger. Aurait-il pu, s'il avait pris le temps de la réflexion, éviter ce rendez-vous avec Rothmund ? Les conséquences lui paraissaient à présent totalement imprévisibles. Comme d'autres Suisses, malgré le silence des autorités et de la presse de droite, il n'ignorait rien du sort réservé aux Juifs en Allemagne, en Autriche, en Tchécoslovaquie et sans doute bientôt en Pologne avec cette guerre qui chaque jour se précisait sur l'horizon européen. Accroître sa fortune par la pratique d'un négoce fructueux, parce qu'illégal et secret, il s'en accommodait ; aider Rothmund à faire tomber Grüninger, ce serait salir ce qui lui restait d'âme. Envoyer par sa faute des gens à la mort, il s'y refusait.

Depuis qu'il vivait en Suisse, dès le début de la dictature nazie sur l'Allemagne, il aurait voulu ignorer les horreurs commises par les bourreaux, c'était impossible. L'escalade de la violence et de la terreur, la persistance de la haine, de l'égoïsme, de l'intolérance, il n'y pensait plus depuis qu'il avait obtenu la nationalité suisse – pour cela il avait déboursé plus de deux mille francs –, pas plus qu'à ses origines juives ni son village natal en Bavière, où il n'était jamais retourné. Pour mener une existence confortable à Lucerne, dans la vieille maison, au rez-de-chaussée de laquelle il avait installé sa galerie, il avait emprunté cent mille francs à la Banque cantonale de Lucerne. Le taux de crédit n'était guère favorable, pour rembourser au plus vite ce prêt il avait accepté de vendre des œuvres d'origine douteuse avec la complicité d'un client pour lequel il s'était pris d'amitié, le banquier saint-gallois Eugen Stahler. Celui-ci, après ses études à Heidelberg, curieux de toute vie artistique, avait fréquenté des peintres et des gens de théâtre, appréciant particulièrement Ferdinand Hodler, génial Bernois qui avait travaillé en Allemagne et avait su créer à travers ses œuvres encore trop peu connues un monde qui n'appartenait qu'à lui par la gamme des couleurs violentes qu'il utilisait, en contraste avec la douceur mélancolique de la campagne bernoise. Avec Stahler, il avait aussi parlé de Giacometti qui avait préféré Montparnasse aux cimes enneigées de ses Grisons, de Hans Erni qui affectionnait autant les chevaux vivants que ceux qu'il fondait dans le bronze. Stahler, par amour de l'art autant que de

215

l'argent, avait contribué au négoce d'œuvres arrachées aux Juifs, tout comme Weilmüller était devenu trafiquant par goût spontané. C'est du moins ce qu'il prétendait.

Mélancolique, indifférent à la vie de la rue, il se dirigea vers la gare, décidé à monter dans le premier train pour Lucerne. Avec une migraine que n'avaient pas apaisée deux comprimés d'aspirine. Il se réjouissait, après un début de journée pénible, de rentrer chez lui. Célibataire, il aimait le silence de sa demeure. Si demain il éprouvait de la peine à se lever, il resterait au lit, excellent prétexte pour ne pas ouvrir la galerie. Il avait conscience que sa fortune, il la devait aux toiles et sculptures qu'il achetait à bas prix et revendait plus cher, mais moins que certains de ses collègues. Des œuvres d'art qui avaient appartenu à des Juifs, peut-être les fantômes qui l'avaient entouré au bar à café sous les arcades.

Grüninger venait de pénétrer dans le hall de la gare, sous la verrière jaunâtre, quand il aperçut l'Autre. Qui se disposait sans doute à prendre un train pour Lucerne. L'Autre, sa mauvaise conscience.

Quelques heures plus tôt, il le voyait pour la première fois, ce qui ne l'avait pas empêché de le dénoncer à Rothmund pour l'unique plaisir de la délation. Avec pour terrible résultat de mettre un terme définitif à l'action humanitaire du Saint-Gallois. Impossible de fuir, Paul Grüninger l'avait vite repéré.

Si on lui avait posé la question, Grüninger n'aurait pas su donner la réponse exacte. Combien de Juifs avait-il sauvés ? Combien de faux visas avait-il établis ? Combien de passages par la forêt ou le fleuve ? Chaque fois que c'était nécessaire, chaque fois que c'était possible. Sa compassion faisait-elle de lui un traître à sa patrie ? Contraint de garder le silence sur son délit d'humanité, il en souffrait à chaque heure du jour et souvent la nuit, quand l'insomnie le tenaillait.

Grüninger n'aurait pas su l'expliquer, une force invisible le poussa vers Weilmüller. Le galeriste, surpris, pensa qu'il n'en aurait jamais fini avec une affaire qui désormais lui pesait.

— Monsieur Weilmüller, lui dit courtoisement Grüninger, je ne vous en veux pas... Dans la vie, le silence est parfois nécessaire. Vous avez parlé, c'est votre droit de citoyen, je ne vous en tiens pas rigueur.

Weilmüller aurait voulu répondre, il n'y parvenait pas. Dans le bruissement de la gare, entre les deux sifflements de puissantes locomotives à vapeur, Grüninger poursuivit :

— *Kauft nicht bei Juden*[1] ! Au début des années 1930, quand la peste brune s'étendait sur l'Allemagne, vous auriez eu peur en découvrant les placards collés sur les vitrines des magasins juifs. Ce n'était qu'un début. Aujourd'hui, l'antisémitisme a pris la forme de l'extermination... Ce n'est pas leur cause que je défends en facilitant l'entrée en Suisse de Juifs, c'est la cause humaine ! L'unique objet de ma conscience de citoyen. Aussi longtemps que j'en aurai la possibilité, même isolé, je poursuivrai. Que ceux qui aujourd'hui me crachent au visage sachent que je ne cherche pas uniquement à épargner de la souffrance aux Juifs, c'est l'honneur historique de ma patrie que je voudrais préserver...

Sans se retourner sur Weilmüller, Paul Grüninger se fondit dans la foule des voyageurs. Que

---

1. N'achetez pas chez les Juifs !

faudrait-il pour que le peuple suisse s'indigne et qu'il ne se comporte plus en complice aveugle des assassins ? se demandait-il. Lui ne se résignerait pas.

12

Eugen marchait à pas lents sur la piste piétonnière longeant le lac. Entre deux hôtels vieillots ou récemment rénovés, quelques propriétaires voulaient préserver leurs vieilles maisons de bois tant, malgré les bruits de bottes résonnant sur toute l'Europe, les touristes, majoritairement britanniques, venaient de plus en plus nombreux respirer l'air pur des montagnes et profiter de la beauté des paysages autour du lac des Quatre-Cantons. Au fronton de ces demeures, aux balcons toujours fleuris, outre l'indispensable drapeau rouge à croix blanche signifiant qu'ici vivent de vrais Suisses, on pouvait voir, gravées depuis des générations, des devises d'amour, de fraternité, d'orgueil aussi. Les bannières aux façades n'avaient pas qu'un but décoratif, elles se voulaient la manifestation de l'attachement des habitants à une grande famille qui, malgré ses quatre langues, la multiplicité de ses législations cantonales, se voulait discrète et silencieuse sur son bien-être, volontairement ignorante des soubresauts de son histoire ; une famille ayant pour nom la Suisse où, si le touriste de passage était bienvenu, le visiteur, s'il n'était pas riche, voire très riche, n'était jamais accepté.

Eugen, jusqu'à ce jour, n'avait pas voulu que la Suisse, plus exactement sa banque, devienne une colonie où les étrangers imposeraient leurs lois et, pis, mettraient un terme aux usages traditionnels, dont le premier, essentiel, était le silence sur ses activités que voulait chaque citoyen pour protéger ses privilèges ou ce que dans son entourage on considérait comme un privilège.

Informé par le chef des services financiers des Affaires étrangères que Giuseppe Motta s'était personnellement déplacé, discrètement comme il se devait, à l'hôtel Krone de Saint-Gall, pour régler une affaire de prêt à l'Allemagne, Stahler, sans indiquer d'où il appelait mais en donnant son code secret, avait autorisé le caissier de sa banque saint-galloise à transférer cinq cents millions de francs suisses sur la Reichsbank de Munich. Un établissement qu'il connaissait bien pour y avoir été reçu par Funk, qui n'était pas encore le très courtisé ministre de l'Economie d'Adolf Hitler, et depuis peu directeur général de la Reichsbank.

Comment les services de Giuseppe Motta avaient-ils appris que Stahler s'était installé à Lucerne, dans un appartement avec vue sur le lac, loué de trois mois en trois mois ? Il y vivait avec Frederika depuis que celle-ci, dès le lendemain de leurs retrouvailles, avait décidé avec enthousiasme de partager sa vie. Cela changerait de leurs rapides étreintes à l'Edelweiss de Saint-Gall. Eugen n'en parlait pas à sa maîtresse, mais il ne se sentait pas en sécurité, certain que Motta le faisait surveiller. Pourquoi ? Il aurait aimé le savoir.

Eugen n'avait plus qu'une volonté : changer de vie. Un bouleversement dû à Frederika. Il n'avait pas oublié qu'elle avait, pendant plus de cinq ans, servi docilement le Parti national-socialiste ; de cette période il ne lui parlait jamais, il ne voulait connaître que le présent et construire l'avenir.

Après avoir longuement réfléchi, il avait proposé un rendez-vous à Dreyfus, un banquier bâlois, avec l'intention de lui céder une part importante de son établissement financier saintgallois.

Quand ils avaient parlé au téléphone, Dreyfus, qui n'ignorait rien des horreurs perpétrées en Allemagne contre les Juifs, avait quitté sa ville natale de Francfort dès 1933, il savait que Stahler n'avait jamais dissimulé ses sympathies pour le régime nazi. Il avait été très clair :

— Monsieur Stahler, je suis de ceux qui réclament au Conseil fédéral une politique moins sévère vis-à-vis des étrangers. Rencontrons-nous, mais j'y mets une condition : qu'il n'y ait dans votre comptabilité aucune place pour des affaires que vous auriez pu traiter avec le Reich dont vous êtes...

Il prit un temps.

— ... dont vous êtes un très compréhensif interlocuteur.

Eugen avait répondu que tout cela appartenait au passé. Dreyfus avait semblé dubitatif ; Stahler lui prouverait que désormais il ne ferait aucune concession à ceux qui ne réagissaient pas au martyre des victimes du nazisme. Si nécessaire, avait-il ajouté – il l'avait déjà confié à Frederika –, en cas de guerre entre la France et l'Allemagne, il s'engagerait aux côtés de quelques autres Suisses et, bien que cela soit interdit par le Conseil fédéral, dans la Légion étrangère française. Il combattrait l'Allemagne.

Allongeant le pas vers le Schweizerhof, où logeait Dreyfus, Eugen ressentait une forme d'apaisement. Certes, il avait retrouvé Frederika mais ne devait pas oublier que, séparé, il n'était pas divorcé de Martha. Le remords ne changeait rien à la situation.

Il avait téléphoné, en donnant sa véritable identité, à l'hôpital cantonal de Saint-Gall. Le directeur, sur le ton qu'il devait prendre habituellement en pareilles circonstances, lui avait dit avec ménagement et une douceur hypocrite dans la voix que Mme Stahler était toujours dans un état comateux et que la situation n'incitait malheureusement guère à l'optimisme. On devait toutefois garder espoir, il n'était pas impossible qu'elle survive.

Eugen ne souhaitait pas la mort de Martha mais il avait réfléchi : veuf, il engagerait aussitôt les démarches pour obtenir en Allemagne les documents lui permettant d'épouser Frederika. Dans les situations délicates, il est parfois nécessaire de sourire. Eugen trouvait divertissant que lui, le bon Suisse, accueille successivement dans son lit deux Allemandes : une Juive et probablement, demain, une ancienne nazie.

Eugen, en avance sur l'heure prévue pour le rendez-vous, s'assit sur un banc de pierre, face au lac, à quelques centaines de mètres du Schweizerhof, suivant des yeux le premier bateau blanc de la journée, chargé de touristes, jumelles braquées sur les sommets sombres ou couverts de neige entre lesquels par d'étroits vallons les Habsbourg d'abord, peut-être les nazis ensuite, avaient par le Gothard ouvert l'Europe du Sud aux conquérants de l'Europe du Nord.

Le quai était encore dans l'ombre. Les rayons du soleil allaient bientôt caresser la surface du lac, les pêcheurs dans le vrombissement de leur barque à moteur s'installaient déjà à la distance légale de cent mètres les uns des autres, là où ils espéraient que perches et brochets se rassembleraient dans les eaux les plus profondes. Pour les uns, c'était un métier attirant de moins en moins les nouvelles générations, pour d'autres un agréable passe-temps car, sitôt pris, le poisson était rejeté à l'eau. La police cantonale y veillait. Pas un aubergiste n'était autorisé à griller le poisson sorti par un de ses clients.

Mesure de santé, assuraient les autorités, alors que pas une souillure ne paraissait jamais dans le lac et que la baignade, peu prisée par les touristes, n'était autorisée que dans quelques criques au fond de ravins pierreux et escarpés. Rares étaient ceux ayant le courage de pénétrer dans des eaux glaciales descendues en tourbillonnantes cascades des sommets de plus de quatre mille mètres.

Eugen suivait du regard le bateau qui disparut rapidement dans le brouillard du matin. Il n'avait pas l'esprit à la distraction, il ne put s'empêcher de sourire à la vue de ces gens, généralement âgés, qui avaient dû payer fort cher et devaient ranger les jumelles dans leur étui. Personne, de peur de perdre quelques francs, n'indiquait jamais aux amateurs de croisières lacustres qu'on ne pouvait admirer les montagnes qu'après que le soleil en avait caressé les cimes.

Eugen l'avait promis à Frederika, ils embarqueraient un jour ensoleillé sur un de ces bateaux à aube laissant traîner derrière eux à la surface des eaux un long sillage bleu ; ils effectueraient en six heures le tour du lac des Quatre-Cantons. Par beau temps, on avait la possibilité pour 4 francs, de se faire servir sur la plage arrière, à l'abri du vent, une paire de saucisses et un verre d'Henniez. Dans un pays où rien n'échappait jamais à un règlement, la consommation d'alcool, y compris la bière, était interdite à bord, ce qui ne plaisait pas toujours aux passagers. Les marins, pantalon noir et chemise blanche, aussi obséquieux pour une croisière d'un jour sans escale que s'ils avaient navigué vers les Amériques, alors que chaque soir ils rentraient à la maison, n'avaient qu'une réponse : la règle, c'est la règle, et nul ne s'autori-

223

sait à y déroger. Il n'y avait pas à argumenter, à chaque touriste l'ordre s'imposait.

Eugen songeait à ce qui déjà appartenait au passé. Il respira profondément et retrouva, comme si elle datait de la veille, la sensation éprouvée lorsque Weilmüller avait frappé à la porte. En haut d'un escalier en colimaçon, au fond d'un couloir dont les parois étaient couvertes de rayonnages où s'alignaient à côté de livres d'art les œuvres de Victor Hugo, Chateaubriand, et Rilke dont Eugen connaissait, pour s'y être rendu, collégien, l'emplacement de la tombe, sur le flanc de la petite église de Rarogne, au-dessus du Rhône, en Valais.

Pour Eugen, aucun doute n'était possible, cette voix qui avait répondu, il l'aurait reconnue entre mille. Celle de Frederika. Avant même qu'elle ouvre la porte, Eugen avait pensé que, Crochez évincé, elle était venue d'Allemagne, avec quelques œuvres, directement chez Weilmüller. Sans passer par lui, pourtant intermédiaire habituel des transactions avec le Reich. Curieusement, il n'était pas en colère mais affecté.

Quant à Weilmüller, il se réjouissait d'avance de la surprise qui attendait Eugen. Ils durent patienter quelques instants. Trois minutes... des heures pour Eugen.

Peut-être Frederika, étonnée par une visite matinale, perplexe car la raison devait être sérieuse, était-elle encore en tenue de nuit, la chambre en désordre, le lit probablement ouvert, elle ne voulait pas gêner son hôte.

Eugen n'ayant pas prononcé une parole, à la demande de Weilmüller qui entendait jouir de l'effet produit, sans s'être interrogé de savoir si l'un et l'autre apprécieraient ces retrouvailles. Pour le galeriste, il ne s'agissait que de retrouvailles d'affaires. Jamais Eugen ne lui avait avoué qu'il entretenait avec Frederika une liaison sans rapport avec le trafic dont ils avaient la charge. La porte s'était enfin ouverte. Si Frederika, par une exclamation légère, n'avait pas caché son sincère étonnement, ce fut Weilmüller qui avait été le plus surpris. Frederika, dans une robe verte lui collant quasiment à la peau, les cheveux non coiffés, sans le moindre maquillage, mais plus séduisante que depuis leur dernière et déjà lointaine rencontre, s'était précipitée dans les bras d'Eugen, ne cherchant pas à cacher des larmes de joie. Avait suivi un long baiser ne laissant aucun doute sur leur relation.

En un instant, Eugen avait compris qu'un silence prolongé ne pouvait pas détruire un amour.

Frederika avait bafouillé :

— Toi... toi...

— Oui... moi... avait répondu Eugen, incapable de prononcer une phrase intelligible tant était réel l'éblouissement de l'un et de l'autre. Mais que fais-tu ici ?

— J'ai changé, Eugen, beaucoup changé. J'ai quitté le Parti. Je ne veux plus causer de tort à qui que ce soit.

Par discrétion, Weilmüller avait détourné la tête.

Remis de sa violente émotion, Eugen avait cru, avec trop de naïveté, qu'il pourrait demander à Frederika de l'accueillir dans sa chambre, comme naguère. Remis de leur émotion, ils n'en éprouveraient que davantage de plaisir à faire l'amour.

Avec un sourire qu'il ne lui avait jamais connu, elle lui avait murmuré :

— Si tu veux bien, pas aujourd'hui... demain.

Ajoutant dans un sourire :

— Il y a des instants de vie d'une telle imprévisible et soudaine intensité qu'il faut, comme pour un plat très raffiné, patienter avant de les déguster.

Eugen n'avait pas insisté, assez intelligent pour percevoir l'émotion de Frederika. Toute opération chirurgicale réussie nécessite une cicatrisation, et c'était un véritable choc qu'ils venaient de subir en se retrouvant à Lucerne ; ils n'avaient plus de nouvelles l'un et l'autre depuis longtemps, ils devaient réapprendre le plaisir de se regarder dans les yeux.

La porte de la chambre s'était vite refermée. Le bruit, pourtant anodin, avait ébranlé Eugen tel le grondement d'un torrent infranchissable, dévalant une haute paroi rocheuse. Demain passerait-il plus aisément le seuil de la chambre de Frederika ?

Revenu au rez-de-chaussée avec Weilmüller, toujours silencieux, Eugen s'impatientait : que le galeriste lui fournisse des explications et qu'elles soient crédibles ! Sans se presser, après avoir invité Eugen à s'asseoir, il avait sorti, d'une armoire frigorifique dissimulée sous l'escalier, une bouteille et deux coupes en cristal. Brandissant le flacon sous le nez d'Eugen qui comprenait de moins en moins la situation, il lui avait lancé :

— Du champagne de France ! Avant que les nazis n'achètent ou ne volent toute la récolte, je me suis servi.

Le bouchon avait sauté... jusqu'au plafond. Weilmüller avait empli les verres ; sans dire un mot, ils avaient trinqué.

Eugen ne pouvait se contenir, Weilmüller prenait de plus en plus de plaisir à le voir agacé. Maintenant, assez joué, le moment était venu pour lui de s'expliquer. Après avoir verrouillé l'entrée de la galerie, afin de ne pas être dérangé, il avait levé son verre et s'était écrié, tel un tribun face à la foule :

— A Frederika ! A son repentir !... A l'heure où Hitler et les siens découvriront les flammes de l'enfer !

Ce soir-là, et pour la dernière fois, Eugen avait couché au Schweizerhof.

Derrière le banc où Eugen était assis, il y avait un kiosque circulaire, dans lequel on trouvait des cartes postales, des timbres, de petites plaques de chocolat, des babioles, quelques paquets de cigarettes et, surtout, la plupart des quotidiens importants de la planète : *Le Temps*, de Paris, le *New York Times*, le *Times* de Londres, le *Frankfurter Zeitung* au service de la cause nazie. Dans cet étroit cagibi se tenait un homme âgé, un moustachu rougeaud coiffé d'un bonnet de laine à croix suisse, qui, comme tous ses collègues, avait payé plus de mille francs le droit de vendre par tous les temps ce que les touristes réclamaient. Avec, parfois, des désirs insolites. Une vieille lady anglaise ne lui avait-elle pas demandé avec insistance une couverture pour son caniche ne supportant pas la brise venue du lac ?

Eugen, plus par habitude que par envie, sortit quinze centimes de son porte-monnaie pour acheter le numéro du jour de la *Neue Zürcher Zeitung*. Publié à Zurich mais diffusé dans toute la Suisse – on le trouvait même avec une semaine de décalage dans les librairies new-yorkaises de Broadway ou dans les échoppes souterraines du métro de Tokyo – il était considéré comme le journal le plus sérieux du pays. Les articles y étaient rédigés par des journalistes qui prenaient soin de vérifier leurs sources autant qu'ils se souciaient de la qualité de leur écriture. Plus de trois cents quotidiens diffusés en quatre langues dans un pays à peine plus grand que trois départements français ! Mais pour

227

les francophones et les italophones, la *NZZ*, bien qu'en allemand, demeurait une référence.

En quelques lignes seulement, parce qu'il était juif viennois, la *NZZ* annonçait la mort en exil de l'illustre psychiatre Sigmund Freud, alors qu'elle s'attardait longuement sur les revendications allemandes à propos du port de Dantzig, lequel, selon Hitler, devait revenir à l'Allemagne. Sur les persécutions imposées aux Juifs tchèques et allemands, en revanche, le quotidien n'avait jamais écrit une ligne. Au prétexte de la « sacro-sainte » neutralité, son directeur affirmait aux lecteurs qui s'en étonnaient, qu'il s'agissait là d'une affaire intérieure à l'Allemagne ; ce serait froisser la susceptibilité des dirigeants du Reich que de s'immiscer dans un problème qu'il appartenait aux seules autorités allemandes de résoudre. L'important, précisait-on régulièrement dans la *NZZ*, était que soit maintenue avec fermeté l'interdiction faite aux migrants juifs d'« *envahir* » – c'était l'expression utilisée dans les colonnes du journal – la Confédération.

Dans l'édition du jour, outre l'affaire de Dantzig, un rédacteur faisait directement allusion à un haut responsable de la police saint-galloise qui, grâce à des visas portant une date antérieure à la fermeture des frontières, faciliterait, contre une importante rétribution, l'entrée illégale de Juifs sur le territoire national. Lors d'un entretien radiophonique, Heinrich Rothmund avait affirmé, sans la dévoiler, connaître l'identité du policier indélicat ; on ne tarderait pas à l'interpeller.

Si Grüninger n'était pas nommément désigné, il ne pouvait s'agir que de lui. Eugen jeta avec mépris le journal dans une corbeille métallique, comme il y en avait presque au pied de chaque arbre sur le quai. Il tentait de comprendre les raisons ayant poussé Frederika à fuir l'Allemagne, sa patrie. Dans l'effroyable vacarme des imprécations d'Hitler, Goebbels, l'homme de la propagande, et de quelques autres, un douloureux silence pesait sur le sort réservé aux prisonniers et déportés, sur les souffrances physiques et morales de ceux qui mouraient à Dachau et Buchenwald. En Suisse, nul ne l'ignorait, le silence s'imposait. Cela expliquait-il l'exil volontaire de Frederika ? Elle lui avait avoué avoir obtenu sans difficulté un permis de séjour en Suisse au consulat de Bregenz, là où on le refusait à ceux dont les documents étaient marqués du « J », telle la brûlure au fer rouge imposée aux femmes de mauvaise vie trois siècles plus tôt.

Dès le lendemain de leurs retrouvailles, Frederika, sur le conseil de Weilmüller, avait rejoint Eugen au bar-fumoir du Schweizerhof. Un endroit discret, peu fréquenté avant le repas de midi. Entre deux bâillements, un jeune serveur napolitain, mesurant chaque geste afin de ne pas s'épuiser, essuyait verres et tasses sur lesquels il n'y avait déjà plus la moindre trace après le passage à la plonge, mais il convenait de montrer à la clientèle que dans les palaces suisses on ne négligeait rien pour que tout soit « propre en ordre » selon une formule largement répandue dans l'opinion publique.

Frederika et Eugen s'étaient assis côte à côte dans un profond divan devant la large baie, face au lac. Indifférents aux cappuccinos italiens qui, après avoir tiédi, étaient froids, Eugen avait écouté tout ce que Frederika avait raconté.

Comme des millions d'Allemandes et d'Allemands encore jeunes, elle avait imaginé qu'avec l'arrivée du Parti national-socialiste au pouvoir le pays verrait la fin de l'époque sombre. Hitler ferait oublier les humiliations du traité de Versailles, signé dix ans plus tôt. L'Allemagne retrouverait sa dignité, son statut de puissance politique et économique. Comme au temps de Bismarck.

Elle gardait le souvenir de ses parents qui, jour après jour, lui répétaient qu'avec Hitler il n'y aurait plus de grève ouvrière, ni de risques de voir les communistes s'attribuer les fonctions les plus importantes du gouvernement. Ils avaient ouvert leur meilleure bouteille de vin du Rhin lorsque, après avoir pris sa carte du Parti, elle avait obtenu un poste de secrétaire à la Reichsbank de Munich.

Eugen l'avait interrompu :

— Comment des millions d'Allemands ont-ils pu tomber sous le charme d'un homme aussi étrange ?

— Ce n'est pas Hitler et son entourage qui nous ont séduits... Certes, Hitler possède un magnétisme qui fascinait des hommes aussi intelligents que Mussolini ou Daladier, mais nous, les jeunes, nous avions compris qu'Hitler ferait une révolution que, peut-être par faiblesse, nous avons hésité à engager.

Frederika s'était exprimée doucement, sereinement. Il ne restait rien de la femme autoritaire, sèche dans son corps comme dans ses propos, qui, sans lui en avoir jamais fait la confidence, n'avait été sa maîtresse à Saint-Gall que parce qu'il était, à sa place, utile pour les trafics bénéficiant à l'économie du Reich. Jamais elle ne lui avait parlé de Martha. Entièrement dévouée à la cause qu'elle servait, si ignominieuse fût-elle, elle se devait d'ignorer la jalousie... Jusqu'au jour où elle avait ouvert les yeux.

Elle avait suivi Walter Funk au ministère de l'Economie. Aveuglément ou inconscience, avait-elle affirmé. Goebbels l'avait lui-même précisé à Weilmüller, elle avait été désignée pour ces transactions secrètes parce qu'elle avait longtemps été la maîtresse d'un banquier saint-gallois. Elle avait dû rompre sur ordre de Funk, réticent à mêler activités au service du Parti et vie privée. Tout cela, elle voulait l'oublier. Eugen ne comprenait pas la haine des nazis contre les Juifs. Certes, lui-même avait profité de pillages, de spoliations mais pendant longtemps à Saint-Gall il avait cru que les valises de bijoux, d'alliances, de montres, toutes en or, que Frederika transportait, qu'il faisait fondre à la Banque nationale de Berne, avant de les retourner légalement sous la forme de lingots dûment poinçonnés, provenaient de dons spontanés visant à relever l'économie allemande. Quand il avait découvert que tout, y compris les dents en or, avait été arraché à des Juifs, il était trop tard pour reculer. Jusqu'à son départ précipité de Saint-Gall, il avait continué. Avec moins d'enthousiasme depuis qu'il n'avait plus de nouvelles de Frederika, mais il s'en était accommodé.

Très vite, Eugen ne lui avait rien caché :

— Tu le sais, je suis marié avec... ton amie Martha... Allemande comme toi, mais juive... Aujourd'hui, très malade... Dans le coma depuis des semaines, à l'hôpital cantonal de Saint-Gall... Après un grave malaise cardiaque, imprévisible, surtout à son âge.

Frederika n'en espérait pas tant. Cette journée n'était vraiment pas comme les autres. Martha vivante, elle aurait répugné à redevenir la maîtresse que les usages exigent de dissimuler. Sans avoir conscience de son cynisme, le fait que Martha soit aux portes de la mort l'avait incitée à partager avec plus de plaisir le lit d'Eugen.

Ainsi s'étaient-ils enquis d'un appartement de trois pièces, qu'ils avaient trouvé aisément. Ils y passaient une grande partie de leurs journées mais, sans se l'avouer l'un à l'autre, ils commençaient à s'ennuyer.

Quand la pluie n'arrosait pas Lucerne, Frederika faisait quelques courses alimentaires à l'épicerie voisine, puis ils occupaient leur journée à jouer aux échecs ou à écouter les programmes musicaux de la TSF. Eugen appréciait Arturo Toscanini ou Carlos Kleiber pour la fluidité de leurs interprétations. Frederika, elle, préférait la rigueur du Suisse Ernest Ansermet, le chef qui avait fait découvrir Stravinsky à la planète entière. L'un et l'autre n'étaient d'accord que sur un point : parmi les compositeurs, il y avait Mozart... et les autres. Ces discussions ne manquaient pas d'intérêt mais Eugen commençait à mal vivre un désœuvrement auquel il n'était pas habitué. Il eut une idée ; lorsqu'il la suggéra à Frederika il ne s'attendait pas à ce qu'elle réagisse avec enthousiasme. C'est pourtant favorablement qu'elle accueillit sa proposition de se lancer dans l'hôtellerie. Le moment était propice. De nombreux Suisses allemands redoutant une invasion nazie n'avaient qu'une hâte : vendre leurs biens pour vivre, sans gaieté de cœur, en Suisse francophone. Personne ne croyait à une agression française et, dans tous les cantons germanophones, les prix de l'immobilier avaient brutalement chuté. Eugen était disposé à prendre le risque. Malgré les grondements de canons, annonciateurs d'une nouvelle guerre, les touristes continueraient à visiter une Suisse neutre. Les Juifs, interdits de séjour, on s'en passerait.

Pour acheter un chalet d'une vingtaine de chambres – c'était leur souhait –, Eugen, dont les liquidités commençaient à s'épuiser, devait vendre tout ou partie de la banque saint-galloise. Ses finances saines, il en avait la possibilité. Martha

– il s'engagerait à subvenir à ses besoins – et lui étaient mariés sous le régime de la séparation de biens, obligatoire à Saint-Gall, facultatif dans la plupart des autres cantons. Il en allait des régimes matrimoniaux comme en d'autres matières, les législations étaient très variables selon les cantons et les juristes du gouvernement fédéral se perdaient dans la complexité des textes. A Berne, la gestion des Affaires étrangères, de l'Armée, de la Police, de la Banque nationale, les Finances d'Etat... aux cantons, tous les pouvoirs privés et la fiscalité locale. Personne ne se plaignait, chacun affirmait respecter scrupuleusement la loi, tout en s'efforçant discrètement de la contourner, appliquant, si elles étaient avantageuses, d'autres réglementations.

Bien conseillées, les entreprises les plus importantes tiraient d'énormes profits licites de ces détournements. Ainsi, nul ne l'ignorait, Nestlé occupait à Vevey, sur les rives lémaniques vaudoises, la quasi-totalité de la population en âge de travailler, mais son siège social se trouvait à Zoug. Dans les montagnes de la « Suisse primitive », on ne payait pas d'impôt sur le chiffre d'affaires et on dénombrait plus de sociétés domiciliées que de citoyens zougois. Bon nombre de firmes étrangères savaient aussi bénéficier de discrets avantages financiers.

Eugen, qui avait toujours pris plaisir à la lecture des auteurs français, se souvenait que, traversant la Suisse, lors de son voyage vers l'Italie, Stendhal avait écrit : « Si vous voyez un banquier suisse sauter par la fenêtre, suivez-le, il y a 10 % à gagner. » Peu amène avec la finance helvétique, il précisait : « Chaque jour les banquiers suisses mangent moins qu'ils ne gagnent. »

Ces souvenirs de lecture l'habitaient quand il pénétra dans le hall du Schweizerhof. Il y aperçut, parfaitement reconnaissable par sa silhouette élancée, regardant le lac à travers la large baie derrière la réception, Dreyfus, le banquier juif, venu spécialement de Bâle régler une affaire qui l'intéressait.

Après une chaleureuse poignée de main entre hommes du même monde, ils se dirigèrent vers le bar-fumoir. Eugen commençait à y avoir ses habitudes. S'il regrettait d'être connu, il appréciait toutefois d'être chaque fois salué respectueusement par le serveur napolitain.

A Saint-Gall, il disposait dans ses bureaux de deux salons de réception, évitant ainsi aux clients de se croiser. Dans toute banque sérieuse, on respectait la confidentialité des rendez-vous.

Eugen commanda un café – sans lait, précisat-il –, Ludwig Dreyfus, malgré l'heure matinale, un whisky écossais avec un glaçon.

Avant même que d'aborder le sujet de la cession, Dreyfus, costume trois-pièces, montre gousset en or, chaîne assortie, ne put se retenir de rire en disant à Eugen, ébahi :

— Belle histoire, n'est-ce pas, que celle du Modigliani !

Eugen, au prix d'un énorme effort sur lui-même, cacha sa stupéfaction, sans chercher à se dérober, curieux de découvrir ce qui amusait tant son interlocuteur. Il avait une certitude : s'il s'agissait de l'œuvre qui avait été en sa possession, Weilmüller, quoiqu'il ne lui en ait jamais touché un mot, devait connaître Dreyfus, peut-être même lui fournissait-il des toiles volées à ses coreligionnaires ou achetées à bas prix quand ils souhaitaient se défaire rapidement de tout ou partie de leurs collections... Un court instant de réflexion et Eugen fit le choix de sa stratégie :

234

— De quelle histoire s'agit-il ? J'aime beaucoup Modigliani mais, malheureusement, je n'en possède pas, affirma-t-il, faussement naïf.

Dreyfus avala d'un trait le whisky avant que le glaçon ne fonde et feignit l'étonnement. Entre banquiers, l'étonnement donne l'occasion de se découvrir.

— Comment, Franz Weilmüller ne vous a rien raconté ? Cela me surprend, avec ce Modigliani il a fait la plus mauvaise affaire de sa carrière.

Cette fois, la curiosité d'Eugen se changea en réelle inquiétude. Dreyfus soupçonnait-il qu'en remerciement des toiles volées, dont la vente avait beaucoup contribué à l'enrichir, le galeriste lui avait fait don d'un portrait de Jeanne Hébuterne ? Fort heureusement, il l'avait restitué par peur d'avoir des ennuis avec Grüninger ou, pis, avec Rothmund.

— Ah, vous connaissez Weilmüller ! Une mauvaise affaire avec un Modigliani... Il ne m'en a jamais parlé... Il est vrai que je le fréquente peu.

Dreyfus se redressa d'un bond. D'un ton goguenard, il dit :

— Si vous voulez, monsieur Stahler, que je sois bienveillant en affaires, cessez de feindre l'innocence ! Comme d'autres banquiers, vous avez non seulement négocié l'or des Juifs allemands, mais vous avez contribué avec Weilmüller à la revente de tableaux volés. Grâce à vous, Hitler doit posséder quelques chars supplémentaires... Il envisage aussi la création d'un musée où seraient accrochées les œuvres d'art volées dont il a dépouillé les Juifs. Cela ne vous empêche-t-il pas de dormir ?

Eugen était pris à la gorge, sans la nier il devait s'efforcer de minimiser cette affaire de Modigliani. Cela n'expliquait pas pourquoi Dreyfus n'y voyait pour Weilmüller qu'une mauvaise affaire. Il devait reprendre l'offensive.

— En effet, cher ami, je me suis fourvoyé... Par souci de discrétion, afin de ne pas être source d'ennuis pour Weilmüller... que vous semblez connaître mieux que moi. En me donnant cette toile, d'une valeur inestimable je le sais, il m'a recommandé le silence... Je m'y suis tenu, vous me le pardonnerez, j'espère.

Dreyfus l'interrompit, ponctuant chacune de ses phrases d'un rire ironique. Prendre l'ascendant sur Stahler faciliterait leurs négociations, le Modigliani lui en fournissait une excellente occasion, imprévue.

— Allons, Stahler, ne jouez pas avec moi ! Si Weilmüller vous a offert un Modigliani, il avait ses raisons. Dois-je vous les rappeler ?... Un certain Crochez, pilote militaire, le lui avait apporté par la valise diplomatique... La toile avait appartenu à Adrienne Grunberg, une riche héritière juive viennoise. Agée de plus de soixante-dix ans, déportée à Dachau, elle n'aurait survécu que quelques semaines... ou quelques jours ! La SS avait fixé un prix assez élevé pour ce tableau. Si élevé que, lorsqu'il en prit possession, Weilmüller, sans en déclarer l'origine, l'a fait expertiser à Genève. C'est là qu'il a appris qu'il s'agissait de la copie d'une œuvre célèbre.

Eugen commençait à comprendre... Il se tordait les doigts.

Dreyfus en profita pour enfoncer le clou :

— Si Weilmüller espérait une plus-value, il a été déçu... Vous avez reçu un faux... Bien imité, j'en conviens... Vous ne vous êtes aperçu de rien. Par manque de connaissances sur l'œuvre de ce peintre ? ajouta-t-il, sarcastique.

Stahler vivait un moment particulièrement douloureux. Comment Weilmüller avait-il osé le tromper aussi grossièrement ?

Dreyfus comprit que le Saint-Gallois avait pris un sérieux coup sur la tête, il s'expliqua :

— Comme nombre de ses collègues, Weilmüller sait que les nazis se sont fait une spécialité dans la fabrication de faux chefs-d'œuvre. Ils les vendent au prix des originaux. Alors, si vous voulez savoir où se trouve le Modigliani authentique, il vous faudra patienter... L'espoir fait vivre...

Dans son égarement, Eugen n'avait qu'une consolation : certes, Weilmüller l'avait dupé odieusement mais récupérer la toile invendable ne l'avait certainement pas réjoui. Il devait se faire à l'idée – il ne doutait pas que Dreyfus parlait vrai – que la copie lui rapporterait au mieux quelques dizaines de francs. Il devrait s'en accommoder.

Stahler n'avait qu'une envie, parler sans plus tarder de son affaire. On n'achète pas une banque comme un kilo de fromage à fondue et Dreyfus semblait volontairement prendre son temps.

Visiblement, Eugen s'impatientait, le moment était donc venu pour son adversaire de porter le coup prévu.

— Vous êtes saint-gallois, monsieur Stahler.

— Nous nous connaissons depuis longtemps, je ne saisis pas le sens de votre question, répondit Eugen, sèchement.

Dreyfus se cala au fond de son fauteuil, commanda un second whisky et, sans inutile précaution oratoire, s'exprima en termes clairs :

— A Saint-Gall, nul n'ignore que vous êtes en affaires avec les dirigeants du Reich... Si, comme on le prétend souvent, la morale est l'hygiène du niais, vous ne manquez pas d'intelligence. Je n'en ai jamais douté.

— Monsieur Dreyfus, ce à quoi vous faites allusion appartient au passé... l'interrompit Eugen, agacé.

Déjà ébranlé par l'évocation du Modigliani, il était prêt à se lever, payer son café et partir.

— Je ne nie pas avoir eu quelques occasions de réaliser des opérations avec le Reich. A une époque où Hitler n'avait pas la volonté de transformer l'Europe en cimetière. Aujourd'hui, il m'effraie, comme il a dû vous effrayer, ajouta-t-il perfidement, lorsque, fuyant l'Allemagne, vous vous êtes installé à Bâle. Vous y avez en quelques années fait fortune, je vous en félicite. Vous avez su vous adapter à nos lois, à nos mœurs, à nos idées... à nos intérêts. Vous avez réussi votre intégration dans le village helvétique. Vos coreligionnaires n'ont plus cette possibilité, chaque jour peut être pour eux le dernier.

Dreyfus avait cessé de rire, il avait, avec intelligence, amené Stahler sur le terrain qu'il souhaitait.

— Vos compliments m'honorent, monsieur Stahler, si je me suis permis de vous parler de Saint-Gall, où j'ai l'intention d'installer une annexe de ma banque, c'est parce que, je le suppose, vous connaissez tous les habitants.

— En effet... en effet... répliqua Stahler ne comprenant pas ce que Dreyfus attendait de lui.

— En ce cas, reprit le Bâlois, le chef de la police cantonale n'est pas pour vous un inconnu... Je me trompe ?

Cette fois, Stahler était à bout de nerfs. Modigliani d'abord, Grüninger ensuite... Où, diable, cet homme voulait-il en venir ? Jamais il n'aurait dû envisager de céder sa banque à Dreyfus ! La transaction n'avait pas encore été abordée, le banquier lui avait déjà lancé au visage tout ce qui pouvait lui déplaire. Qui sait si Dreyfus n'avait pas connaissance de la lettre qu'il avait adressée à Rothmund... Une maladresse stupide qu'il ne renouvellerait certainement pas aujourd'hui. Eugen ne put qu'articuler :

— En effet, je le connais... un loyal serviteur de notre pays.

Eugen, les nerfs à vif, n'aperçut pas le sourire esquissé par Dreyfus. Celui-ci estima l'avoir suffisamment pris à rebrousse-poil ; le voyant décontenancé, il devait sans tarder le saisir comme l'aigle fond sur sa proie. Le moment était propice pour lui demander ce que depuis qu'ils avaient pris rendez-vous il souhaitait obtenir. Il n'avait pas cessé d'y penser la veille, dans le train entre Bâle et Lucerne. Ce qu'il avait entendu à la TSF, l'ordre donné aux propriétaires d'usine de n'utiliser leurs sirènes ou sifflets d'entrée et de sortie du personnel qu'en cas d'alerte aérienne et sur ordre du chef du département militaire, l'avait définitivement convaincu d'utiliser Stahler comme interlocuteur auprès de Paul Grüninger. Toute la presse racontait que malgré les instructions de Rothmund, le policier organisait les passages clandestins de nombreuses familles juives allemandes. Interrogé, le juge saint-gallois, Walter Hasch, réputé pour s'acharner contre les petites gens, aurait déclaré à la NZZ que Grüninger dirigeait un réseau et qu'il en tirait d'importants profits.

— Monsieur Stahler, comme mon ami Lévy, je suis de ceux qui se félicitent que Rothmund, sur recommandation des conseillers fédéraux, ait ordonné la fermeture des frontières aux Juifs étrangers. Leur présence compliquerait les conditions de vie de la communauté de Suisse. C'est parfois difficile mais dans une période troublée chacun doit défendre ses intérêts.

Stahler ne comprenait toujours pas les intentions de Dreyfus. Si le Bâlois parlait avec franchise, Stahler ne pouvait que déplorer son

239

attitude, celle des Juifs de Suisse, silencieux sur le sort des victimes des nazis.

— Ne vous dérobez pas, monsieur Dreyfus, cet entretien n'a pas pour objet d'approuver ou de condamner le comportement des Juifs suisses avec leurs frères allemands ou tchèques, mais la cession des parts d'une banque dont chacun peut apprécier les services... Tout autre sujet me paraît superflu.

Dreyfus ne pouvait plus reculer.

— Monsieur Stahler, si j'ai le sens des affaires, j'ai aussi une famille. Mon frère aîné, âgé de soixante ans, n'a pas voulu, en 1930, quitter l'Allemagne. Ingénieur dans une usine d'automobiles de notre ville natale de Dresde, il n'a jamais imaginé qu'Hitler voudrait exterminer les Juifs. Il pensait même, comme des millions d'Allemands, que le national-socialisme écrirait une page glorieuse de l'histoire de notre pays. Moi, je n'y ai pas cru, j'ai pu sans difficulté émigrer à Bâle, obtenir un permis de travail, suivi d'une naturalisation. Onéreuse mais si utile dans les affaires ! Aujourd'hui, je ne veux être qu'un Suisse parmi d'autres. Vous connaissez la suite... les violences... la barbarie.

Stahler fit un signe de tête affirmatif. Où Dreyfus voulait-il en venir ? Celui-ci avala une goulée de whisky, sans doute pour se donner le courage d'exposer la véritable raison de leur rencontre. Il avait perdu son arrogance naturelle et c'est presque sur un ton suppliant qu'il poursuivit :

— Mon frère, Karl, son épouse, Simone, et leurs deux garçons, Daniel et Myrtil, nés en 1927 et 1929 quand l'Europe s'enfonçait dans la crise, ont été prévenus qu'ils figuraient sur les listes établies par la Gestapo. Ils devaient être internés directement dans un établissement psychiatrique où les médecins pratiquaient sur les pensionnaires, tous de race inférieure, selon eux, des expériences très douloureuses ; ensuite, ils les achevaient par inhalation de monoxyde de carbone dans une pièce sans ouverture sur l'extérieur. Toutes ces horreurs sont encore une part de moi-même.

Bouleversé, Stahler n'eut que la force d'ânonner :

— C'est terrible... terrible...

Mais qu'attendait Dreyfus, quelle aide pouvait-il lui apporter ?

Reprenant difficilement son souffle, Dreyfus, troublé, continua :

— Karl et Simone ont été arrêtés. D'après ce que j'ai appris, par une lettre qui m'est parvenue après avoir transité par la France, ils ont été embarqués, sans avoir la possibilité de prendre le moindre bagage, avec d'autres dans un camion déjà surchargé de gens criant, pleurant, gesticulant.

Eugen, sincèrement affligé, regardait Dreyfus dont les yeux s'étaient assombris. Un bref instant une pensée traversa son esprit : et s'il cherchait à l'attendrir, soucieux d'obtenir au meilleur prix les actions de la banque ? Le visage livide de son interlocuteur le persuada, il n'en était rien. Dreyfus semblait d'autant plus prisonnier de ces faits effroyables, qu'il ne les avait pas subis. Il eut néanmoins la force d'achever :

— Himmler avait ordonné de tuer tous les internés juifs des asiles psychiatriques. Mon frère, ma belle-sœur – qui pourtant n'avait pas le physique d'une Juive, sa mère était luthérienne – ont été exterminés. Que leur sang retombe sur les nazis !

— Les enfants ? osa demander Stahler.

Dreyfus avait baissé la tête, des larmes coulaient sur ses joues. Il se redressa avec toute la vigueur dont il disposait encore, fixa Stahler du regard et lui dit :

— Seuls les enfants sont encore en vie. Pour eux j'ai absolument besoin de vous... Les pires monstres ne sont pas à l'abri d'une défaillance, d'un moment d'inattention. Ma belle-sœur nourrissait deux chats. Un des tortionnaires, plus tolérant avec les animaux qu'avec les hommes, a ordonné aux garçons de descendre du troisième étage où ils habitaient pour les confier à la concierge. Les gestapistes – ils étaient six, tous vêtus de noir – ont demandé aux parents de vérifier que les compteurs de gaz, d'électricité, étaient bien fermés. Devant chaque compteur l'un et l'autre reçurent des coups de matraque, cela faisait partie de la panoplie des humiliations à subir sans se plaindre.

Stahler avait compris, les enfants avaient réussi à s'enfuir. Comment ? Où ?

Dreyfus conclut son récit :

— La gardienne les a cachés, les dissimulant sous des couvertures entassées dans la cheminée de sa chambre. La SS ne s'intéressait pas trop aux gamins. Aujourd'hui, la concierge, une Prussienne anti-hitlérienne, redoute qu'ils soient à leur tour arrêtés. On assure que dans les camps, les jeunes internés ont la charge d'enterrer les cadavres, ensuite on les fusille afin que nul ne découvre l'emplacement des fosses communes. Voilà, vous savez tout...

Stahler, perplexe, osa :

— Comme vous, mais pour d'évidentes raisons qu'on pourrait qualifier de... patriotiques, j'étais défavorable à la présence sur notre sol d'un nombre trop important d'étrangers... juifs bien sûr, mais aussi communistes espagnols. J'ajoute que si j'ai fait des affaires avec le Reich, ce n'est pas par idéologie mais parce qu'un bon banquier qui veut augmenter ses gains se doit d'avoir un bandeau sur les yeux.

Il ajouta :

— D'autres ont peut-être d'excellentes raisons de traiter avec des assassins. Moi, désormais, je m'y refuse. Mon épouse est juive, je n'ai pas su comprendre son désarroi.

— Je ne savais pas, bafouilla Dreyfus... Ainsi vous comprenez mieux mon désir de préserver la vie de mes neveux. Ils n'obtiendront jamais de visa... J'ai la possibilité de les élever, ils poursuivront en Suisse de bonnes études... dans un établissement privé chrétien si cela s'avère nécessaire.

Quelque chose échappait encore à Stahler, qui s'étonna :

— Vous êtes riche... Vous avez acquis la nationalité suisse... Il s'agit de deux garçons menacés de mort... Les services de Rothmund ne peuvent pas vous refuser de les accueillir... Je ne vois pas où est le problème...

Dreyfus soupira profondément.

— Vous imaginez, monsieur Stahler, que je dispose d'assez de relations pour accéder directement à Rothmund... Nous avons eu un entretien téléphonique... Sa réponse a été on ne peut plus claire. Pour lui, l'important, c'est le maintien des valeurs suisses ; ce serait folie qu'un très grand nombre d'enfants victimes de la guerre ou du racisme s'installent en Suisse, alors que la natalité croît, mais ça, les touristes ne s'en aperçoivent pas. Ce serait un désastre si, adultes, ils ne parvenaient pas à s'établir dans de bonnes conditions... D'autant qu'ils ne sauraient même pas raconter l'histoire de Guillaume Tell !

Un court instant, Stahler et Dreyfus retrouvèrent le sourire. Que Guillaume Tell soit une icône de l'unité helvétique, présente dans tous les villages, ils ne le niaient pas mais, comme d'autres Confédérés, y compris en Suisse francophone, ils savaient que l'arbalétrier était un héros de légende, emprunté par les Suisses à un ancien conte scandinave.

Le temps courait, Dreyfus avait hâte de conclure :

— Je ne discuterai pas le montant de la cession de vos actions, la seule chose qui m'importe, c'est que Paul Grüninger facilite l'entrée en Suisse de mes neveux. Ce pays n'a aucune prétention philanthropique, il n'a pas pris conscience de la barbarie nazie. Quelques fonctionnaires, rares j'en conviens, refusent de cirer les bottes de la SS, Grüninger est de ceux-là. Il ne manque ni de courage ni de sens de l'honneur. Ceux qui n'osent pas prononcer son nom sont pour moi complices des criminels.

— Retrouvons-nous ici, dans une semaine. Même lieu, même heure... répondit Stahler.

Il se leva, serra la main de Dreyfus, toujours assis, et sortit sans se retourner.

Dans le train le ramenant à Bâle, impossible pour Dreyfus de deviner les intentions de Stahler. Il lui paraissait inconcevable qu'il abandonne les garçons à leur sort, qu'il les condamne à mourir dans un camp d'extermination ! Une semaine d'attente, une longue semaine dont il se souviendrait, il en était sûr, toute sa vie.

13

Devant le bâtiment abritant à la fois les services de police et les bureaux des autorités administratives de Saint-Gall, dans la cour de l'ancien couvent des Trappistes, l'aspirant Anton Schneider montait la garde dans la fraîcheur nocturne. Depuis sa prise de service à 23 heures, il avait, afin de prouver à ses supérieurs qu'il effectuait correctement ses rondes, signé toutes les trente minutes le registre de veille. Saint-Gall, la nuit, devenait le royaume du silence. Seule lumière qui jamais ne s'éteignait, celle de l'hôpital. Si une voiture passait, ce qui était exceptionnel, Anton notait le numéro de la plaque sur un petit carnet. On ne redoutait rien mais on ne sait jamais... Seuls les nantis possédaient une voiture. A Saint-Gall, malgré des pentes parfois rudes, hommes et femmes valides se déplaçaient à bicyclette ou à pied. Dès leur plus jeune âge, la marche faisait partie du quotidien de ces montagnards.

A 6 heures du matin, à l'est le ciel rosissait. Un major en uniforme, strictement vêtu comme pour la parade, qui avait passé la nuit dans la salle de veille téléphonique réservée aux officiers en liaison permanente avec leurs collègues du palais fédéral, à Berne, se présenta à l'aspirant Schneider.

— Major Keller...

— Aspirant Schneider...

Saluts militaires. Pendant les heures de service, le règlement interdisait tout échange de propos personnels.

D'une poche de sa veste, le major sortit une enveloppe à l'intérieur de laquelle, pensa Anton, devait se trouver un ordre de mission. Il avait l'habitude. Oisifs, les officiers, militaires professionnels, se distrayaient pendant les services de nuit en rédigeant pour les recrues de garde les plus invraisemblables ordres de mission. Il pouvait s'agir de remplir des bidons d'eau à la fontaine, ce qui était tout à fait inutile, ou de grimper jusqu'au sommet d'un des clochers de l'abbatiale, en moins de cinq minutes pour éviter un abandon prolongé du service de garde, afin de vérifier que du côté de la frontière on ne décelait aucun mouvement suspect.

Les recrues, contraintes chaque année à trois mois de préparation militaire, obéissaient aux ordres dont les officiers ne vérifiaient que très rarement l'exécution.

Dans ce bâtiment officiel où, dans la journée, on avait le goût du travail bien fait, le sens de l'ordre, de la discipline et de l'obéissance à l'Autorité, l'Armée, gardienne des intérêts supérieurs de la patrie, on s'autorisait, en absence du public, les divertissements les plus saugrenus, parfois volontairement humiliants avec les sans-grade. Des gamineries échafaudées à l'abri des regards de la population. A Saint-Gall, on appréciait modérément la fantaisie des Suisses francophones, et on condamnait le moindre excès de militaires qui n'avaient qu'une obligation, garantir vingt-quatre heures sur vingt-quatre la sécurité du pays.

Sans dire un mot, observant scrupuleusement la consigne, Anton Schneider prit l'enveloppe, la glissa à son tour dans une poche de son pantalon militaire, effectua le salut imposé et reprit sa garde pendant que l'officier franchissait par une petite porte le porche d'entrée.

Anton regarda sa montre-bracelet. Dans deux heures, il pourrait enfin songer à dormir. Pour décacheter l'enveloppe, il prendrait tout son temps. La mission devait être, comme à l'accoutumée, le fruit de l'imagination nocturne de ses supérieurs. Inutile, voire ridicule. Il avait l'habitude de ces plaisanteries de mauvais goût. La garde s'achevait, il ouvrit le pli et en sortit une feuille à en-tête du conseiller Keel. Une lettre manuscrite... Non, c'était impossible ! Pourquoi lui ? Il en tremblait d'avance. Comment désobéir à un ordre qui cette fois n'avait rien d'une mauvaise blague ? Cinq lignes, cinq lignes qui bouleverseraient bientôt la vie d'un homme qu'il admirait pour son honnêteté et qui partageait comme lui son dégoût pour ce qui se passait à quelques kilomètres de Saint-Gall, de l'autre côté de la frontière. Il lut une seconde fois. Il ne pouvait pas y croire, c'était pourtant tristement réel :

Le chef de la police cantonale Paul Grüninger se présentera à l'entrée du bâtiment, en uniforme, entre 7 h 30 et 7 h 45. Interdiction doit lui être signifiée oralement de ne pas franchir le seuil. S'il proteste ou discute, ne pas répondre, et, s'il insiste, le menacer avec l'arme de service. Ne pas tirer, la Justice veut l'entendre vivant.

Valentin Keel, conseiller d'Etat.

Pour que Keel ait rédigé cet ordre, de nuit, la faute commise par Grüninger devait être grave. Anton Schneider n'avait d'autre contact avec le capitaine qu'un salut réglementaire quand il le croisait dans un couloir ou un escalier. Jamais ses collègues, de tous grades, n'avaient prononcé le

247

moindre propos désobligeant sur le chef de la police. Ne prétendait-on pas que Keel et Grüninger étaient très liés, par leur appartenance commune au Parti socialiste ? A lire le message, ce ne devait plus être le cas.

En réfléchissant, il se souvint d'une rumeur selon laquelle il aurait facilité l'entrée de Juifs en Suisse, rien de plus... Ceux qui pouvaient savoir se taisaient et ceux qui ne savaient rien ne parlaient pas davantage. A Saint-Gall, cela pouvait s'expliquer par le voisinage avec l'Allemagne, personne ne souhaitant contribuer à une mauvaise réputation de la Suisse par des bavardages inutiles et malsains.

Une fois, une seule fois, à la cantine, les militaires affectés à la police frontalière avaient cité le nom de Grüninger. L'un d'eux, le gendarme Urs Kempf, qui ne cachait pas son admiration pour Hitler, avait affirmé que le capitaine tirait des avantages personnels en facilitant l'entrée de riches Juifs ; aussitôt la frontière franchie, ils trouvaient un taxi qui, moyennant finances, les conduisait hors du canton. Où ? Personne n'en savait rien, et Urs Kempf avait dû reconnaître qu'il n'avait jamais rien vu... rien de concret mais il avait des doutes.

Schneider se souvenait que personne n'avait voulu poursuivre la conversation. Pour ce qu'il connaissait de lui, Grüninger était un supérieur correct, un chef agréable et bienveillant. Il se voyait mal, quand il se présenterait, lui refuser l'accès à son bureau. Si seulement il pouvait arriver en retard ! Schneider laisserait volontiers cette mission impossible à son collègue de garde durant les heures ouvrables.

A 7 h 45, avec sa légendaire ponctualité, Paul Grüninger sauta de sa bicyclette, la déposa à sa place habituelle et, en uniforme, se hâta vers l'entrée.

Face à lui, Anton Schneider, fusil d'assaut déverrouillé.

— Mon capitaine, vous n'avez plus le droit de pénétrer ici !

Le ton était calme mais ferme.

— Et pourquoi pas ? répliqua Grüninger avant de faire demi-tour et, sans insister, de reprendre sa bicyclette.

Schneider ne savait que penser. Si Grüninger avait quitté le bâtiment sans montrer d'étonnement, sans la moindre phrase de protestation, il avait certainement dû se préparer à une telle décision. En la lui communiquant, Schneider n'avait fait qu'obéir aux ordres. Cela avait été très rapide, il en remerciait le ciel. Sans doute aurait-il plus de détails, aujourd'hui ou demain. On n'interdisait pas l'accès des bâtiments publics au chef de la police cantonale sans que la presse s'en fasse l'écho...

Par petits groupes, à l'heure de la relève pour les militaires, de la prise de service pour les fonctionnaires civils, les hommes et quelques rares femmes, dactylographes, entraient et sortaient par le porche, ouvert à 8 heures précises.

Schneider tendait l'oreille, personne ne prononçait le nom de Grüninger. Soit on ignorait qu'il était interdit d'accès, soit on se gardait de donner un avis personnel. Quels que soient les événements, importants ou futiles, à Saint-Gall on ne les commentait jamais. Une loi unique s'imposait à tous, celle du silence.

A aucun collègue il ne raconta avoir été dans l'obligation de chasser Grüninger. Par honte, par crainte d'être blâmé ?

Paul Grüninger pédala sans précipitation jusque chez lui. Qu'on l'ait dénoncé ne le surprenait pas, mais comment justifier pareille délation ? Y avait-il un Suisse pour faire de la tyrannie une religion au nom de laquelle on refusait d'élémentaires principes de charité et de vertu ? Qui pouvait nier l'existence de camps dans lesquels on traitait mieux les chiens que les hommes ?

A quelques centaines de mètres de son domicile, il pensait aux Juifs qu'il avait réussi, quelques jours plus tôt, dans sa voiture de fonction, à faire passer en Suisse et qui avaient sans attendre pris le train pour Fribourg, la ville la plus catholique du pays où, depuis des siècles, cohabitaient en parfaite harmonie germanophones et francophones, chrétiens et juifs, descendants de la plus ancienne communauté israélite de Suisse. Pour payer leurs billets, car ils n'avaient que quelques Reichsmarks, il leur avait donné cinquante francs, plus que le prix du train mais cela leur permettrait de manger un sandwich et de boire une bière avant de rejoindre leur famille.

Ce que l'homme, Thomas, cinquante ans, chirurgien de renom à Nuremberg, lui avait raconté était abominable.

— Nous avons été arrêtés, Dinah, mon épouse, et moi, dans mon cabinet médical où nous logions après avoir, par prudence, quitté notre appartement. Comment la SS a-t-elle su que nous avions trouvé refuge sur mon lieu de travail, je ne saurais le dire. Des soldats, pas de la SS, mais d'un régiment régulier de l'Abwehr, stationné en ville, nous ont embarqués sans le moindre bagage, avec d'autres Juifs dans des camions de l'armée, nous ont jetés sur un quai. Tous les hommes aptes au travail ont été rassemblés d'un côté, les femmes de l'autre. Dinah a demandé quelle était la destination, on lui a répondu : « La boulangerie. » Plus tard, nous avons compris que « la boulangerie » désignait le four crématoire.

Le chirurgien avait raconté qu'il avait discrètement désigné à son épouse une petite cabane en bois, face à eux, sur le quai, réservée à l'outillage. Profitant d'un instant d'inattention de leurs gardiens, ils s'y étaient précipités.

— Nous y sommes restés sans boire ni manger pendant deux jours, jusqu'à ce que nous ayons eu la certitude que le convoi de déportés avait quitté la gare.

— Comment avez-vous eu recours à moi ? avait demandé Grüninger.

— Oh, très simplement, avait répondu Dinah. J'ai fait mes études à Heidelberg, j'y avais pour amie une certaine Frederika Wittenberg. A l'époque, elle approuvait le national-socialisme, puis elle a travaillé pour Funk, avec la conviction qu'Hitler deviendrait vite l'icône de la conscience universelle. Depuis elle a changé d'avis. Devenue hostile au régime de terreur, elle a redouté d'être arrêtée comme opposante à Hitler. Chrétienne, elle a pu émigrer sans problème chez vous... Elle vit maintenant à Lucerne avec un ancien banquier, originaire de Saint-Gall.

— Stahler ? avait questionné Grüninger.

— Oui, c'est cela... Stahler. Elle m'a écrit, c'était avant notre arrestation, pour me dire que, si nous le souhaitions, nous pourrions aussi nous installer en Suisse. Elle savait évidemment que tous nos documents étaient marqués du « J » et nous a dit qu'en cas de besoin vous nous feriez passer la frontière.

— Elle vous a donné mon nom ? avait demandé Grüninger, soudain inquiet.

— Evidemment, avait spontanément répliqué Dinah, sinon comment aurions-nous pu vous téléphoner ?

Avec Grüninger, ils avaient franchi la frontière. Sans difficulté.

Paul, qui n'était déjà plus le chef de la police, avait compris. Personne sans doute à Saint-Gall ne l'avait dénoncé ; il était probable, parce qu'il se méfiait depuis longtemps, que Rothmund avait placé son téléphone sur écoute. Une pratique courante chez lui.

Si ce que Dinah lui avait rapporté se vérifiait, les deux neveux de Dreyfus avec lesquels, dès le soleil couché, il avait traversé le fleuve, avant de leur donner les tickets pour Bâle, que Stahler avait payés pour eux, seraient sans doute les derniers migrants qu'il aurait la possibilité de secourir.

Arrivé chez lui, il posa sa bicyclette contre le mur d'entrée. Il se hâterait de la restituer car il s'agissait de matériel de service. Identique à celles fournies par l'armée à tous les fantassins, habitués à se faire régulièrement brocarder par les militaires cavaliers.

A l'intérieur, personne. Les enfants étaient à l'école, son épouse Doria à l'hôtel du Cerf où elle faisait la comptabilité. Instinctivement, sans même y penser, Grüninger ouvrit la boîte aux lettres. Il en retira une lettre du département de Justice et Police. Dactylographiée, avec la signature personnelle d'Heinrich Rothmund. Sans surprise, il la lut.

A l'attention du commandant Paul Grüninger, chef de la police cantonale de Saint-Gall,

Informés par différentes sources, nous savons que vous avez organisé un véritable réseau, pour faire passer des Juifs en Suisse, dans les régions de Buchs et de Sankt Margrethen, réseau qui fonctionnerait depuis plusieurs années [...]. Vous auriez apposé sur les passeports des visas d'entrée portant une date antérieure au contrôle des Juifs à nos frontières. Travail pour lequel vous seriez très bien payé par les organisations judéo-marxistes. Des centaines, peut-être des milliers, d'immigrants seraient entrés illégalement de cette manière. En conséquence, et après avis du Conseil fédéral, vous êtes, à ce jour, déchu de votre grade de capitaine de police. Aucune indemnité ne vous sera versée, toute activité dans un service public vous est désormais interdite. Ayant consulté le conseiller cantonal Valentin Keel, il nous paraît légitime de déposer contre vous une plainte pénale pour avoir enfreint dans le canton de Saint-Gall des lois édictées par le gouvernement fédéral [...].

Heinrich Rothmund

Aucune formule de politesse mais un post-scriptum :

Si vous disposez d'effets ou de matériels, propriétés de l'administration, vous les remettrez sous huitaine au poste de garde de la Maison de ville. Les objets personnels dont vous disposeriez dans votre bureau sont désormais placés sous l'autorité de la Justice, pour les besoins de l'enquête.

Grüninger tourna la clé dans la serrure. Il s'avança jusqu'au salon, attiré par la douce odeur de feu de bois. Dans la cheminée, brûlait une bûche qu'il avait lui-même coupée sur un hêtre de la forêt voisine.

Il retira son képi de capitaine. Jamais plus il ne le coifferait, l'accrocha à une patère et passa dans la chambre conjugale, en face de celle des enfants.

Il ouvrit l'armoire d'où il sortit une chemise, un pantalon de velours et un blouson de laine tricoté par son épouse. Les habits militaires, il les avait payés de ses deniers, il les entassa soigneusement dans une panière en osier du couloir où les enfants rangeaient leurs jouets.

Le chef de police Grüninger n'était plus que le citoyen Paul Grüninger. Sans profession... Sans avenir... Poursuivi par la justice pour n'avoir pas ignoré le sort terrible qui attendait les Juifs refoulés vers l'Allemagne. Malgré sa volonté de passer à autre chose, il devrait vivre mais il n'aurait plus la possibilité d'aider ceux que les nazis assassineraient jusqu'au dernier.

Aurait-il la force de ne plus y penser ? Il en doutait. Chaque jour, chaque nuit, il aurait à l'esprit la barrière d'une frontière qu'aucun fugitif innocent ne pourrait plus franchir.

Son épouse tardait à revenir. Un instant il envisagea d'avaler tous les somnifères qu'il utilisait quand le sommeil tardait à venir. La mort plutôt que la honte. Non, il décida de se battre. Contre qui ? Ces politiciens bernois qui avaient choisi le silence pour préserver leurs intérêts. Politiciens fantoches qui ne se souciaient pas de l'horreur s'abattant sur le monde, toujours silencieux sur les profits tirés de leur situation.

Les choses ne pouvaient qu'empirer. Après Dantzig, profitant de la faiblesse des démocraties occidentales, Hitler se préparait à envahir la Pologne et à la découper, avec la complicité de Staline. Grüninger ne comprenait pas. D'une part, les « rouges » fuyaient l'Espagne de Franco, d'autre part, Staline s'alliait à Hitler pour dévorer la Pologne. Une importante communauté juive y vivait, promise à ce que Heydrich, invité à la radio suisse alémanique, avait appelé « la solution finale ».

Grüninger n'en voulait à personne, non, il était simplement très malheureux, désespéré d'être victime d'une Autorité que le nazisme fascinait. Il avait besoin de parler avec quelqu'un. Un nom surgit à son esprit : Stahler. Eugen Stahler qui, semblait-il, était de retour à Saint-Gall.

A Saint-Gall, la ville où Stahler avait accumulé tant de souvenirs, rien ne lui parut vraiment changé. Si, peut-être... la crémerie de la Merkurstrasse avait rafraîchi sa façade. Il découvrait, tel un explorateur, une terre où il avait passé ses années d'enfance, où il avait donné naissance à une banque portant son nom. Il avait quitté Lucerne le matin. En ce milieu d'après-midi, les rues étaient animées. Les passants, pressés, l'ignoraient. Etranger dans sa cité, il ne s'arrêta pas devant l'immeuble de la banque, cela pouvait attendre. Il n'avait qu'une hâte, tourner la clé dans la serrure de son appartement. Entouré d'objets familiers, il se sentirait moins seul.

En fait, il ressentit une insondable tristesse. Il ouvrit les volets, remarqua la poussière sur tous les meubles, la forte odeur de moisi, comme dans tout logis longtemps inoccupé. Par chance, la ligne téléphonique fonctionnait. Après avoir jeté son manteau sur le divan du salon, il s'y assit et tira le combiné jusqu'à lui. Il décrocha. Le récepteur à bout de bras, il hésita. Quel était le premier numéro à composer ? Frederika, pour lui dire qu'il était bien arrivé, qu'elle était la femme qu'il aimait ? L'hôpital pour enfin s'informer de l'état de santé de son épouse, Martha ? Sa banque, pour vérifier que malgré son absence tout se déroulait selon des règles qu'il avait fixées une fois pour toutes ? L'Edelweiss, afin qu'on lui réserve une table pour 7 heures ? Il y souperait seul.

Toutes ces interrogations, Stahler le savait parfaitement, ne servaient à rien. Le seul numéro qu'il devait composer avant la fermeture des bureaux, c'était celui de Paul Grüninger. N'était-ce pas afin de le rencontrer qu'il avait quitté Lucerne pour Saint-Gall ? Oubliée la lettre inconvenante en forme de délation envoyée naguère à Rothmund. Tout en lui avait changé. Martha l'avait quitté, la compréhension avait pris le pas sur la colère. Avant lui, elle avait eu la révélation de l'horreur quotidienne dans l'exercice du pouvoir par Hitler. Longtemps aveugle, il ouvrait enfin les yeux.

Pour les meurtres collectifs, les nazis avaient fait le choix de l'épouvante. Y aurait-il des survivants pour témoigner ? Il l'espérait. Pourquoi n'avait-il pas pris conscience qu'en accroissant sa fortune avec les nazis il livrait des innocents à leurs bourreaux ? Rien ne l'y obligeait, il ne faisait que reprendre à son compte les pratiques du gouvernement : entretenir des liaisons dangereuses, à condition de laisser le peuple dans l'ignorance. Venise devait sa richesse à la mer, Berne, à son silence. Si le pouvoir fédéral demeurait muet en public, lors de rencontres informelles on incitait les entrepreneurs à commercer avec l'Allemagne. Ce n'était pas une forme de complicité mais une indispensable collaboration qui éviterait à la Suisse de renoncer à la neutralité. Une neutralité devenue au fil des siècles une forme de courage civique. La mort du conseiller fédéral Giuseppe Motta n'avait rien changé. Son successeur, avocat d'affaires, le très bourgeois et francophone Marcel Pilet-Golaz, avait publiquement claironné pendant les années économiquement difficiles qu'un ouvrier était aussi bien nourri avec une salade de cervelas à 1 franc qu'un bourgeois avec une entrecôte à 3 francs. Il se répandait dans la presse de toutes les langues nationales pour appeler les Suisses à augmenter les échanges commerciaux avec leurs puissants voisins, allemands et italiens : il n'était pas nécessaire de le crier haut et fort mais on devait multiplier les gestes de sympathie envers leurs dirigeants. Pilet-Golaz avait demandé et obtenu qu'une somme de 500 000 francs soit dégagée du budget fédéral pour dresser les arcs de triomphe fleuris dans tout Lausanne quand Mussolini y avait été fait docteur *honoris causa*. Pas une voix ne s'était élevée pour s'y opposer. La repentance arrive toujours trop tard, quand elle est devenue inutile. Si le comportement de Stahler avait changé, il le devait beaucoup à Frederika. Quand il lui avait annoncé la requête de Dreyfus, elle avait pratiquement exigé qu'il fasse appel à Grüninger. D'abord par téléphone, afin de ne pas perdre de temps. Ensuite, il se rendrait à Saint-Gall et discuterait avec le chef de la police cantonale. Surtout, qu'il oublie leurs anciennes divergences afin, c'était essentiel, que sans tarder soient sauvés les deux enfants !

Il ne pouvait, il ne voulait pas refuser. Par téléphone, il avait expliqué la situation au capitaine. La réponse avait été immédiate, courtoise, spontanée et sincère :

— Oublions ce qui a pu nous séparer. Rassurez votre ami Dreyfus. Que ses neveux prennent le premier train pour Feldkirch. Qu'ils n'aient sur eux aucun document d'identité, seulement quelques marks. En cas de contrôle, qu'ils se déclarent aryens et en vacances chez leurs grands-parents à Lindau... J'irai moi-même à Feldkirch et n'aurai aucune difficulté à les reconnaître... Je porterai évidemment des vêtements civils.

— Ensuite ? avait demandé Stahler, surpris par la rapidité et l'efficacité avec lesquelles agissait Grüninger.

— Ensuite, avait-il répondu, c'est mon affaire. Dès qu'ils auront posé les pieds sur le sol suisse, je n'éprouverai aucune difficulté à joindre votre ami Dreyfus à Bâle, je lui indiquerai à quelle heure il pourra accueillir ses neveux. Cela vous convient ?

— Je vous remercie, avait simplement répondu Stahler.

— Ne raccrochez pas, avait poursuivi Grüninger, j'ai à mon tour un souhait à exprimer.

— Je vous en prie.

— Que vous viviez hors les liens du mariage ne me concerne pas... En revanche n'oubliez pas que vous avez une épouse, une femme admirable, mais très malade. Ne l'abandonnez pas !

— Oui, vous avez raison, avait répliqué Stahler, un peu agacé. Acceptera-t-elle ma visite après une si longue absence ?

— Il vous appartient de vous rendre à son chevet, avait répondu Grüninger, sans autre commentaire.

Puis il avait raccroché.

Stahler ne cessait de se poser des questions. Dreyfus lui avait confirmé avec soulagement l'arrivée de ses neveux. Le chef de la police l'avait appelé pour dire laconiquement que « le colis » serait à Bâle dans le train de 19 h 02.

— Maintenant, avait ajouté Dreyfus, je ne vous demanderai pas de comptes, votre prix sera le mien. La banque Stahler deviendra la succursale saint-galloise de la banque Dreyfus de Bâle.

Les gamins en sécurité, Stahler attendrait le lendemain pour s'entretenir avec Grüninger.

Il composa, après l'avoir cherché dans l'annuaire, le numéro de l'hôpital cantonal. A la réceptionniste, il dit d'une voix blanche :

— Puis-je parler au directeur ? De la part de M. Stahler.

— Ne quittez pas.

Le ton n'était pas affable. Stahler le comprit, la situation de secrétaire téléphoniste dans un établissement hospitalier de plusieurs centaines de lits ne devait pas être réjouissante tous les jours. Après quelques minutes d'attente, il entendit une voix rauque, marquée par un fort accent zurichois :

— Wilfried Siegrist, directeur de l'hôpital.

— Je suis Eugen Stahler...

Il n'eut pas la possibilité d'expliquer les raisons de son appel, il dut éloigner le récepteur de son oreille tant à l'autre extrémité Siegrist rugissait de colère.

— Je ne vous félicite pas, monsieur Stahler. Depuis plusieurs semaines, madame Stahler n'a eu pour visites que celles du chef de la police, Paul Grüninger. Et pas une seule de vous, son époux ! Vous ne semblez pas très concerné par l'état de votre épouse. Accepteriez-vous avec soulagement son décès ?

Stahler ne sut quoi répondre.

— Je ne vous cache pas que votre attitude m'a choqué, reprit Siegrist. Je me suis informé, vous aviez quitté Saint-Gall... C'est une explication, ce n'est pas une excuse !

— Je suis de retour à Saint-Gall, je vais venir à l'hôpital. Sans tarder. Comment va-t-elle ?

Cette question banale suscita de nouveau des hurlements de la part du directeur.

— Comment est-il possible que vous soyez dans l'ignorance de son état ? Depuis des semaines elle se meurt dans un coma prolongé, je doute qu'elle

259

vous reconnaisse... Je vous autorise néanmoins à la visiter, mais ne tardez pas !... je crains qu'elle ne survive pas longtemps.

Stahler entendit le déclic d'un combiné qu'on raccroche. S'il avait espéré des propos aimables, il s'était illusionné.

Il se remettait difficilement de cet entretien quand le téléphone sonna à nouveau. Il n'y avait que Grüninger pour savoir qu'il était de retour à Saint-Gall. Il décrocha.

— Oui, Stahler...

— C'est moi, Grüninger. Il faut que je vous voie. Très rapidement.

Etait-ce l'émotion de parler avec un ancien adversaire auquel il venait de rendre un immense service en sauvant deux enfants ? Le capitaine semblait éprouver des difficultés à s'exprimer.

— Je devais me rendre à l'hôpital, voir mon épouse... Il n'y a pas urgence, j'irai demain.

Grüninger aurait dû se contenir, il n'y parvint pas et répliqua d'une voix sourde :

— En effet, cela peut attendre. Il y a si longtemps que vous ne l'avez pas vue... Je doute qu'elle vous reconnaisse. Martha – Eugen remarqua que Grüninger l'appelait par son prénom – est plongée, je ne vous apprends rien, depuis des semaines dans un coma irréversible. Sans les équipements modernes de notre hôpital, vous seriez veuf.

Eugen serra les poings. Chaque mot de Grüninger résonnait à ses oreilles comme un reproche, mais comment refuser de le recevoir ?

— Je vous attends. Combien de temps de votre domicile jusqu'ici ? Vous venez à bicyclette, je suppose...

— Non, monsieur Stahler, je n'ai plus la possibilité d'utiliser ma bicyclette de service. Je serai chez vous dans vingt ou trente minutes, en marchant vite. Pas davantage.

Se voulant courtois, Stahler lui répondit qu'il l'accueillerait volontiers mais que l'appartement longtemps inoccupé était celui d'un célibataire. Il lui sembla qu'à l'autre extrémité du fil, Grüninger avait poussé un soupir de soulagement. Mais pourquoi le chef de la police cantonale insistait-il à ce point pour le rencontrer sans délai ? A son domicile plutôt qu'à son bureau ? Bizarre, conclut Eugen. Avant l'arrivée de Grüninger, Stahler disposait d'un peu de temps. Il descendit rapidement les trois étages. A l'épicerie, il acheta du café en poudre, une spécialité de la firme Nestlé, qui inventait régulièrement de nouveaux produits pour faciliter l'alimentation des soldats de l'armée allemande. Il acquit aussi sur le conseil du commerçant, qui le connaissait, un sachet de poudre qu'il suffisait de dissoudre dans de l'eau chaude pendant quelques minutes pour obtenir une soupe tout à fait acceptable. Selon l'épicier, le ministre de l'Economie du Reich aurait commandé plusieurs centaines de milliers de ces « potages Maggi ». Voilà, se réjouissait-il, qui va faire rentrer un joli paquet de devises !

Stahler ne voulut pas discuter, c'eût été inutile. Banquier, il savait que les Allemands échangeaient armes et produits alimentaires suisses contre quelques wagons de charbon. Il n'y avait pas de mine en Suisse, mais on ne manquait pas d'ingrédients nécessaires à la nourriture d'une armée. Un approvisionnement qui n'était certainement pas distribué aux déportés des camps de concentration que – la presse le signalait sans émotion, comme une information de village – les Allemands implantaient dans les pays occupés.

Une rumeur prétendait qu'après avoir commandé à une scierie de Lausanne les planches des baraques du camp de Dachau, la SS souhaitait une livraison plus importante pour installer un camp très étendu, à proximité de la ville de Cracovie, près du bourg agricole d'Oswiecim – Auschwitz dans la traduction allemande.

Les Anglais et les Français avaient déclaré la guerre à l'Allemagne. Personne en Suisse alémanique ne croyait à une victoire franco-britannique. Selon la coutume, on s'imposait silence mais la désignation d'un francophone Henri Guisan, comme général en chef de l'armée suisse, n'était pas rassurante. On lui aurait préféré le colonel Ulrich Wille, un germanophone dont le père, militaire de haut rang, avait su préserver la neutralité suisse de 1914 à 1918, dans un conflit mondial où la Suisse n'avait pas eu à déplorer de victimes.

La presse ne s'intéressait guère au sort des déportés, mais quelques Suisses savaient que leur nombre ne cessait d'augmenter. Personne ou presque n'en parlait.

Il n'y avait pas cinq minutes qu'il était de retour chez lui que Grüninger sonnait à la porte d'entrée.

La dernière fois qu'Eugen l'avait vu, c'était à l'Edelweiss quand il y avait soupé en compagnie de Martha, quelques jours après l'Anschluss. Martha avait vu juste, ce n'était que le début d'une horreur aujourd'hui généralisée.

Etait-il bien raisonnable que, telle la majorité de ses compatriotes, insensibles au sort de leurs voisins, il s'enferme lui aussi dans la nuit d'une mémoire défaillante ? Le silence est l'ennemi du courage ; certaines paroles, bien que dérangeantes, suscitent le respect. Eugen ne l'ignorait pas.

Après tant d'erreurs, de fautes, qu'il ne se pardonnerait jamais, Eugen voulait témoigner de ce que Frederika, Dreyfus et d'autres lui avaient appris. Il désirait parler, hurler à la place de ceux qui, sans voix, n'avaient plus de larmes pour pleurer. C'est ce Stahler repenti qui recevait le capitaine Grüninger, le sauveur de tant de vies. Comment, par orgueil et inconscience, Eugen avait-il pu le dénoncer à Rothmund, insensible ? Quand le mal est fait, difficile de le réparer.

Impensable ! Inimaginable !... Cet homme, le dos légèrement voûté, sur le seuil de son appartement, ne pouvait être l'élégant officier, uniforme toujours impeccable, chef de la police cantonale ! Grüninger, les joues creusées, portait un pantalon de velours, des chaussures de montagne fatiguées, une chemise qui avait dû être grise, un tricot de laine qui ne le protégeait guère de l'air froid venu du Rhin. Son imperméable défraîchi n'avait pas été porté depuis longtemps.

Grüninger sourit, Stahler, ahuri, sourit à son tour, sans comprendre. Après avoir retiré son vêtement, Grüninger s'assit dans un fauteuil face au canapé dans lequel Eugen avait ses habitudes.

Grüninger parla le premier d'une voix si faible que Stahler entendait avec difficulté :

— Ce n'est pas le chef de la police cantonale qui a souhaité vous rencontrer mais le citoyen Paul Grüninger... Pour m'imposer le silence, Rothmund a décidé de me faire enfermer sans délai, au secret, dans un asile d'aliénés.

Eugen sursauta.

— Vous, interné ? Non, c'est impossible !

Une idée traversa soudain son esprit.

— Un officier compétent comme vous, il y en a peu... Ce n'est tout de même pas parce que vous êtes socialiste et que vous avez été suspendu ? Il faut alerter le conseiller Keel, lui aussi est socialiste...

De son pantalon Grüninger sortit un papier que, de colère autant que de tristesse, il avait arraché au *St. Galler Nachrichten*.

— Tenez, lisez ! C'est un communiqué très officiel, distribué par Keel à tous les journaux du canton, dit-il en tendant la feuille froissée.

Il n'est pas vrai, que j'ai pu être au courant de falsifications des passeports dont le capitaine Paul Grüninger s'est rendu coupable [...]. Je n'aurais pas toléré qu'un officier chargé de la surveillance des frontières viole au profit d'étrangers son devoir de fonction [...]. Les étrangers juifs doivent être refoulés. Aucun geste de sympathie ne saurait être toléré, il y a une règle, elle ne souffre pas d'exception [...]. Aucune erreur ne saurait être acceptée...

Lecture achevée, Stahler, incrédule, regardait Grüninger. Il n'était pas possible que Keel ait déclaré cela.

— Qu'allez-vous faire ? finit-il par lâcher.

— Je vais être entendu par le juge Walter Hasch, répondit calmement Grüninger, comme si ce drame concernait un autre que lui. Pour l'avoir vu interroger des délinquants que j'avais interpellés, je sais que Hasch n'est pas un tendre, précisat-il. Rothmund lui a sans doute demandé une enquête pénale. J'attends la convocation.

— Que vous reproche-t-on exactement ?

— D'avoir sauvé des vies ! Déchu et poursuivi pour délit de compassion.

— En quoi puis-je vous être utile ?

— Je dois trouver un emploi... Kamm a été muté à Delémont, dans le Jura. Le camp de Diepoldsau va être fermé ; une cinquantaine de réfugiés y vivent encore, des femmes, des enfants ; tous seront reconduits à la frontière. Du côté allemand, les camions de la Gestapo les attendent. Selon Kamm, ce que Rothmund appelle « l'opération nettoyage » doit être achevé avant un mois. Je n'y peux plus rien changer... Quant à moi, je ne percevrai plus ma paie. Si le patron du Krone se montre bienveillant avec l'épouse d'un proscrit, nous n'aurons pour vivre avec nos deux enfants que le salaire de Doria. Ce que je souhaite ?... Peut-être une place de livreur chez un de vos clients... Sauver des innocents condamnés à mort par la tyrannie de leur patrie, cela porte un nom en Suisse : violation de la loi et incitation à la débauche... Monsieur Stahler, c'est donc un débauché qui sollicite votre aide...

Que pouvait répondre Stahler ?

— Je vais m'efforcer de pallier les difficultés de votre situation... Comment la Suisse peut-elle être gouvernée par des individus qui ignorent le mot fraternité ? C'est à croire qu'il appartient à une langue étrangère, dont ils ne disposent pas de la traduction.

Grüninger se leva, prit son vieux manteau de pluie.

— Si vous avez une possibilité, appelez-moi... Je ne quitte pas la maison. J'écoute quelques disques... Beethoven... Mozart... Quand j'entends le *Requiem*, je reçois comme un faire-part de mort.

Eugen l'accompagna jusque sur le palier.

— Courage... Je m'occupe de vous.

La porte refermée, il s'effondra sur le fauteuil. Tout en lui condamnait ce qu'il avait vécu jusqu'au moment où Frederika lui avait ouvert les yeux. Sur un rayonnage, il aperçut un ouvrage lu

265

et relu. Il y avait peut-être là un début d'explication.

Cela remontait à l'époque où il étudiait à Heidelberg, Hitler n'était pas encore le bourreau de l'Europe et les élèves voyaient dans le national-socialisme un véritable espoir de renaissance pour l'Allemagne.

Le philosophe Martin Heidegger était venu donner une conférence à l'aula de l'université. Il n'y avait pas une place disponible dans la salle tant était reconnue l'intelligence de cet intellectuel qui enseignait à Fribourg l'histoire de la philosophie. Il s'exprimait avec une telle conviction, une telle ferveur qu'il était difficile, voire impossible, de ne pas adhérer à ses propos. Sa pensée était si clairement exposée qu'il était naturel de la considérer comme juste. Avec autorité, le professeur Heidegger avait expliqué qu'il voyait dans le judaïsme mondial une puissance qui, par son contrôle de l'économie et de la politique, représentait une entrave au renouveau de l'Allemagne. La grande vertu du national-socialisme, avait-il insisté, était de séparer l'identité juive de l'aryenne. A son rejet clairement exprimé de la « sous-race juive », il associait le bolchevisme, dangereux pour l'avenir de l'Europe. Adhérer au Parti national-socialiste n'était pas une action politique mais une réflexion philosophique sur la nécessité d'éliminer les Juifs avant qu'ils ne précipitent l'Allemagne dans un abîme qui l'engloutirait.

Comme toute l'assistance, à l'exception de Martha et de quelques étudiants, Eugen Stahler avait ovationné la harangue du philosophe. Eugen se souvenait avoir partagé l'enthousiasme de Frederika ; il comprenait aujourd'hui ce qu'il pouvait y avoir d'odieux dans cette palabre à la gloire du nazisme. Pourquoi, se demandait-il, les grands criminels seraient-ils des sots ?

Ni Eugen ni Frederika ne croyaient plus à cette philosophie malsaine qui avait bénéficié à Hitler. Paul Grüninger n'avait certainement pas connaissance des dérives philosophiques de Martin Heidegger, il avait seulement tenté de sauver quelques vies. Il n'était pas nécessaire d'être un enseignant respecté pour agir en homme libre. Heidegger poursuivait ses diatribes à Fribourg ; à Saint-Gall, Paul Grüninger, juste et intègre, n'était qu'un officier déchu. Eugen s'interrogeait sur le sens qu'il convenait de donner au mot justice. Prisonnier d'une sensation d'étouffement, il avait besoin de prendre l'air. Il irait en flâneur jusqu'au restaurant l'Edelweiss. Et que le patron, Edmond, ne lui parle surtout pas de l'affaire Grüninger, cela le mettrait dans une colère qu'il serait incapable de contrôler !

La nuit était sombre. Lui qui ne fumait que des cigares s'arrêta devant un distributeur automatique de cigarettes et pour vingt centimes tira un paquet d'américaines. Il le glissa dans une poche, sans l'ouvrir.

Il traversa au passage piéton de la Bahnhofstrasse en direction de l'Edelweiss quand il sentit qu'on lui tapait sur l'épaule droite. Surpris, il se retourna, reconnut sans peine le juge Walter Hasch. Ils avaient échangé quelques banalités, lors de soupers organisés régulièrement par le Lion's Club local, dont l'un et l'autre étaient membres.

— Monsieur Stahler, puis-je vous inviter à pendre un café, proposa le magistrat pas vraiment surpris de la présence de Stahler qu'on prétendait installé à Lucerne. J'aimerais vous poser quelques questions. Evidemment sans rapport avec ma fonction. Votre avis de financier sérieux m'intéresse.

267

Eugen ne pouvait refuser. Ils s'installèrent au Kursaal, un bar à café où le banquier n'avait jamais mis les pieds. Le juge, lui, semblait y avoir ses habitudes :

— Franz, deux cafés, s'il te plaît ! Avec ou sans lait, monsieur Stahler ?

— Sans lait, pour moi, murmura Eugen, perplexe quant à ce que Hasch attendait de lui.

Le juge, trop heureux de l'aubaine d'avoir croisé Stahler, lui demanda sans précaution particulière :

— Connaissez-vous Paul Grüninger ?

— Assez peu, lâcha Stahler.

Une réponse conforme à la réalité.

— Croyez-vous... Croyez-vous qu'il soit fou ?

Stahler ne put retenir un rire. Un rire d'effroi.

— Grüninger dément ! Vous n'y pensez pas ! Cette suspension avec effet immédiat est un scandale... J'espère que la presse ne tardera pas à le dénoncer ! Si Rothmund se cache derrière cette décision, l'opinion publique se déchaînera contre lui.

— Votre comportement, monsieur Stahler, me surprend, répliqua le juge. Comment pouvez-vous déclarer sain d'esprit un fonctionnaire de haut rang qui, de manière répétée, falsifiait des documents officiels ? Afin de ne pas entamer de poursuites pénales, on pourrait... afin d'éviter toute publicité sur une affaire à traiter avec discrétion... songer à un internement administratif.

Il prit un temps avant d'ajouter, presque à mi-voix :

— Un internement serait préférable, pour vous aussi. Il y va de votre réputation personnelle car, selon les rapports dont je dispose, Mme Stahler aurait participé aux égarements de M. Grüninger, trouvant des cachettes pour les réfugiés entrés illégalement en Suisse... Votre aide sera utile, voire nécessaire, à la poursuite de mon enquête. Soyez vigilant, un séisme judiciaire est rarement apprécié par la clientèle d'un financier.

C'en était trop. Eugen se leva, sortit du bar à café sans saluer Hasch. Il n'avait plus faim, rentra chez lui, annula sa table à l'Edelweiss.

D'un tiroir de son bureau Eugen sortit un petit carnet relié de cuir. Il y inscrivait le nom et le téléphone de ses plus gros clients, ceux qui à la banque n'étaient désignés que par un numéro. L'un après l'autre il tourna les feuillets. Il s'arrêta sur Waldegg, un négociant en tissus qui avait fait fortune avec les Palestiniens et qui lui avait dit chercher des employés commerciaux pour visiter les magasins de Bâle et du Jura où il ne disposait encore que de quelques points de vente. Un travailleur consciencieux devrait faire l'affaire.

Il appela le siège de la société, à Interlaken. Quand la secrétaire annonça Stahler, Waldegg abandonna l'examen de nouveaux tissus pour se précipiter au téléphone. Que voulait son banquier avec lequel il avait toujours entretenu d'excellentes relations ? Comme d'autres, Waldegg redoutait ce genre d'appel. Son compte n'était jamais à découvert, mais un incident de paiement toujours possible.

— Monsieur Stahler, quel plaisir de vous entendre... Ce n'est pas tous les jours que votre banquier vous appelle de bon matin. Que puis-je pour vous ?

Stahler n'était pas dupe de cet excès d'amabilité. Un banquier est un personnage auquel le plus grincheux des clients s'adresse toujours avec déférence. Pour les plus riches, le vent peut aussi tourner, le banquier devient soudainement indispensable. Plus que le médecin, il a l'obligation de garder le secret sur tout ce qu'il a pu découvrir de la situation financière ou fiscale de ceux qui leur confient ce qu'ils ont de plus précieux : leur fortune.

— Il ne s'agit pas de vous, monsieur Waldegg, mais d'un de mes amis, le capitaine Grüninger. Vous avez sans doute lu qu'il était victime de sa générosité. Il cherche un emploi civil... J'avais pensé que...

Eugen ne put rien ajouter. Waldegg, lui, se permit une réponse aussi sèche que claire :

— Ce passeur de Juifs chez moi ? Jamais ! Comment pouvez-vous plaider la cause d'un homme qui a bafoué les valeurs multiséculaires de la patrie ? Un militaire qui par ses agissements ne peut que nuire aux entrepreneurs suisses ! Qu'il s'exile en Palestine et entraîne avec lui tous ces réfugiés juifs qui ne s'intégreront jamais dans notre pays. Nous devons déjà supporter leurs malversations et celles des communistes nés en Suisse, cela suffit ! Désolé, monsieur Stahler... Si vous souhaitez garder ma clientèle, oubliez Grüninger !

Eugen bafouilla quelques mots d'excuse ; chacun de son côté raccrocha. Eugen alluma une des cigarettes acquises la veille et en aspira quelques bouffées. Dans cette première cigarette, pour lui qui ne goûtait que la saveur des havanes, il voyait une subtile forme de liberté. Il suivit du regard les volutes de fumée légère jusqu'au plafond puis écrasa l'extrémité dans le cendrier. Le cœur battant, il composa le numéro de Lucerne.

— Ici, Frederika Wittenberg.

— C'est moi... Eugen.

— Ah, bonjour... Tu vas bien ?

Inutile d'insister. Au ton de la voix, il comprit qu'il se passait à Lucerne quelque chose d'anormal.

Frederika ne s'exprimait pas comme une femme amoureuse mais comme quelqu'un qui avait besoin de libérer sa conscience d'un poids pesant. Il l'aimait assez pour lui pardonner une infidélité passagère. Il ne s'agissait pas de cela, Eugen le découvrit vite.

— Je t'aime, Eugen... je t'aime... je tiens à toi... Malheureusement, je dois te quitter.

— Me quitter, pourquoi ? Pour qui ? s'excita-t-il.

— Ne t'énerve pas, il ne s'agit pas d'un autre homme. Non... je suis attendue lundi prochain à Genève.

— A Genève ! Explique-toi, je t'en prie !

— J'aurais préféré attendre ton retour pour t'informer, mais c'est impossible. J'ai pris une décision sur laquelle rien ni personne ne me fera revenir. J'ai fui l'Allemagne, tu le sais, parce que je m'étais fourvoyée en adhérant au Parti national-socialiste. Je n'aurai pas assez de ma vie pour réparer cette honteuse erreur de jeunesse.

— Moi aussi, à l'époque, j'y ai cru, mais maintenant les crimes nazis, nous les combattons chacun à notre manière... Moi, j'essaie d'aider Grüninger, mais toi à Genève, à qui peux-tu être utile ? Je ne comprends pas.

Eugen regrettait déjà ce qu'il avait dit, tout s'éclairait... Genève... le CICR[1]... Interrogés sur le sort des persécutés, les membres du Comité répondaient par un silence coupable. «Nous ne savons rien», affirmaient les plus loquaces.

— Je crois avoir saisi, dit Eugen, plus tendrement. Je suis triste de ne pas te voir pendant quelque temps mais une séparation, momentanée je l'espère, de notre couple n'est pas inutile si elle

---

1. Comité international de la Croix-Rouge.

nous permet de nous retrouver, plus sereins, en accord avec nous-mêmes.

D'une voix tremblante, Frederika conclut :

— Après la guerre – parce qu'elle s'achèvera un jour –, les morts gazés, tombés sous les coups ou victimes de maladies ne pourront plus parler. Max Huber, le président de la Croix-Rouge, l'admet, l'image caritative du Comité est souvent usurpée. Il m'a confirmé, avec des regrets polis, sans plus, que dans les rangs des administrateurs aucun Juif n'avait jamais été admis. En tant qu'Allemande, m'a-t-il expliqué, je pourrai plus facilement pénétrer dans les camps, et y vérifier si la réalité est véritablement aussi atroce qu'on le prétend. Refuser l'offre eût été lâche.

— Et pourquoi pas un Suisse ou une Suissesse ? s'étonna Eugen.

— Parce que les délégués du CICR ne peuvent porter secours qu'aux militaires... Une convention qu'Hitler a dénoncée pour mieux dissimuler ses crimes. Allemande, il me sera plus aisé de constater ce dont sont capables ces barbares qui ne connaissent qu'une loi, celle du sang et des larmes, comme l'affirmait Bismarck en son temps. Je ne suis pas dupe, le CICR sera plus à l'aise pour désavouer une Allemande si sa réputation venait à être ternie.

Stahler, comme pour Grüninger, déplorait le mutisme de ses compatriotes sur les camps de concentration. Qu'a-t-on tenté ? Qu'a-t-on osé ? Faut-il que ce soit une étrangère, aryenne, parce que cela arrange les Suisses enfermés dans leur insupportable silence, qui informe l'opinion publique des horreurs commises dans les camps de concentration ?

— Tout ce que tu dis est vrai, mais sois convaincue que la Croix-Rouge demeurera muette aussi longtemps qu'on n'aura pas de détails précis sur les conditions de vie dans ces camps... C'est leur politique, ils s'y maintiendront. Silence, faute de preuve !

Stahler, malgré son chagrin et sa colère, comprenait Frederika. Lui, l'homme si souvent fier de sa masculinité, reconnaissait ses faiblesses passées ; les deux femmes, que ce soit Martha ou Frederika, dont il avait partagé quelques moments de vie ne manquaient pas de courage, elles ! A écouter Frederika, il prenait conscience du danger de mort qui la menaçait en rentrant dans son pays natal pour y dresser le constat de l'horreur programmée. Il l'admirait assez pour ne pas s'y opposer.

— En Allemagne, lui dit-il, change d'identité... Sois prudente ; la Gestapo, si elle découvre tes activités, ne te lâchera pas. Bien que tu sois allemande.

Pour toute réponse, Frederika lui répondit avec une tendresse qu'il ne lui connaissait pas :

— Sois sans crainte, je saurai me protéger... Ni la torture ni la mort ne m'effraient, je m'y prépare. Qu'est-ce qu'une victime de la tyrannie nazie quand il y en a des millions d'autres ? Ne crois-tu pas que le silence de la mort est plus respectable que le mutisme d'une Suisse qui se croit faussement à l'abri de tout désastre ? Tu le sais mieux que quiconque, un coffre empli d'or ne résiste pas longtemps aux obus d'un char d'assaut.

Eugen, impuissant mais compréhensif, répondit par un soupir.

Eugen avec Grüninger, Frederika dans sa périlleuse mission s'étaient engagés dans un combat identique, celui de l'honneur. Avec lequel on ne doit pas transiger. Comme la liberté, il n'a pas de prix.

14

Encore quatre jours sur l'océan parfois turbulent, par moments aussi calme que le lac de Constance, et Eugen apercevrait la statue de la Liberté, visage tourné vers l'Europe, émerger de la brume marine. Le *Vasco de Gama* sur lequel il avait embarqué à Lisbonne avait abandonné son escorte protectrice de corvettes militaires de l'US Navy ; il passerait sous le pont Verrazano et, à la vitesse limitée à six nœuds, guidé par la vedette pilote, accosterait au Pier 34. Après l'habituelle distribution de pourboires au personnel navigant, il prendrait un taxi et s'installerait provisoirement à l'hôtel Weston, dans la 46ᵉ Rue Ouest, à quelques blocs de Times Square et de Fifth Avenue. Il devrait s'habituer, New York n'était pas Saint-Gall.

La sortie de Suisse avait été moins périlleuse qu'il ne l'avait redouté. A Genève, des militaires vérifiaient les passeports sans grande conviction. Dans le train, peu de voyageurs, les risques d'être arrêté n'étaient pas négligeables. La police de Pétain était aussi réputée que celle du Reich. Même la conscience en paix, nul n'était assuré de ne pas être interpellé. A la frontière espagnole, où il avait changé de wagon en raison de la différence d'écartement des voies, la Guardia Civil de Franco

274

fermait les yeux sur ceux qui, par Barcelone et Madrid, gagnaient le Portugal, soit pour rejoindre l'Angleterre, soit pour émigrer vers l'Amérique du Nord ou du Sud. Il avait redouté des difficultés, tout s'était bien passé.

Enfant, Eugen rêvait déjà de visiter New York. Tous les magazines vantaient le confort du *Normandie*, l'aviation civile hésitait encore à franchir l'Atlantique. Il aurait souhaité effectuer deux traversées, l'une à l'aller, l'autre au retour sur ce navire, chaque repas, assurait-on, y était un festival gastronomique. Ce paquebot, symbole du luxe et du raffinement à la française, les stars d'Hollywood le préféraient à son rival britannique, le *Queen Mary*, baptisé en hommage à la souveraine du Royaume-Uni, impératrice des Indes. Ce rêve ne se réaliserait pas.

Le *Normandie*, il le découvrirait bientôt, ancré dans le port de New York, rebaptisé *Lafayette* par les Américains, et transformé en transport de troupes s'ils se décidaient à porter le fer dans la cuirasse hitlérienne. Rien n'était acquis, Roosevelt s'interrogeait encore. La légion étrangère avait été dissoute par le gouvernement de Vichy, sur ordre d'Hitler mais, si Eugen en avait la possibilité, il se mettrait à la disposition des volontaires américains.

En quelques années, l'équilibre du monde avait été bouleversé. Entraînant avec lui sa cohorte de morts. Les Etats-Unis soutenaient, avec la fourniture d'armements modernes, la résistance de la Grande-Bretagne. Winston Churchill voulait poursuivre une guerre que les Français avaient perdue, qu'il n'avait pas la certitude de gagner, mais la volonté de finir en vainqueur. Eugen avait vu la photo d'Hitler devant la tour Eiffel ; en Suisse, le gouvernement de Pilet-Golaz, auquel le Conseil national et le Conseil des Etats, représentant les cantons, avaient accordé les pleins pouvoirs, se voulait rassurant. Par ses accords avec les autorités du Reich, la Confédération ne serait jamais envahie. Il ne fallait voir dans la « Mob[1] » qu'une mesure de précaution. Hitler avait besoin des banques et des usines suisses, les employés et les ouvriers qui n'avaient pas été rappelés travaillaient pour le Reich, la neutralité évitait le chaos.

Appuyé sur le bastingage, à la proue du *Vasco de Gama*, Eugen voyait défiler les événements qui l'avaient décidé à s'installer aux Etats-Unis. Les migrants étaient accueillis sans difficulté, sans limitation de temps de séjour sur le sol américain. Les Allemands avaient mis en déroute les troupes alliées ; après les Pays-Bas et la Belgique, ils occupaient une large moitié de la France.

Pétain avait signé un armistice, infamant selon Eugen, alors que les Suisses, en majorité, voyaient dans le vainqueur de Verdun un militaire courageux ayant compris que collaborer avec l'Allemagne, c'était s'attirer la bienveillance d'Hitler. Rappelé d'Espagne, où un gouvernement aveugle l'avait nommé ambassadeur à Madrid auprès de Franco, il ne dissimulait pas son attrait pour les régimes dictatoriaux, qu'il avait pourtant combattus courageusement à Verdun.

A Londres, Churchill avait fait publier une véritable encyclopédie des initiatives suisses non conformes à ses engagements de neutralité. L'industrie helvétique livrait des armes à l'Allemagne, avec pour unique mot d'ordre : le profit. Elle exportait aussi vers le Reich des médica-

---

1. La mobilisation des hommes en âge de combattre.

276

ments, des produits chimiques et, même, du chocolat fabriqué en énormes quantités par Nestlé.

A Au, où il survivait dans un appartement modeste, après avoir été contraint de restituer son logis de fonction de Saint-Gall, Paul Grüninger s'enfonçait dans la misère avec les siens. Oublié. Pilet-Golaz et Rothmund négligeaient leur compatriote qui, pourtant, par son courage, avait su préserver la dignité citoyenne helvétique.

Sa dernière colère, Grüninger, qui n'avait plus qu'un ami sincère, Eugen Stahler, l'avait éprouvée en apprenant par la TSF, car il n'avait plus les moyens d'acheter de journaux, que Pétain avait pris des mesures antijuives, semblables à celles édictées par Hitler. Et qu'à Montoire il avait serré la main d'un assassin dément. Si des Juifs de France cherchaient à se réfugier en Suisse, Grüninger ne pourrait plus rien pour eux ; refoulés, ils seraient déportés vers les camps de la mort. Grüninger n'avait qu'un espoir, que dans les territoires occupés d'autres hommes, d'autres femmes refusent, comme lui jusqu'à sa destitution, le massacre des innocents. Il voulait y croire.

Presque tous les mois, Eugen, qui avait obtenu sans difficulté un poste de consultant à l'agence saint-galloise de l'Union de banques suisses, visitait Grüninger à Au. Chaque rencontre l'attristait. Grüninger, souvent négligé mais la raie impeccable au milieu de ce qui lui restait de cheveux, s'était, après sa condamnation à trois mois de prison avec sursis et une amende de 500 francs, improvisé représentant de commerce. Tantôt il vendait du bois, tantôt des imprimés, quand ce n'était pas des polices d'assurance ; il acceptait ce qu'on lui proposait. Nombre d'employeurs hésitaient, refusant de donner de l'ouvrage à un officier dégradé, condamné à de la prison, fût-ce avec sursis. Les patrons profitaient de sa situation délicate pour le payer moins que d'autres salariés. Ainsi, au fil des mois, avait-il vendu des aliments pour cochons, des tapis et des tissus. Il travaillait sans jamais renâcler, au gré des annonces publiées par la *Feuille d'avis*. Médiocre commercial, il avait cru s'en sortir en donnant des leçons de conduite à des gens possédant une voiture. La perspective d'avoir pour instructeur Grüninger-le-traître les incitait souvent à décliner sa proposition. Grüninger ne racontait jamais son histoire. Non par honte mais par modestie. Il n'avait fait que son devoir. A Eugen il se confiait plus volontiers. Evidemment, il regrettait les conditions dans lesquelles Rothmund l'avait fait tomber, il comprenait ses raisons. Il ne le niait pas, il avait enfreint la loi mais pourquoi, à Berne, n'avait-on pas compris qu'en falsifiant des visas d'entrée, il sauvait des vies, sans jamais réclamer un centime ? La totalité de ses économies, il l'avait dépensée en aidant ceux qui passaient, les poches vides. Il avait même effectué à ses frais un déplacement à Zurich pour récupérer chez un Juif suisse une collection de timbres appartenant à un interné de Diepoldsau, qui souhaitait la récupérer.

La précarité de sa situation, il l'acceptait. Face au silence, il avait choisi l'honneur. Ce qu'il ne comprenait pas, c'était le comportement du conseiller Valentin Keel. Un ami de jeunesse, un compagnon du Parti socialiste, qui, au procès, après plus de six mois d'enquête du juge Walter Hasch, avait condamné les activités illégales d'un Paul Grüninger, déclarant que celui-ci n'était qu'une relation de travail ! Keel, soucieux comme d'autres politiciens de conserver son poste de conseiller, n'avait-il pas déclaré sous serment, lors d'une audition, dont le compte rendu avait été « miraculeusement » égaré, que le non-respect des directives fédérales en matière de protection des frontières devait être sévèrement réprimé ? A chaque nouvelle rencontre, Eugen s'affligeait un peu plus de ces injustes accusations. Grüninger, hors-la-loi, n'intéressait plus personne. La presse, la radio s'imposaient le silence sur une affaire qu'il convenait d'oublier sans tarder. Eugen, écœuré, avait déjà songé à fuir un pays dans lequel il ne se reconnaissait plus. La mort de Martha, après des mois d'agonie, l'avait plus affecté qu'il ne l'aurait imaginé. Tout en Suisse le heurtait. A quarante ans, il avait envie d'entamer une nouvelle vie. Ailleurs.

Quand il était monté dans le train pour Zurich, Eugen ne s'était pas retourné pour voir une dernière fois cette ville où il avait vécu tant d'années heureuses. Unique concession avant le départ, un détour par la banque. Il sourit en voyant qu'une plaque « Banque Dreyfus » avait déjà remplacé la sienne. Vanité ? Médiocrité ? Il se refusait à tout jugement. Sur le paquebot, il n'était d'abord sorti de sa cabine de première classe que pour prendre ses repas, dans une grande salle à manger de style Art déco ; la nourriture était convenable sans être cuisinée avec soin. Il passait des heures à rêvasser, derrière le hublot, le regard fixé sur l'océan. Tout ce qu'il avait vécu, il devait faire un trait dessus. Aux Etats-Unis, il devrait repartir de zéro. Il l'avait voulu parce qu'en Europe il n'y avait pas que les ravages de la guerre, les exactions des nazis, il n'avait pu, malgré ses efforts, se résigner au mutisme suisse. Ni aux scandales à répétition, aux malversations de politiciens sans envergure, complices d'un régime sans foi ni loi, inconscients de ce que la face du monde changeait.

Au cinquième jour du voyage, sous un ciel entièrement voilé, il s'était avancé jusqu'à la proue pour éviter la fumée noirâtre crachée en abondance par les trois cheminées. Il avait traversé le pont-promenade, quelques passagers s'y reposaient à même le sol en lattes de bois, protégés par des couvertures. D'autres observaient, amusés, les jets d'écume sur la coque. Dans son imaginaire, une traversée de l'Atlantique était un aimable moment de vie avant un retour à la maison. Sur ce paquebot déjà ancien, dans l'incessant grondement des machines, Eugen ressentait un étouffant malaise. Lui, banquier aisé, avait entrepris de changer de vie. Etait-ce raisonnable ? Voyait-il là une dernière chance de sauver son âme ? Les autres passagers, une majorité d'Allemands et d'Autrichiens, quelques Polonais, de rares Français, traversaient l'océan pour être hors d'atteinte de ceux qui les traquaient. Majoritairement des Juifs qui emportaient avec eux leurs souvenirs, sans doute malheureux d'avoir dû fuir leur patrie pour sauver leur vie et celle de leurs enfants. Eugen, s'il partageait leur angoisse de l'exil, s'était assuré assez de disponibilités pour parer à d'éventuels aléas. Il se savait inapte à vivre dans la pauvreté.

Mile après mile, la porte océane s'ouvrait à ces migrants, riches ou démunis. Cette terre, qu'ils allaient découvrir, ils l'attendaient avec impatience et appréhension.

Faute d'avoir pu lui répondre, Eugen avait emporté la dernière lettre de Frederika. Passée par la censure du Reich, elle lui avait été délivrée un mois après la date d'expédition, de Munich, apposée sur l'enveloppe au format obligatoire, fixé par la Reichspost. Par sécurité, elle n'avait pas mentionné d'adresse. Après les premiers mots d'une infinie tendresse, elle racontait une mission. Eugen en avait retenu chaque phrase, chaque douloureuse allusion.

Avec Fröhlicher, l'ambassadeur de Suisse à Berlin, elle avait inspecté le camp d'Oranienburg, au nord de Berlin. Fröhlicher souriait, heureux de montrer à une Allemande déléguée par le CICR que les internés y vivaient dans de bonnes conditions : rien d'anormal, contrairement aux rumeurs de mauvais traitements qui circulaient, dans le seul but de nuire à la réputation des dignitaires du Reich. Rothmund les accompagnait dans cette visite à la demande de Pilet-Golaz. Il ne cachait pas sa satisfaction : qu'y avait-il d'injuste dans le traitement imposé aux prisonniers ? Hygiène, santé, nourriture, habillement, horaires de travail, dans des ateliers d'automobiles pour les hommes, de couture pour les femmes, Rothmund et Fröhlicher se félicitaient de l'esprit de compréhension des autorités allemandes pour ces internés, tous très correctement vêtus. Le chef de camp n'avait-il pas déclaré que les Juifs n'étaient prisonniers qu'en raison de leur absence de sens patriotique ? Evidemment, Frederika le précisait, elle avait observé sans être dupe le subterfuge monté par les deux Suisses. D'autant qu'avant de se séparer, Rothmund avait insisté à plusieurs reprises pour que dans le compte rendu, signé par Max Huber, on n'utilise surtout pas le terme de « camp de concentration » mais de « camp de travail ».

Frederika était vivante, elle lui disait l'aimer, elle le rejoindrait. Quand ? Après l'effondrement du nazisme ? Mais s'effondrerait-il un jour ? Il voulait y croire. Il l'attendrait, sans un regard pour une autre femme.

Avant son départ, il avait rendu une dernière visite à Grüninger. Le proscrit lui avait raconté

281

qu'à la demande de Valentin Keel il aurait à subir, chaque mois, à l'hôpital de Saint-Gall, un examen psychiatrique. Keel le répétait à qui voulait l'entendre, un officier de son rang devait être dément pour avoir ouvert la frontière suisse à des étrangers indésirables. Il était fâcheux que Grüninger n'ait pas vérifié que la déportation et l'extermination des Juifs n'étaient que légendes colportées par ceux qui n'avaient pas réussi à collaborer, dans les domaines les plus divers, avec les voisins et amis allemands.

Grüninger s'était aussi aperçu que lorsqu'il sortait de chez lui il était régulièrement suivi. Quand il avait voulu adhérer au club de football d'Au, le président lui avait fait part de ses regrets, les effectifs étaient déjà complets. Tout cela le peinait, il n'y pouvait rien changer.

Au moment de la séparation, Grüninger, pudique, avait serré Stahler entre ses bras et, sans se retourner, cachant son émotion, s'était dirigé vers l'unique chambre qu'il partageait avec son épouse et leurs deux filles.

Eugen s'était voulu réconfortant :

— A bientôt... On vous rendra bientôt justice... Tenez jusque-là !

Eugen n'était pas certain d'avoir été entendu. Avant de le quitter, il avait posé sur la table une enveloppe. A l'intérieur, mille francs en petites coupures.

Les côtes américaines ne tarderaient pas à paraître. Le directeur de l'Union de banques suisses, à New York, lui avait trouvé un logement confortable à Brooklyn Heights. Il n'aurait que l'East River à traverser, guère plus d'un quart d'heure en métro, pour rejoindre Wall Street où la banque avait ses bureaux. Dans ce quartier paisible, vivait une importante communauté de Juifs émigrés ; certains d'entre eux avaient écrit à Grüninger pour le remercier de leur avoir sauvé la vie. L'humanité avait besoin d'hommes et de femmes comme lui.

La nuit était tombée, les lumières du pont éteintes, les rideaux fermés dans les salons et les cabines ; le *Vasco de Gama*, tel un bateau fantôme, ne devait pas être repéré par l'ennemi. Seul dans la nuit, sous un ciel empli d'étoiles, Eugen demeurait immobile, appuyé sur le bois ciré du bastingage, il n'avait pas envie de souper. De sa poche, il sortit un petit caillou. Rose et rond, ramassé dans une allée du carré juif du cimetière de Saint-Gall.

Comme il s'y était engagé, il avait rendu visite à Martha. Pourquoi avoir acheté un bouquet de onze roses à l'intérieur duquel la fleuriste avait glissé quelques edelweiss ? Dans son lit, le visage blême, elle ne bougeait pas, parmi les tuyaux lui permettant de survivre encore quelques jours... quelques heures. Il avait regardé ce corps amaigri, celui de son épouse. Grüninger, encore chef de la police, lui avait fait comprendre qu'elle s'était comportée en héroïne. Eugen avait été bouleversé. Pourquoi avait-il supporté, voire encouragé, tant de silences ? Par attrait de l'argent il en était arrivé, comme d'autres banquiers suisses, à accepter l'idéologie nazie, elle avait facilité l'accroissement de sa fortune ; il avait aussi épousé une Juive allemande. Comme tout cela, à présent, lui paraissait loin et compliqué !

Parce que c'était l'usage, et peut-être nécessaire – il comptait de nombreuses relations, même si elles étaient souvent superficielles –, Eugen avait fait publier dans la *Feuille d'avis* l'annonce du décès de Martha. Quelques personnes seulement s'étaient déplacées. Derrière le cercueil, Edmond le restaurateur, deux employés représentant le personnel de la banque, Paul Grüninger. En s'abstenant de venir, les Saint-Gallois avaient voulu donner à Stahler une dernière leçon. Un banquier de leur ville, chrétien, s'était autorisé à épouser une Juive. Fût-elle allemande, ce n'était pas convenable.

Un nouveau rabbin, Lothar Rothschild, avait récité le kaddish, la prière des morts. Le cercueil était descendu dans la fosse des Juifs étrangers. Stahler aurait préféré que Martha soit enterrée dans le caveau familial, on lui avait fait savoir que sa présence n'était pas envisageable parmi les défunts chrétiens. Selon le rituel juif, on avait laissé tomber un caillou sur le cercueil, ultime et traditionnel hommage des vivants.

Le caillou qu'il avait ramassé, le moment était venu de le jeter dans les profondeurs de l'océan. Sa façon à lui de dire adieu à la courageuse Martha. Retenant ses larmes, il le lança ; il disparut dans le premier tourbillon.

En pleine mer, Eugen pensait à Grüninger et Frederika, les seuls liens qu'il voulait conserver avec l'Europe, aux dictatures à combattre avec énergie, aux victimes qu'on ne devrait jamais oublier.

Certains silences sont plus respectables que d'autres, mais le silence ne doit jamais devenir une forme d'oubli.

En Comtat Venaissin, mars 2014

Postface

Ce n'est qu'en 1968, trente ans après la destitution de Paul Grüninger, que Hans Brütenmoser, député au Grand Conseil de Saint-Gall, a demandé pour la première fois qu'on étudie son dossier de réhabilitation. Examen refusé. Cette requête, tant à Berne qu'à Saint-Gall, fut renouvelée cinq fois et cinq fois rejetée, en 1969... 1970... 1984... 1988 et 1989. Paul Grüninger, sauveur de Juifs, est mort en 1972, à quatre-vingts ans, sans avoir été réhabilité, dans une quasi-misère malgré l'aide financière apportée par l'Association des Juifs suisses, enfin, consciente du nombre de personnes qui lui devaient la vie.

En 1970, le président de la République fédérale d'Allemagne, ayant par hasard entendu parler de l'affaire Grüninger, lui a envoyé pour Noël... un poste de télévision. Décédé deux ans plus tard, il n'en a guère profité.

En 1971, enfin un réconfort : le titre de « Juste parmi les nations » lui a été décerné par le Mémorial de Yad Vashem au nom de l'Etat d'Israël. A Washington, New York, Los Angeles, des rues portent son nom, à l'initiative d'émigrés qu'il avait sauvés.

En 1993, la réhabilitation a été une fois encore refusée, pour des motifs... juridiques ! Il s'agissait seulement d'appliquer la règle suisse du silence sur ce qu'on avait décidé d'ignorer à tout jamais. On croit rêver, ou plutôt vivre la suite d'un cauchemar.

En 1998, ses descendants ont reçu un dédommagement de trois cent mille francs suisses, payés par la communauté des Juifs suisses, ainsi qu'un million trois cent mille francs versés à titre de « compensation morale », mais d'annulation pénale il ne fut pas question. Ces sommes, la famille a voulu, malgré l'opposition de certains politiques saint-gallois, qu'elles soient utilisées à la création d'une Fondation Paul Grüninger. Elle décerne tous les trois ans un prix « aux personnes et aux organisations qui ont fait preuve d'humanité, de courage et d'indépendance d'esprit particuliers ».

Si l'affaire Grüninger a été, non sans difficulté, examinée par les autorités, combien de Suisses affirment encore que sur l'extermination des Juifs « ils ne savaient pas » ! Par orgueil, par honte ? L'ambiguïté n'est pas encore dissipée. Au printemps 2014, n'ont-ils pas limité par voie référendaire le nombre d'étrangers européens admis à s'installer sur leur territoire ?

Cet ouvrage a été imprimé en France par

BUSSIÈRE

à Saint-Amand-Montrond (Cher)
en mai 2014

Composition et mise en pages
Nord Compo à Villeneuve d'Ascq

N° d'impression : 2009817
Dépôt légal : mai 2014